LE REGARD DES FEMMES

DU MÊME AUTEUR

Romans

LE CORTÈGE DES VAINQUEURS, Laffont, 1972, et Livre de Poche.
UN PAS VERS LA MER, Laffont, 1973, et J'ai Lu.
L'OISEAU DES ORIGINES, Laffont, 1974, et J'ai Lu.
LA BAIE DES ANGES :
    I. LA BAIE DES ANGES, Laffont, 1975, et J'ai Lu.
    II. LE PALAIS DES FÊTES, Laffont, 1976, et J'ai Lu.
    III. LA PROMENADE DES ANGLAIS, Laffont, 1976, et J'ai Lu.
LA BAIE DES ANGES, 1 vol., coll. « Bouquins », Laffont, 1982.
QUE SONT LES SIÈCLES POUR LA MER, Laffont, 1977, et Livre de Poche.
LES HOMMES NAISSENT TOUS LE MÊME JOUR :
    I. AURORE, Laffont, 1978, et Livre de Poche.
    II. CRÉPUSCULE, Laffont, 1979, et Livre de Poche.
UNE AFFAIRE INTIME, Laffont, 1979, et Livre de Poche.
FRANCE, Grasset, 1980, et Livre de Poche.
UN CRIME TRÈS ORDINAIRE, Grasset, 1982, et Livre de Poche.
LA DEMEURE DES PUISSANTS, Grasset, 1983, et Livre de Poche.
LE BEAU RIVAGE, Grasset, 1985, et Livre de Poche.
BELLE ÉPOQUE, Grasset, 1986, et Livre de Poche.
LA ROUTE NAPOLÉON, Laffont, 1987.
UNE AFFAIRE PUBLIQUE, Laffont, 1989.

Histoire, essais

L'ITALIE DE MUSSOLINI, Perrin, 1964 et 1982, et Marabout.
L'AFFAIRE D'ÉTHIOPIE, Le Centurion, 1967.
GAUCHISME, RÉFORMISME ET RÉVOLUTION, Laffont, 1968.
MAXIMILIEN ROBESPIERRE. HISTOIRE D'UNE SOLITUDE, Perrin, 1968 et Livre de Poche.
HISTOIRE DE L'ESPAGNE FRANQUISTE, Laffont, 1969, et Marabout.
CINQUIÈME COLONNE 1939-1940, Plon, 1970 et 1980, éd. Complexe, 1984.
TOMBEAU POUR LA COMMUNE, Laffont, 1971.
LA NUIT DES LONGS COUTEAUX, Laffont, 1971.
LA MAFIA, MYTHE ET RÉALITÉS, Seghers, 1972.
L'AFFICHE, MIROIR DE L'HISTOIRE, Laffont, 1973.
LE POUVOIR À VIF, Laffont, 1978.
LE XXᵉ SIÈCLE, Perrin, 1979, et Livre de Poche.
GARIBALDI, LA FORCE D'UN DESTIN, Fayard, 1982.
LA TROISIÈME ALLIANCE, Fayard, 1984.
LES IDÉES DÉCIDENT DE TOUT, Galilée, 1984.
LE GRAND JAURÈS, Laffont, 1984, et Presses Pocket.
LETTRE OUVERTE À ROBESPIERRE SUR LES NOUVEAUX MUSCADINS, A. Michel, 1986.
QUE PASSE LA JUSTICE DU ROI, Laffont, 1987.
JULES VALLÈS, Laffont, 1988.
LES CLÉS DE L'HISTOIRE CONTEMPORAINE, Laffont, 1989.
MANIFESTE POUR UNE FIN DE SIÈCLE OBSCURE, Odile Jacob, 1990.
LA GAUCHE EST MORTE. VIVE LA GAUCHE !, Odile Jacob, 1990.

Politique-Fiction

LA GRANDE PEUR DE 1989, Laffont, 1966.

Conte

LA BAGUE MAGIQUE, Casterman, 1981.

En collaboration

AU NOM DE TOUS LES MIENS, de Martin Gray, Laffont, 1971, et Livre de Poche.

MAX
GALLO

Le regard
des femmes

ROMAN

ROBERT LAFFONT

ISBN 2-221-07087-9

*Pour Alberto Moravia,
romancier de la lucidité.*

« *Il faut choisir d'aimer les femmes ou de les connaître.* »

Chamfort

« *Il ne faut jamais cesser de désirer.* »

Rainer Maria Rilke

Comme il doit être dit, les personnages et les situations de ce roman ne relèvent que de l'imaginaire. Toute coïncidence avec le réel serait, bien sûr, fortuite.

PROLOGUE

Il faut vivre, n'est-ce pas ?

Nuit, froid, insomnie.

Sur ma table la photo de Lisa qui me nargue.

Belle, Lisa. Pouvoir de ses yeux gris, verts. Douceur, mélancolie, défi ? Elle me fixe et je sens que son regard se dérobe. Elle n'est jamais simple. Je crois la saisir et elle s'enfuit.

C'était chez elle, à Venise, il y a un mois à peine. Le bateau nous conduisait à Torcello. Le vent était vif, le ciel couvert. Je l'avais photographiée par surprise, mais quand j'avais voulu recommencer, elle s'était refusée, détournant la tête, plaçant la main devant ses yeux.

Cette photo est comme le souvenir des nuits où nous faisions longuement l'amour, aux premiers temps de notre vie commune.

Maintenant elle dort, loin, à l'autre bout de l'appartement, et je griffonne dans mon bureau.

Dehors, du côté de l'avenue Louise, des bruits de voix, un rire et le début d'une chanson que couvre la rumeur des voitures. Après il n'y a plus rien que ce sifflement aigu qui me traverse, d'une oreille à l'autre, plus insupportable que d'habitude. Mes pensées se brouillent, se voilent, je tente de me retenir à une idée, de garder la tête hors de cette insidieuse douleur qui s'infiltre, me recouvre.

Continuer à écrire, fixer mon attention, m'agripper aux mots : voilà où j'en suis.

13

J'ai eu la tentation de réveiller Lisa. J'ai tâtonné tout au long du couloir, jusqu'à sa chambre. La porte était entrouverte pour que le chat puisse aller et venir. J'ai avancé la tête mais je n'ai pas franchi le seuil. L'obscurité de la pièce et le silence formaient un bloc dense et noir. J'ai reculé avec d'abord un sentiment de honte comme si j'avais voulu commettre un acte sacrilège et qu'au dernier moment la crainte et le remords m'aient saisi. Mais au fur et à mesure que je m'éloignais de la chambre de Lisa, la colère m'emportait contre elle et contre moi. Il me semblait que si j'avais pu, comme autrefois, m'allonger près d'elle, poser mes mains sur ses seins, trouver ma place contre son corps, embrasser ses cheveux, respirer son odeur, mes jambes entre ses jambes, j'aurais été apaisé, ma douleur se serait dissoute et je me serais endormi.

Mais je n'ai même pas osé entrer dans sa chambre. Tels sont nos rapports aujourd'hui.

Dans la cuisine j'ai donné un coup de pied au chat.

Lisa, jadis, était assise en face de moi. Elle me tendait une tasse de café brûlant et je faisais griller son pain, je pressais pour elle une orange. Mes gestes étaient assurés. Je croyais savoir ce qu'elle voulait et je posais son verre et les toasts, toujours à la même place. Les choses, mes sentiments, ma vie, notre vie donnaient l'apparence de l'ordre. Le chat s'allongeait sur la table entre nous, je le caressais et il ronronnait.

— Que fais-tu aujourd'hui ? me demandait-elle.

Je lui parlais des réunions de la Commission, de la séance du parlement de Strasbourg à laquelle j'avais assisté avec le Président de la Commission, de l'opposition de

Wilkinson et de Mahlberg à mes projets, de mes alliances avec Solas et Finci.

Elle me conseillait. Si la directive sur les droits d'auteur a été adoptée, c'est grâce à elle. « Tu peux faire basculer Mahlberg de ton côté, et le Président t'appuiera », m'avait-elle dit.

Nous avions siégé toute la nuit et à la fin le Président m'avait pris par le bras. « Guibert, vous avez été habile, bravo, j'ignorais votre talent de négociateur, je ne soupçonnais pas votre obstination. »

Un rire silencieux, impétueux avait rempli ma poitrine. Lisa que j'avais réveillée en rentrant, m'écoutait avec attention faire le récit de cette longue bataille. Je croyais à mon rôle, à l'influence de la Commission, je m'approchais d'elle et nos mains étaient comme des chats qui se frôlent. Je lui serrais tout à coup le poignet, je la désirais.

Elle se laissait conduire, pousser, porter jusqu'à notre chambre, je plaçais mon visage entre ses seins, je glissais ma main sous ses reins.

Etais-je égoïste, aveugle ?

Tout entre nous me semblait aller de soi.

Je suis seul dans la cuisine. Pas un geste désormais qui ne me coûte comme si chacun d'eux traînait une ombre.

Je laisse bouillir le café.

Hier soir, anniversaire de Lisa. Elle a trente-huit ans, moi cinquante. Je commence à accorder de l'attention à l'âge. Je sens que l'écart s'élargit, que le fossé se creuse.

Nous étions quand je l'ai connue, encore sur la même rive, elle vingt-sept ans, moi à peine trente-neuf, l'âge qu'elle atteint aujourd'hui. Mais je me suis éloigné, je suis de l'autre côté du fleuve. Je suis devenu autre, le temps pour moi s'est accéléré. Jadis je touchais Lisa de l'épaule, nous marchions

15

hanche contre hanche. Maintenant ma main se tend en vain, l'âge m'éloigne, la différence entre nous s'étire.

Je n'avais pas cru cela possible.

Il y a deux jours, Lisa m'a donné une photo, prise l'an dernier, au Lido. J'étais debout en maillot, les mains à la taille, la tête penchée vers le sol, et à un pas se tenait Paolo.

Lisa ne me parlait que de Paolo comme si je ne figurais pas sur le cliché. « Paolo va venir à Bruxelles pour mon anniversaire, disait-elle. J'ai reçu une lettre ce matin. » Un frère cadet annonce son arrivée, glisse dans l'enveloppe une photo de vacances qu'il a retrouvée, quoi de plus normal, quoi de plus amical ? Je ne peux rien dire. Mais je suis l'image inversée de Paolo, son double grotesque. Il est musclé. Il a cette morgue naturelle des jeunes hommes. Ses jambes sont tendues, ses pieds bien plantés dans le sable, on dirait que son sexe va jaillir de son maillot bleu. Il lève les bras au-dessus de sa tête, les mains nouées, et cette pose fait saillir les pectoraux. Je suis là, près de lui, relâché. Ce corps inconnu, lourd, las, adipeux où je ne vois que le ventre et l'estomac, les plis du cou, la maigreur des bras qui contraste avec la masse du torse, c'est le mien. Nous sommes comme deux statues dressées sur la voie du temps. Je suis l'homme que la vieillesse enveloppe déjà. Il est celui qui se cambre, fier, comme si l'usure n'existait pas.

Je rends le cliché à Lisa. Voulait-elle me faire comprendre qu'elle savait ce que j'étais devenu ?

— Sympathique, non ? dit-elle.

Elle ne semblait pas mentir ou se moquer de moi.

— Monstrueux.

Elle lève la tête, me regarde comme si elle n'avait pas entendu ce que je disais.

— Qui a pris cette photo ? ai-je ajouté.

— Béatrice, voyons.

Je me souviens tout à coup de la scène. Nous arrivions de l'île de la Giudecca où nous habitions pour un séjour de vacances dans la maison familiale, en compagnie de Paolo et de Béatrice. Nous nous étions à peine installés sur la plage que la femme de Paolo s'était mise à tourner autour de nous, jouant les photographes. J'essayais de l'ignorer et c'est sans doute pour cela que je baissais la tête. Elle était seins nus, son maillot couvrant à peine son pubis, laissant voir tout son ventre plat, sa peau si mate. A tout instant je les imaginais, elle et Paolo. Je les voyais.

A l'heure de la sieste, Paolo se glissait derrière elle dans leur chambre proche de la nôtre. Les volets étaient clos, la maison fraîche, silencieuse comme un lac noir. Lisa restait dans le jardin, sous la tonnelle, dans la touffeur de l'après-midi. Je devais donc étudier mes dossiers seul, dans le salon, et parfois me parvenait, de la chambre de Béatrice et de Paolo, une exclamation étouffée.

Au Lido, elle courait vers lui, s'accrochait à son cou. Il l'enlaçait dans les vagues et elle serrait ses jambes autour de sa taille, cependant qu'il s'enfonçait dans l'écume. Parfois je surprenais le regard de Lisa qui les suivait des yeux. Sur la plage, Paolo s'allongeait lascif et Béatrice huilait lentement son dos, ses épaules.

Lisa, sous un parasol annotait un livre et, si je m'approchais, elle me lançait d'un ton distrait : « Ça va Philippe, tu n'as pas trop chaud ? » Elle m'arrêtait ainsi usant de ces banalités polies qu'elle mettait de plus en plus souvent entre nous. Je m'asseyais loin d'elle, je feuilletais les journaux, j'essayais de m'intéresser à cette actualité qui était, prétendait Lisa, toute ma vie. *Financial Times, Le Monde, Herald Tribune, El País, La Repubblica,* n'étais-je pas un membre éminent de la Commission européenne ?

— Rien de particulier Philippe ? Tu n'es pas obligé de rentrer à Bruxelles ? questionnait Lisa.

Tout allait bien.

L'élan de Béatrice, la vigueur de Paolo, qu'étaient-ils devenus ?

17

Hier encore, mais l'après-midi, à la fin de la séance de travail de la Commission, le Président m'a entraîné dans son bureau. Il a toujours le même geste. Il me saisit le bras au-dessus du coude. Il le serre affectueusement, il penche sa tête vers moi.

Longtemps je l'ai cru spontané et affectueux. Lisa m'a fait découvrir sa duplicité. Elle a le jugement tranché, implacable. « Cherche ses yeux, m'a-t-elle dit, tu ne les trouves pas. C'est un vieux renard. Méfie-toi. »

J'ai commencé à observer le Président. Son visage est plissé comme celui d'un animal préhistorique. Ses yeux ne sont que des fentes. Il porte des lunettes à monture d'écaille, des sortes de paupières transparentes mais si épaisses qu'elles éloignent encore le regard.

— Les vieux ne peuvent plus rien dissimuler, a ajouté Lisa. Leur corps parle. Ils sont ce qu'est leur peau.

Je me suis souvenu de cette phrase dans le bureau du Président, hier. Je ne le sentais pas beaucoup plus âgé que moi. Cinquante-cinq, soixante ans, un peu plus peut-être ? Il a la silhouette vigoureuse et juvénile, le port de tête orgueilleux. Il allait et venait, me parlait de la stratégie des Britanniques et des Danois. « Wilkinson, disait-il, est indestructible, une île vraiment. Et Carlsten ne vaut pas mieux. Je préfère Mahlberg. Les Allemands, finalement, sont sans mystère. Qu'en dites-vous Guibert ? »

Vieux, le Président ?

Que suis-je donc pour Lisa, sinon cela ?

Pire peut-être.

Dans son bureau dont l'austérité me surprend chaque fois, le Président était vif, sans âge, mobile dans un temps figé. Je ne sens chez lui aucune hésitation. Sa passion est intacte. Que cherche-t-il ? Une place dans l'Histoire ? On ne lui connaît ni épouse, ni enfant, ni liaison. « Il s'est marié à l'Europe, espérons qu'il lui fasse un fils ! » dit Finci avec son cynisme souriant d'Italien.

Appuyé aux baies vitrées qui donnent l'impression que le brouillard, les nuages, la pluie, le vent entrent dans le bureau, il évoque les négociations en suspens sur la télévision européenne, les prêts aux producteurs.

— Quel est votre choix, Guibert ?

Je me suis dérobé. Il veut toujours connaître avant la réunion de la Commission la position des commissaires, pour se l'attribuer ou la combattre. Mes esquives l'irritent. Il me flatte, veut me séduire. Puis il devient violent, quelques secondes. Tout sourire enfin.

— Donc à demain à la Commission, Guibert. Vous savez que mon soutien vous est acquis. Mes amitiés — il se tait un instant, pose sa main sur mon épaule — mes affections, Philippe, à votre jeune et charmante femme.

En rentrant, j'ai raconté brièvement la scène à Lisa. Je lui parle souvent du Président, façon de lui parler de moi. Elle m'écoute. Hier soir elle préparait le buffet pour les quelques amis — Florence, Pascal, Vassos, Hélène — que nous attendions. Sans me regarder, d'une voix neutre, elle a dit :

— Tu es comme lui, tu joues aussi bien que lui. Vous êtes tous semblables, le Président, toi, Wilkinson, Mahlberg, Solas, Finci aussi. A votre âge, vous ne pouvez plus changer et si vous êtes là où vous êtes, c'est bien que...

Je connais son verdict. La politique change les hommes. Ils manœuvrent. Ils truquent. Ils biaisent. Ils donnent et reçoivent des coups. Ils font des mimiques. Ils vivent dans le simulacre. Ils sont si habiles, si doubles, qu'ils ne se posent même plus la question de la vérité et du mensonge. Tout est faux et tout est vrai, en même temps.

J'aurais voulu la convaincre de ma faiblesse, de ma

sincérité. Elle aurait ri. Hier soir je n'ai pas essayé. C'était son anniversaire. Paolo venait d'arriver. Béatrice m'embrassait. « Tu es en pleine forme, Philippe, plus jeune que jamais » lançait-elle. Je sais d'ailleurs ce que Lisa m'aurait dit, s'emportant peu à peu, dure à la fin. L'écorce m'avait envahi à l'entendre. Sous l'apparence, il n'y avait plus rien, ni sève ni cœur. Nous étions tous, moi, le Président, les autres, durs et vides, une espèce à part. Nous résonnions comme des troncs creusés. « Langue de bois, bois mort », c'était sa formule. Elle m'a seulement tapoté la main, comme si elle avait poursuivi silencieusement le dialogue avec moi.

— N'y pense pas, a-t-elle dit. Pas ce soir, veux-tu ?

Elle était belle et joyeuse, le corps nerveux, une silhouette d'adolescente, les jambes moulées dans un pantalon de toile rêche, noire, un chemisier blanc de coupe militaire, tendu sur sa poitrine. Elle allait de l'un à l'autre, ses cheveux aux reflets roux, flous, mi-longs, comme une proclamation éclatante de sa féminité, de son désir de séduire, d'attirer le regard, d'affirmer sa personnalité, sa singularité, alors qu'elle serrait son corps dans des vêtements austères comme pour contredire ses tentations.

Je n'ai cessé de la regarder.

Quand j'étais adolescent, j'avais plusieurs fois suivi des femmes sans jamais les aborder. Je me tenais à une dizaine de mètres, je les attendais. Je me souviens de l'une d'elles dont la robe de soie aux fleurs vertes laissait deviner le soutien-gorge noir et la culotte blanche. C'était l'été. Le mistral soulevait le tissu sur ses jambes musclées et bronzées. J'ai traversé la ville derrière elle. Un homme l'a accostée et lui a entouré la taille d'un mouvement nerveux du bras. A pas rapides, ils se sont dirigés vers un hôtel proche de la mer, dont l'entrée était ornée de deux sphinx grossièrement sculptés. Lorsque la porte s'est refermée derrière eux je me suis mordu les doigts, si violemment, si longuement, que plusieurs jours durant j'ai gardé les traces de mes dents de part et d'autre de la jointure des phalanges. Je les ai attendus jusqu'à ce que la nuit tombe puis je suis rentré chez moi en courant et le lendemain j'ai fait le guet devant l'hôtel. J'y suis revenu plusieurs jours de suite, au hasard de mes promenades. Mais je n'ai jamais revu cette femme, et je ne l'ai retrouvée dans ma mémoire qu'hier soir, alors que j'observais Lisa, tout aussi inaccessible pour moi que cette passante inconnue. J'ai eu envie de me faire mal. Et j'avais mal, le sexe serré, irrité par le désir et une sorte de peur, celle de l'impuissance à pouvoir être aimé de Lisa, à lui faire l'amour.

Elle, de toute la soirée, ne m'a pas vu. Passant près de moi, elle m'a dit, sans cesser de sourire à Pascal ou à Vassos, qui se tenaient debout près du buffet, « Philippe, tu ne prends rien, tu ne manges pas, tu ne bois pas ? »

Mais elle n'attendait pas ma réponse, rejoignant ses amis, et j'essayais d'entendre ce qu'elle disait, penchée vers Pascal, cependant que Vassos lui avait mis la main sur l'épaule, familier, vieux complice, et, qu'il la touchât ainsi devant moi, comme si son geste allait de soi, révélait des droits anciens sur son corps, me blessait, comme autrefois, le mouvement de cet homme qui s'approchait de la femme à la robe de soie et l'enlaçait. Le sifflement dans mes oreilles, cette douleur perçante m'empêchaient de saisir les mots que Lisa échangeait avec Pascal.

Florence assise près de moi, m'a touché le bras.

— Jaloux, Philippe ?

J'ai sursauté, joué la surprise, l'indifférence.

— Ce n'est pas un sentiment pour vous, ni pour moi, n'est-ce pas ? continua-t-elle.

Florence par sa sollicitude, l'alliance qu'elle tente de nouer avec moi, m'humilie. Elle veut que nous partagions le rôle de conjoint complaisant, ce qu'elle est avec Pascal, ce

21

qu'elle voudrait que je sois avec Lisa. Et je le suis puisqu'elle me voit ainsi.

Je me tourne vers elle. Florence est donc mon double féminin. Elle a des traits comme effacés, un visage bouffi, sans expression où seuls les yeux vivent, voilés cependant, mais mobiles, comme si leur mouvement remplaçait celui du corps. Elle a le même âge, à quelques mois près, que Lisa, mais elle est lourde, difforme même, et, comme à dessein, elle porte des vêtements qui la serrent, collent à ses rondeurs, s'enfoncent dans ses sillons, font imaginer des couches de chair qui se recouvrent.

Cette femme posée sur son siège, hiératique, dirige pourtant un réseau d'agences de voyages et, feuilletant des magazines économiques, je l'ai découverte photographiée dans son bureau de la Défense, entourée de téléphones et d'écrans d'ordinateurs, presque belle, bouddha dans sa niche ornée des signes de sa puissance.

— Lisa, Pascal. Ce sont les intellectuels, me dit-elle, nos grands esprits. Ils font notre gloire. Non ?

Elle a laissé sa main sur mon poignet. Sa peau est douce, blanche, chaude. Les doigts sont potelés et elle porte à chacun d'eux une ou deux bagues.

— Vous avez lu leur texte ?

Je bredouille. Lisa m'a toujours parlé avec réticence de ses recherches. Elle se rend souvent à Venise, à Paris ou à Florence pour consulter des archives ou des manuscrits. Je sais que Pascal est le maître d'œuvre du projet, une histoire de l'Europe médiévale. Je l'observe. Il garde les mains derrière le dos, mais de temps à autre il passe les doigts de sa main droite dans ses cheveux, un peu trop longs ; il dégage ainsi son front, puis il repousse ses lunettes à fine monture ronde. Il sourit, amical, un peu blasé, et Lisa lui parle si bas que même Vassos n'entend pas, se trouve rejeté, s'écarte, les laisse seuls côte à côte.

Pascal est un peu plus grand que Lisa, mince, avec cette

élégance convenue des universitaires qui ne vivent pas que de leur traitement, vêtements amples et chauds, une touche d'Irlande, un parfum d'Ecosse, et les couleurs des pelouses d'Oxford et des feuillages des arbres de Cambridge à l'automne. Du cuir et de la laine. L'uniforme de rigueur quand on veut proclamer, avec une fausse modestie, qu'on appartient à l'élite européenne.

Il a senti mon regard, il lève la tête, me sourit puis reprend sa conversation avec Lisa qui n'a pas bougé.

J'imagine peut-être ce qui n'est pas, ou plus.

Florence continuait de babiller, ses cheveux courts frôlant ma joue. Elle me caressait le poignet, maternelle. Lisa, Pascal : il n'était pas une phrase où elle ne les citât. Cette histoire de l'Europe que Lisa prépare, ce tournant du monde, 1453, la chute de Constantinople, 1492, découverte de l'Amérique, est-ce que cela ne me fascine pas, moi qui construis l'Europe ? Je n'ai pas répondu. Je ne quitte pas Lisa des yeux. Jamais — ou depuis si longtemps — je ne l'ai vue aussi vivante. Elle secoue la tête pour écarter les mèches qui retombent sur ses yeux, elle parle avec une ardeur joyeuse. Son corps se tend, vibre, et je devine le son de sa voix, la tension qu'elle met entre les mots, l'accent italien qui doit surgir ici et là, comme chaque fois qu'elle se laisse emporter par la colère ou l'enthousiasme.

Je cherche en vain le moment où je l'ai vue ainsi, en face de moi, pour moi. C'était sur cette autre rive de la vie, si loin, quand nos corps se touchaient, presque involontairement, comme si l'un ne pouvait qu'aimanter l'autre.

— Vous m'écoutez, Philippe ? Qu'est-ce qui ne va pas ?

Florence serre mon poignet. Elle chuchote.

— Vous n'êtes pas heureux ? Dites-moi, cela fait du bien. Lisa ?

Je la sens avide, carnassière, prête à m'engloutir, à lapper dans ma vie à grands coups.

Je me suis levé, j'ai lancé à la cantonade :

— Un peu de musique ? On danse ?

C'était la grimace et la cabriole d'un clown devant une salle vide.

— Voyons, Philippe.

Lisa haussait les épaules, elle me réprimandait comme on le fait avec un gaffeur ridicule.

— Tout le monde parle, continue-t-elle.

Et tout à coup d'une voix sèche :

— Je t'en prie.

J'ai dû dire « bon, bon », sautiller d'un pied sur l'autre et je suis retourné m'asseoir près de Florence.

Lisa et Pascal ont repris leur dialogue, épaule contre épaule.

Au moment du départ, ils se sont embrassés devant moi, dans l'entrée. Pascal a eu un mouvement si affectueux, si tendre, pour la prendre par le cou, l'attirer vers lui, et leurs visages disparaissaient un instant dans les cheveux de Lisa.

Florence me parlait. « Venez avec Lisa à Paris, vous êtes trop dans vos dossiers, répétait-elle. Vous avez une jeune femme, Philippe. Il ne faut pas l'oublier. » Elle se tournait vers Vassos qui enlaçait Hélène : « Vous, vous le savez, Vassos, mais vous êtes grec, les Grecs... » Elle riait. Et Vassos me clignait de l'œil. Je n'avais pas échangé un seul mot avec Vassos durant toute la soirée. Je craignais sa douceur, cette attention fraternelle qu'il mettait à me questionner. Il était de ma génération, sa femme plus jeune encore que Lisa. Mais Hélène semblait vivre ces moments où l'on ne voit pas l'autre, où l'on a simplement besoin de lui, où on se serre contre son corps tel un aveugle qui se rassure. Elle appuyait sa tête sur l'épaule de Vassos, et il lui caressait la joue comme on le fait à un enfant qui s'endort parce qu'il est trop tard.

Tout à coup l'appartement fut vide.

Lisa et moi dans ce silence, les bras le long du corps, à ne pas nous regarder.

— Je n'ai pas vu partir Paolo et Béatrice, ai-je murmuré.

Elle ne répondait rien, quittant l'entrée, la tête un peu baissée, les épaules voûtées, les bras croisés, j'apercevais ses mains. Fermée.

Bruits de vaisselle. Odeur de café.

Je suis entré dans la cuisine. Elle avait tiré et noué ses cheveux, dégagé sa nuque, comme si elle voulait laisser son visage nu, me priver de sa séduction. Mais j'aimais aussi ses traits presque rudes, les pommettes saillantes, le menton accusé.

A peine un regard.

— C'était réussi, ai-je dit.

Elle se versait une tasse de café.

— Tu veux ? demandait-elle.

Elle allumait une cigarette.

Chacun de ses gestes, le mouvement de son bras, la manière dont elle posait la cigarette sur le bord de l'évier, était une proclamation d'indépendance, de volonté de rester seule avec elle-même. Elle me rejetait, sans un mot, elle n'était plus avec moi dans cette cuisine. Je pouvais tendre le bras et la toucher. Ce n'était qu'illusion. Je le savais mais comme un fou qui veut mettre la main dans le feu pour s'assurer qu'il brûle, je me suis approché. Elle me tournait le dos. J'ai posé mes mains sur ses hanches, je me suis collé contre elle, j'ai embrassé sa nuque.

Elle s'est dégagée, m'a fait face. Je n'ai pas bougé, m'appuyant à sa poitrine, mon ventre contre le sien, et elle ne pouvait pas reculer. Je pesais, je la contraignais.

— Que veux-tu ?

Elle était raide, le visage immobile, ses yeux si gris, j'ai posé mes mains sur ses seins.

— Tu veux quoi ?

25

Le regard des femmes

Elle parlait sans même remuer les lèvres, des mots chuchotés que je devinais. J'ai tenté de l'embrasser. Elle a violemment dégagé sa bouche. J'ai reculé d'un pas.

— Rien, ai-je dit.

Dans mon bureau j'ai ouvert mes dossiers. J'avais mal aux yeux, ce sifflement me taraudait, se vrillait dans ma tête.

— Bonne nuit, Philippe, m'a-t-elle lancé plus tard depuis le couloir.

Je l'apercevais dans son pyjama de soie jaune, ses cheveux dénoués. J'ai imaginé ses seins, libres, chauds. Je n'ai rien répondu, incapable de prononcer un seul mot. J'éprouvais une sorte de plaisir désespéré à ressentir une douleur dans mon sexe.

Je me suis allongé sur le divan, écartant les dossiers qui l'encombraient. J'ai dû somnoler deux heures. Puis le froid.

La rumeur des voitures du côté de l'avenue Louise.

Il était trois heures trente. Je me suis mis à écrire.

Il va être sept heures, ce 16 mars.

Il faut vivre, n'est-ce pas.

PREMIÈRE PARTIE

Le hasard n'est qu'une apparence

1

L'appel

Que me veut Vassos ? Il m'a téléphoné cet après-midi me demandant un nouveau rendez-vous.

Quand j'ai décroché, à la première sonnerie, j'ai espéré entendre la voix de Lisa.

Autrefois elle m'appelait chaque jour. Nous n'échangions que quelques mots mais j'avais ainsi le sentiment de ne jamais la quitter longtemps.

Elle me disait : « Je m'ennuie Philippe, pourquoi n'es-tu pas là ? »

Je l'imaginais dans l'une des cabines de la Bibliothèque nationale à Paris. J'étais heureux. Elle m'attendait. Et je reprenais, après ces deux ou trois minutes, le cours de ma réunion avec un élan tel, que souvent j'emportais la décision.

J'avais laissé la consigne à Costes de me passer toutes les communications de Lisa. « Même si vous êtes avec le Président ? » « Inventez un prétexte, pour me faire sortir du bureau. » Ma secrétaire hésitait entre la commisération et la révolte, mais elle obéissait, m'annonçant d'une petite voix aiguë : « Un appel urgent, que vous ne pouvez prendre que chez moi, Monsieur. »

Je m'excusais auprès du Président ou de mes collègues. Lisa me téléphonait de sa chambre, elle avait rendez-vous avec le doyen, elle ignorait l'heure, est-ce que je pouvais lui envoyer ma voiture ?

Souvent aussi c'est moi qui la cherchais, composant

plusieurs fois son numéro, celui de son bureau à l'université, quand elle y enseignait. C'était devenu un geste instinctif, comme un regard qu'on jette pour s'assurer d'une présence. Si la journée s'achevait sans que j'entende sa voix, sans que je sache ainsi où elle était, ce qu'elle faisait, quelle humeur elle avait, j'étais un prisonnier qu'on prive de sa visite et de sa promenade.

Puis, je ne peux dire au bout de combien de temps — mois, années ? — elle ne m'a plus appelé que pour des raisons précises. Elle annulait notre déjeuner. Elle m'annonçait qu'elle rentrerait très tard, elle se rendait à la conférence d'un universitaire anglais à laquelle elle devait impérativement assister. Ou bien, quand elle séjournait à Venise ou à Cambridge, elle me téléphonait pour me demander de ne pas tenter de la joindre, « Je t'appellerai, c'est plus simple », me disait-elle.

Ainsi j'étais condamné à l'isolement, détenu qu'on oublie, et Costes elle-même semble ne plus se souvenir de ces bavardages qui l'indignaient, qu'elle faisait mine de ne pas entendre alors que j'étais debout devant son bureau échangeant avec Lisa des mots inutiles et joyeux, pour dire autrement que nous nous aimions et que nous avions hâte de nous retrouver.

Cet après-midi j'avais réuni Finci, Wilkinson et Solas pour préparer la réunion de la Commission et, peut-être à cause de ma nuit d'insomnie, quand le téléphone a sonné, alors que Costes avait reçu l'ordre de ne pas me déranger, j'ai donc cru que Lisa m'appelait.

Mirage. Souvenir. Déception et douleur : je retrouvais seulement la voix de Costes qui m'expliquait que « M. Vassos veut vous parler à propos de Mme Guibert, il insiste, c'est très important, personnel, je vous le passe ? »

J'ai tout imaginé : le départ de Lisa, sa mort, et je n'ai

pas eu la force de me lever, de sortir de la pièce. J'ai attendu, tassé, m'excusant d'un geste en invitant Finci, Wilkinson et Solas à continuer à discuter.

« Philippe Guibert ? » J'ai aussitôt reconnu le ton douceâtre de Vassos.

— Cela n'a rien à voir avec Lisa, reprenait-il — il riait. Vous ne m'en voulez pas ? J'ai dû un peu effrayer votre secrétaire, dramatiser, elle est terrible, mais il fallait que j'arrive jusqu'à vous. Je vous dérange ? Vous êtes en réunion, je crois ?

J'écoute. Je me tais. Maintenant il parle de Lisa. « La soirée d'hier soir, très sympathique, j'ai trouvé Lisa pleine de projets, son livre sera magnifique, j'en suis sûr, quelle passion, elle a toujours été comme ça, elle vit avec ces Vénitiens d'il y a cinq siècles, c'est merveilleux je trouve. Femme exceptionnelle, Lisa. »

De quel droit la juge-t-il ? Tout à coup il parle de sa voix sourde :

— Il me faut un rendez-vous, Guibert, c'est très important, vraiment, croyez-moi. Urgent, aussi.

Je devrais refuser. La Commission se réunit dans cinq jours. Je n'ai pas terminé le rapport sur les aides à la création dont je suis chargé. Le compromis que je tente d'élaborer avec plusieurs commissaires n'est pas réalisé. Finci, Wilkinson et Solas y sont toujours hostiles. Mahlberg et Carlsten attendent. Magriet Hankert et Paxonous ne se rallieront que s'il y a une nette majorité. Et le Président me surveille et donnera un coup de griffe ou se mettra à ronronner suivant le cours que prendra la discussion.

— Urgent et important, répète Vassos.

2

Le premier entretien

Vassos m'irrite et m'intrigue.

Je l'ai rencontré pour la première fois il y a deux mois.
Le directeur de cabinet du Président, Rouvière, avait insisté
pour que je le reçoive. Le Président lui avait accordé une
longue interview. Il devait voir aussi les douze membres de la
Commission, mais il tenait spécialement à me rencontrer
puisque j'étais chargé de la culture et de la télévision. Or
Vassos était, m'expliquait Rouvière, bien plus qu'un journaliste, mais un écrivain, un essayiste, très introduit, très
écouté en Italie, en Grèce et en Espagne. Edité par Luigi
Veltri, il était l'ami personnel d'Eugenio Magliano, le
directeur de l'AMEI, l'Agence méditerranéenne d'information. Il avait ses entrées à *La Repubblica,* à *El País.* « Il
compte », répétait Rouvière. Et le Président n'était pas
homme à négliger une personnalité influente.

J'ai failli refuser. Plus Rouvière me donnait d'arguments
et plus je me rétractais. « Vassos, m'expliquait-il, a même vu
Bergonzo. » Je savais que le secrétaire général de la
Commission était, en principe, inaccessible. « Vous imaginez, concluait Rouvière, si Bergonzo l'a reçu. »

— Que voulez-vous que ça me fasse, je n'ai pas le
temps, dites-le au Président.

Je n'avais pas fini de prononcer cette phrase, que je la
regrettais. J'avais brusquement pensé à Lisa. Elle terminait
son livre. Il représentait pour elle une part essentielle de sa

vie. Je l'avais entendue évoquer avec Pascal Sergent les difficultés qu'il y aurait à trouver un éditeur pour cet essai sur le Moyen Age européen. J'avais, peut-être pour la provoquer ou pour me venger d'être exclu de son travail et des rapports qu'elle entretenait avec Sergent, cité le nom d'Umberto Eco, « *Le nom de la rose,* ne s'est pas mal vendu » avais-je dit. Elle m'avait répondu sèchement, puis furieuse sans doute de s'être laissé prendre, elle avait ajouté en entraînant Sergent, en le prenant par le bras : « Je ne suis pas un génie, Philippe, tu ne t'en es pas encore aperçu ? Une modeste universitaire, historienne du XVe siècle, il faut t'y faire ou changer. »

Luigi Veltri était un grand éditeur italien.

— Qu'est-ce qu'il veut ce Vassos ? ai-je repris.

Il écrivait un livre sur l'Europe, pour Veltri, et une série d'articles pour l'AMEI.

— Vous le recevez, alors ? interrogeait Rouvière.

— Dites au Président que je le reçois.

Dès notre premier entretien je me suis méfié de Vassos. Il ignorait, j'en suis sûr, que j'étais le mari de Lisa comme je ne me doutais pas qu'il la connaissait, qu'il l'avait rencontrée si longtemps avant moi. Ce n'est que beaucoup plus tard, quand Lisa m'a parlé — avec cette brusquerie, cette franchise qui cachent toujours chez elle la gêne et l'inquiétude — du vieil ami qu'elle avait retrouvé par hasard à Venise et qu'elle avait invité à dîner, et je lui avais d'ailleurs accordé deux ou trois interviews, non ? « Vassos, Serge Vassos, tu l'as vu, n'est-ce pas ? » disait-elle avec désinvolture, que j'ai découvert ce lien inattendu.

Mais avant même de savoir cela, ses manières m'ont déplu. Il était amical et complice. Je l'ai tenu à distance me bornant à de courtes réponses, ignorant la jeune femme qui l'accompagnait et qui avait installé le magnétophone sur la table basse, entre nous. Peut-être dès cette première fois ai-je ressenti Vassos comme un rival. L'intuition, cela existe, même si je me méfie d'elle et si je la récuse. Mais Vassos avait à peu près le même âge que moi, sans doute un peu plus vieux, cinquante-cinq, cinquante-huit ans. Son assistante — Hélène — avec qui il vivait, je l'ai su dès qu'il s'est effacé pour la laisser entrer la première dans mon bureau, était plus jeune que Lisa, moins belle certes, l'une de ces femmes à la trentaine énergique, cheveux coupés court, d'allure décidée, le corps musclé, les gestes vifs mais que je sentais en même temps totalement dépendante de Vassos, admirative, soumise, ayant voué toute son énergie, son intelligence, sa jeunesse au service d'un homme dont elle avait reconnu sans aucune difficulté, la suprématie. Je le devinais, aux regards qu'elle lui lançait, attendant qu'il lui dise d'appuyer sur la touche du magnétophone, et il avait simplement fait un geste de la tête et, cependant que je répondais, c'était lui qu'elle ne quittait pas des yeux.

Je parlais, comme l'homme politique que j'étais, le membre de la Commission européenne, informé et précis, des taux de subvention, des politiques d'aides à la création audiovisuelle que je mettais sur pied, du réseau de coopération entre les chaînes de télévision européennes que je tentais de constituer et, sous ces mots, sous ces phrases, c'est moi qui interrogeais Vassos et Hélène, cet homme déjà vieux et cette jeune femme qui silencieusement l'aimait.

Que lui trouvait-elle que je n'avais plus aux yeux de Lisa ? Il était mince, maigre, même, la peau tannée, ridée comme celle des marins et des skieurs qui font face au soleil et au vent. J'avais le visage lisse et blanc, le corps sans muscle des hommes assis qui de temps à autre font une partie de tennis ou un parcours de golf qui ne suffisent pas à tendre leurs muscles. Etait-ce ce corps que Lisa ne voyait plus, même quand elle me tendait une photographie prise par Béatrice, ne semblant découvrir sur le cliché que la silhouette vigoureuse de Paolo, comme si je n'étais même pas une ombre aux côtés de son frère, parce qu'elle voulait m'effacer pour ne pas se meurtrir à mon image, se sentir associée à moi qui n'étais plus que cette forme inélégante ?

Vassos assis en face de moi avait croisé ses longues jambes serrées dans un pantalon de toile bleu roi, sa veste de lin jaune tranchait sur une chemise de coton couleur ciel. Sa cravate était de laine sombre. Il bougeait le corps avec aisance, passant de temps à autre sa main dans ses cheveux bouclés, gris sur les tempes.

J'étais lourd et empesé, conventionnel dans mon costume de flanelle, ouvrant mes dossiers, consultant mes fiches, donnant des chiffres, cependant que Vassos hochait la tête poliment, marquait son ennui. Et plus je parlais, plus je me persuadais que ce que je disais n'était pas essentiel, que je remuais des mots qui retombaient en poussière, qui m'ensevelissaient, qu'il n'était pas possible que toute mon activité, mon destin donc, se réduise à cela, qu'il y avait derrière ces projets, ces directives, ces négociations, ces accords, le battement sourd du réel, que ces décisions allaient changer le sort — une partie même infime — du sort des hommes. Mais je ne réussissais pas à le faire entendre, à le percevoir moi-même comme s'il était recouvert par ce sifflement aigu, en moi, ces mots parasites qui l'étouffaient.

J'étais bien du mauvais côté. Vassos d'un mouvement de tête m'avait demandé s'il pouvait fumer. Il avait allumé un cigare, il m'écoutait les yeux mi-clos. Nous étions comme deux acteurs, l'un incarnant la liberté et la vie, l'autre le pouvoir illusoire des choses. Et les femmes savent toujours de quel côté se trouve la vie.

Ce premier entretien avait duré, sans que je m'en rende compte, près de deux heures. Je m'étais laissé emporter comme si j'avais voulu le convaincre pour me convaincre de l'importance de ce que j'avais entrepris au sein de la Commission. Il me serrait chaleureusement la main, prenait son assistante à témoin. « Ce que vous faites est décisif pour l'Europe, me disait-il, sans culture commune pas d'Europe, n'est-ce pas ? » Je ressentais une sorte de fatigue et de désespoir. J'enviais ce couple, elle qui me souriait par convenance, dont le regard indifférent me traversait comme si je n'existais pas plus qu'un objet, ce cendrier dans lequel elle écrasait le bout du cigare que Vassos n'avait pas terminé, le laissant se consumer. Lisa avait pour moi souvent le même regard.

Vassos, les mains dans les poches, me remerciait avec un enthousiasme où je percevais de l'ironie et de la dérision. « Ici, vous bâtissez l'Histoire de demain » répétait-il. Puis tout à coup, son visage devenait grave, il baissait la voix : « Aujourd'hui, disait-il, nous avons vu les aspects généraux, le cadre. »

Il sortait les mains de ses poches, dessinait un rectangle dans l'espace, entre nous. « Mais, ajoutait-il, il fallait aller au-delà. »

« Vous connaissez cette formule de Frank Capra, vous savez le cinéaste italien, l'Italo-Américain, un Européen en somme, " ce qui intéresse les gens, ce sont les gens ", avait-il l'habitude de dire, juste n'est-ce pas ? Il faut que je vous revoie, vous me parlerez de vous, personnellement, je veux... »

Il frottait ses doigts l'un contre l'autre, « faire sentir, toucher, ce que c'est qu'un grand Européen, aujourd'hui, l'un de ceux qui orientent notre vie, si je réussis cela... ». Il faisait tourner sa main devant mon visage : « Alors l'Europe aura gagné, les gens, en Italie, en France, en Espagne, en Grèce, vous découvriront. Qui sait aujourd'hui ce qu'est un commissaire européen ? Personne, monsieur Guibert, personne. »

Il ne me laissait pas répondre. Il allait prendre rendez-vous avec ma secrétaire, disait-il, il avait besoin à nouveau d'une ou deux heures, pas plus. « Comme aujourd'hui, c'était parfait. » J'ouvrais la porte de mon bureau, Costes dans l'antichambre se levait. « Je vois avec elle, ne vous dérangez pas », disait Vassos.

Costes me lançait un coup d'œil. J'ai détourné la tête et refermé la porte.

3

Comme on cache sa nudité

Je me souviens qu'après le départ de Vassos je suis resté un long moment prostré à mon bureau. Mes dossiers étaient posés de part et d'autre du cendrier où je voyais le bout écrasé du cigare de Vassos. Il me fallait tendre la main pour les reprendre et je ne parvenais pas à faire ce geste.

J'ai tenté de téléphoner à Lisa, comme autrefois. Elle était à Venise. Elle s'absentait de plus en plus souvent et je ne pouvais qu'accepter ses déplacements qu'elle justifiait toujours. Elle dirigeait un séminaire à l'Institut européen de Florence, elle assurait un cours d'histoire médiévale à Cambridge, participait au groupe de recherche de Pascal Sergent à Paris. Elle avait une manière de m'annoncer son départ qui rendait impossible toute protestation. « Tu sais que je ne suis pas là la semaine prochaine », disait-elle. Pouvais-je m'occuper du chat, sinon la concierge ou la femme de ménage s'en chargerait, ce n'était pas un problème.

« Tu pars encore ? »

Parfois j'osais murmurer cette question qu'elle semblait ne pas entendre ou qu'elle écartait d'un haussement d'épaules. Si je persistais elle rappelait mes absences, ces réunions à Athènes ou à Dublin, ces voyages à Pékin ou à Washington, etc.

Je me taisais donc. Je la suivais des yeux cependant qu'elle entassait sur la table du salon les quelques livres qu'elle allait emporter. Je m'approchais d'elle et j'osais à ces moments-là, la saisir par la taille. « Tu es ennuyeux », disait-elle d'un ton las mais elle ne me repoussait pas comme si son départ prochain la rendait indulgente. Je prenais d'elle ainsi ce que je pouvais, mais ces quelques minutes de plaisir qu'elle me consentait, sans y participer elle-même, comme on accorde par pitié, avec lassitude, une aumône, me désespéraient et me rendaient son absence plus douloureuse encore. Je savais ce qu'elle aurait pu me donner si elle l'avait voulu.

J'appelais donc Venise. Béatrice m'a répondu, bavarde et ironique. « Tu la surveilles ? Tu as raison Philippe », puis elle me parlait longuement du brouillard qui ne se dissipait pas, de la grande marée d'automne qui avait envahi la ville, pour me dire enfin que Lisa était aux archives. « Mais je ne la suis pas Philippe, c'est ce qu'elle prétend. » Puis tout à coup pleine de commisération, elle m'expliquait que Lisa devait voir le conservateur, qu'elle avait découvert un manuscrit extraordinaire, une sorte de journal tenu par un Vénitien du xve siècle tout au long de sa vie. Elle était folle de joie. « Tu as un message pour elle ? » interrogeait Béatrice.

Quel message ? Lui dire qu'une jeune femme qui se nommait Hélène aimait un journaliste du nom de Vassos ? Que je leur avais parlé durant deux heures de la politique européenne de la culture et de la communication, comme un ventriloque, et que j'avais accepté de les revoir.

Lisa, continuait Béatrice, écrivait toute la nuit. Elle ne voyait personne, je n'avais pas à m'inquiéter. « Et toi ? Ça va l'Europe ? Tes réunions, toujours ? Pas une seconde à toi, bien sûr ? »

J'ai raccroché. Costes est entrée et j'ai vivement saisi mes dossiers comme on cache sa nudité.

4

Je pouvais l'imaginer

Deux fois encore j'ai revu Vassos avant de savoir qu'il connaissait Lisa.

— Vous le recevez à nouveau, s'était étonné Jagot, mon directeur de cabinet.

Lisa méprisait cet homme jeune et vif. Lorsqu'elle me faisait encore part de ses sentiments, avec cet excès de passion, ce mouvement de tout le corps — quand elle parlait, elle l'accusait de n'être qu'un flatteur, un ambitieux, un cynique. « Toi aussi, Philippe, disait-elle, tu es comme les autres, tu as besoin de courtisans. C'est à leur nombre qu'on mesure son pouvoir, sa puissance, n'est-ce pas ? »

Maintenant, si elle croise Jagot venu m'apporter des dossiers durant le week-end, elle se contente d'un « Comment allez-vous ? Toujours à Bruxelles ? Je vous croyais ambassadeur » qui me glace. Jagot, malgré sa souplesse et son impassibilité perd ses repères, balbutie. Lisa ne respecte aucune des règles du jeu, et, au regard qu'il me lance, je devine son désarroi. Lisa est si peu conforme à ce que doit être l'épouse d'un membre de la Commission européenne, qu'il doute de moi, de ma capacité à retrouver après mon mandat européen une fonction à Paris, au sommet de l'Etat, qui pourrait favoriser sa carrière.

— Vous connaissiez Vassos, demande-t-il ?

Je m'emporte. J'accuse le Président et Rouvière. Ils ont insisté chaque jour pour que je reçoive Vassos. « Naturellement, vous n'étiez pas là, Jagot, et Costes laisse tout passer. » Je mens, je suis injuste.

— Voulez-vous que j'annule ces rendez-vous ?

Jagot est debout devant mon bureau, impassible. Il répète qu'il peut le faire aussitôt. Je fuis son regard, son visage rose et lisse. Il me semble que je vois pour la première fois sa veste croisée de tissu peigné gris, sa pochette blanche, les longs poignets de sa chemise rayée que serrent des boutons de manchettes ronds. Lisa le juge pour me condamner. Jagot, c'est ce que j'étais, ce que Lisa imagine que je suis encore.

— C'est fait, ai-je répété, c'est fait. Ne revenons pas là-dessus.

Je me suis levé, lui tournant le dos, essayant d'ouvrir la fenêtre, alors que dans ce bâtiment constitué d'alvéoles climatisés on ne peut que les entrebâiller de quelques centimètres. Un butoir les bloque. Je le sais mais j'ai tenté néanmoins de la forcer tirant à deux mains.

— Voulez-vous une note sur ce Vassos, Monsieur ? Désirez-vous que j'assiste aux entretiens ?

J'étouffais, la tête pleine de sifflements. J'ai dû dire : « Une note, oui une note » puisque Costes m'a remis deux jours plus tard, dans un dossier bleu, trois feuillets dactylographiés intitulés *Serge Vassos, biobibliographie*.

Je n'ai lu ces quelques lignes que des mois plus tard, alors que je savais que Vassos et Lisa s'étaient connus à Venise, il y avait près de deux décennies et qu'ils s'étaient retrouvés par hasard, dans cette ville, et avaient eu envie de se revoir, Vassos et Hélène venant dîner chez nous, puis invités à cette soirée d'anniversaire avec les plus proches amis de Lisa, Pascal et Florence, avec son frère Paolo et Béatrice.

Alors seulement j'ai voulu savoir qui était Vassos.

Je pouvais l'imaginer dans les années soixante-dix, après qu'il eut fui la Grèce, écrivant ses premiers articles en italien, un livre de témoignages sur le coup d'Etat des colonels qu'il avait vécu comme journaliste à Athènes. Il avait près de quarante ans — déjà — et c'était comme si j'avais été le témoin de sa rencontre avec Lisa, âgée d'à peine dix-huit ans. Etait-elle, elle aussi, comme Hélène, admirative, dépendante ? J'éprouvais de la révolte et du dégoût à le penser, à les voir dans cette maison ocre, au bout de la Riva degli Schiavoni, où ils avaient habité près de deux années. Et que Lisa l'ait quitté, sans explication, m'inquiétait au lieu de me rassurer. Elle était déjà — déjà — capable de trancher, impitoyable, dès lors qu'elle n'aimait plus.

5

Une grande tache noire

J'avais donc vu Vassos deux fois. Il était venu seul et il s'en excusait comme s'il avait deviné ma déception, le penchant et la fascination ambiguës que j'avais ressentis pour le couple qu'il formait avec Hélène. Depuis quelque temps, je recherchais presque malgré moi, le spectacle de l'amour, du désir d'une femme pour un homme comme si je voulais m'assurer qu'ils étaient possibles. Je me retournais parfois sur des jeunes gens enlacés, aperçus dans la rue, je saisissais un geste, cette bouche qui s'approchait d'une autre bouche, cette main qui s'appuyait sur des reins, qui caressait un corps. Masochisme, jalousie ou simplement surprise de découvrir que ce qui n'était plus pour moi existait encore et avec quelle force.

Je laissais Vassos parler, m'expliquer qu'il souhaitait un entretien en tête à tête, sans magnétophone. Il prendrait quelques notes si je l'y autorisais. Il écartait les mains, comme un homme désarmé. Il m'assurait de sa discrétion. Il voulait aller au-delà des chiffres, de la politique communautaire. Il avait vu le Président, mes onze collègues. « Mais c'est vous qui m'intéressez, vous, monsieur Guibert. » Il se penchait, pointait le doigt vers moi. Je comprenais pourquoi je le recevais, l'écoutais. Il n'était pas de ces journalistes miroirs qui ressemblent à Jagot ou à Wilkinson. Il portait cette fois-là une longue veste de cuir, une chemise de velours beige et une écharpe blanche.

— Je suis né à Nivarkos, disait-il, un village au nord de Salonique.

Criques, caps, îles, horizon, il jetait quelques mots convenus comme un appât. Je me taisais. Il parlait de l'enfance, des coïncidences. Je le trouvais sentencieux et complaisant et je m'en voulais de me laisser prendre à ses pièges, mais j'étais attentif malgré moi, curieux de savoir où il voulait me conduire. Il semblait se confier. « La vie, disait-il, est une longue tresse faite de nombreux fils torsadés, de chaînons accrochés l'un à l'autre. On les parcourt année après année. On croit s'éloigner, des lieux, des gens, des événements, et on les retrouve dix, vingt, quarante années plus tard. » Qu'avais-je à faire de ce bavard, moi dont les dossiers s'accumulaient ? Quotas, satellites, haute définition. J'élevais entre lui et moi le barrage de mes préoccupations. J'étais un homme de responsabilités. Je devais résoudre des problèmes, aboutir à des solutions acceptées par douze pays. Et, cependant, je capitulais, j'écoutais Vassos. Le vent, le vent futile ou essentiel, entrait avec lui, m'emportait. Il croyait, disait-il, que le hasard n'est qu'une apparence. « Il y a des lois, monsieur Guibert, nous autres Grecs, nous les avons entrevues... »

Que voulait-il à me parler des dieux, de leur vengeance, du destin, du retour inattendu des origines, tout à coup, parce que la vie est une suite de boucles.

— Paxonous, oui, Constantin Paxonous.

Il me tenait, me racontait qu'il avait connu, dans son village, à Nivarkos, il y avait quarante ans, plus peut-être, le commissaire grec à l'Agriculture. Il lui avait écrasé le nez à coups de poing. Paxonous était le fils du maire, un collaborateur des occupants italiens puis allemands.

— Nous nous sommes retrouvés, ici.

Vassos écartait une nouvelle fois la main en signe d'impuissance et de soumission devant les mystères.

— Vous voyez, murmurait-il.

Et, brusquement, il changeait de voix, parlait de manière hachée et brutale.

— Votre père, monsieur Guibert, qui l'a dénoncé aux nazis ? Vous ne vous interrogez pas ? Cette histoire ne vous tourmente pas ? Elle est encore obscure pourtant. Une grande tache noire pour votre pays, dans votre vie, non ? Comment cela réagit-il sur vous ? Vous vivez ça comment, ici ? Dans vos fonctions ? Ça pèse ? Sûrement, non ?

Il s'appuyait au fauteuil, sortait un cigare d'un étui de cuir. Pouvait-il fumer ? Il faisait des gestes précis, méticuleusement — découper le bout du cigare, le chauffer avant de l'allumer, aspirer lentement les premières bouffées les yeux mi-clos —, silencieux tout à coup, comme s'il me laissait seul, attendant que je parle.

6

La première fissure

Il m'a semblé entendre les questions de Lisa, quand, des années avant, au début de notre union, nous nous parlions, quand, après l'amour et dans l'amour, les vies comme des eaux affluantes se mêlent et se confondent. « Comment peux-tu vivre, avec ce trou noir derrière toi, en toi ? » m'avait demandé Lisa.

Noir. Elle avait employé le même mot que Vassos. Elle chuchotait, couchée près de moi, sa respiration caressait mon épaule, mon cou. J'avais ma main posée sur sa hanche et, quand je la serrais contre moi, mes doigts affleuraient son sexe. Etait-il possible qu'elle ait été un jour ainsi, corps complice et allié, curieuse de moi ? Je touchais son dos, ses cuisses et je parlais.

L'enfance naît et renaît du corps d'une femme. J'avais quatre ans quand mon père avait été arrêté par la Gestapo, peu après Jean Moulin, dont il avait assuré une partie de la succession. Il était mort entre les mains de ses bourreaux, assassinat, suicide, qu'en savait-on ? Cadavre disparu, tombe inconnue, c'était, dit-on, la fin de l'année 1943, mais peut-être février 1944.

— Tu n'as pas cherché, jamais ?

J'étais un blessé qu'elle soignait, j'aurais voulu que la plaie fût plus profonde encore, pour qu'elle m'aime de ma souffrance. Mais Lisa s'était écartée de moi, appuyant sa joue à son poing, le coude sur ma poitrine. « Au fond, tu t'en fous », avait-elle dit.

Peut-être était-ce le début de la première fissure, celle qui allait s'élargir, s'approfondir jusqu'à ce chacun pour soi qu'elle m'impose ces lits séparés ?

Je m'étais expliqué pourtant. Je ne gardais de mon père que le souvenir d'un visage large, les cheveux gris, des lunettes rondes enfoncées dans les orbites. Il se penchait vers moi et je reculais, j'éclatais en sanglots, et l'homme tout à coup se mettait à sangloter aussi, une grimace déformait ses traits et j'avais si peur que je cessais de pleurer. « Laisse-le », lui avait dit ma mère.

Il avait choisi dans la Résistance de s'appeler Gaspard et c'est sous ce pseudonyme qu'il était mort, qu'on l'avait célébré. Ce nom de guerre il l'avait emporté. Ma mère avait refusé de l'associer au sien, comme on le lui avait proposé. « Il lui appartient à lui seul, avait-elle dit, lui seul a choisi, lui seul est mort. »

Lisa m'avait écouté, immobile, et, dans l'obscurité de la chambre, je devinais ses yeux qui me dévisageaient cependant que je parlais, que je répétais : « Je ne l'ai jamais connu, tu comprends, après c'était — j'avais ri — un nom de rue, de place, " Georges Gaspard 1899-1943, héros de la Résistance ", si loin de moi, de l'époque. J'ai choisi le présent, Lisa, toujours. »

Je m'entends lui dire cela avec cette vanité et cette assurance d'homme jeune encore, qui fait l'amour, qui est aimé et qui en devient bête. A elle qui enseignait le passé, le reconstituait, l'écrivait, je proclamais le mépris de la mémoire. Connard. Ma bouche je la sens se serrer d'amertume.

Lisa s'est levée. En ce temps-là, elle me disait qu'elle voulait un fils. Et je crois — mais peut-être est-ce que j'invente ce souvenir pour m'y blesser — qu'elle m'a lancé depuis la salle de bains, ce rectangle éclairé qui brille encore dans ma mémoire : « Si tu as un fils appelle-le Gaspard, c'est un beau prénom. »

Qu'elle ait prononcé ou non cette phrase, j'en connais le ton. Il me fait mal.

7

Pour elle comme pour moi

J'aurais pu me lever et renvoyer Vassos. Mais j'étais si incertain de moi que ses questions intimes, l'intérêt qu'il manifestait pour mon passé, me rassuraient. Je me défiais de lui et j'avais besoin de son obstination et de sa curiosité. J'existais ainsi par autre chose que mes fonctions, j'avais une vie antérieure. Je n'étais pas seulement cette apparence dont Costes, Jagot, le Président, Solas, tous mes autres collègues se contentaient, comme les leurs me suffisaient. N'était-ce pas sur cette convention que toute la vie sociale était fondée ? Je m'y étais conformé facilement tant que, la porte de ma maison refermée, je retrouvais mon corps, mon passé, mes passions, l'amour de Lisa pour tout dire. Je me déshabillais, j'étais nu pour elle comme elle l'était pour moi. Mais voilà qu'elle aussi m'avait réduit à l'une de ces silhouettes sans épaisseur, comme celles qui décorent les baraques foraines et sur lesquelles on lance des balles. Nous avions chacun notre lit, nos salles de bains. Notre vie privée était devenue une autre face de la vie sociale. Je ne devais avoir ni désir ni passé. Parfois j'essayais d'échapper à ce rôle que Lisa m'avait imposé. Je me présentais au pied du lit, furieux ou suppliant. Lisa levait la tête. Elle lisait et écrivait, couchée, tard dans la nuit et ç'avait été le prétexte qu'elle avait invoqué pour se séparer de moi, chaque soir, chaque nuit. Nous faisions donc chambre à part. Suivant l'humeur, le jour, elle écartait ses livres, ses notes et, comme on donne un ordre, elle murmurait : « Viens, allons viens. » Mais le plus souvent — et c'était désormais devenu la règle — elle me regardait sans mot dire, sans sourire, attendant que je me lasse de son silence. Parfois la colère me faisait trembler, je hurlais quelques mots auxquels elle répondait d'une voix tendue mais calme : « Veux-tu que je parte Philippe ? Si la situation te paraît insupportable, dis-le, moi, il me suffit de quelques jours pour prendre les dispositions nécessaires. » Alors je m'enfuyais, je sollicitais son pardon. Dans cette guerre inégale, je ne pouvais être que le vaincu puisque je l'aimais.

Naïvement, il m'arrivait aussi d'oublier que je devais, avec Lisa, m'interdire ces confidences, ces bavardages, cette complaisance à soi qui fait qu'avec ceux qui vous aiment, on traîne dans son passé en savates, débraillé et que ce laisser-aller aide à vivre.

Je me souviens ainsi d'un soir, nous dînions avec Pascal Sergent et Florence, chez eux, rue de Seine. C'était un printemps chaud, les fenêtres étaient ouvertes et, écartant les voilages, je vis la place de l'Ancienne-Comédie, ses colonnes, la couleur des pavés, peut-être aussi la douceur de l'air et un curieux silence, comme si les rues s'étaient vidées de voitures, me rappelèrent un crépuscule du printemps de 1944, et, comme Florence, Pascal et Lisa ne parlaient pas, je commençais à dérouler à haute voix ces souvenirs, ma mère et moi courant dans Paris jusqu'ici, dans cette rue de Seine où nous espérions pouvoir nous réfugier, puisque les Allemands nous recherchaient, mais, arrivant sur la place, j'aperçus les deux voitures de la Gestapo, arrêtées devant l'immeuble où nous devions nous rendre. « Je les ai vues le premier, avant ma mère, ai-je dit, elle avançait tête baissée, et je me suis arc-bouté, tirant sur son bras, la forçant à s'arrêter, puis à reculer, j'avais cinq ans, j'étais un drôle de garçon... »

Je me suis interrompu après ces derniers mots, sentant le regard de Lisa, sa condamnation.

— Vous étiez un drôle de garçon, donc, reprenait Florence.

— Où vous êtes-vous cachés, alors ? demandait Pascal.

Lisa posait son verre, chuchotait un mot à Florence, quittait la pièce, et je la suivais des yeux, cependant qu'elle s'éloignait, très droite, sa jupe fendue montrant le haut de ses jambes vigoureuses.

— Tout s'est bien terminé, ai-je dit.

Je me suis assis et je me suis tu.

Ils ont durant tout le dîner parlé de leurs travaux, de ce Francesco Dolfin, ce Vénitien dont Lisa recherchait le manuscrit. « Ce serait extraordinaire », disait Pascal. Il m'expliquait : « Imaginez, un témoin de la chute de Constantinople, qui tient son journal durant quarante années de 1453 à 1493, quand l'Europe bascule de la Méditerranée à l'Atlantique, nous savons que ce texte existe, mais où, sans doute à Venise. » Florence se penchait vers moi : « Nous sommes en dehors, mon cher Philippe, vous et moi, nous pataugeons dans le monde d'aujourd'hui, eux, la noblesse de l'histoire... » Elle riait.

Dans le taxi qui nous ramenait, rue Henri-Barbusse, où nous habitions alors, nous nous sommes tenus loin l'un de l'autre. Silencieux dans l'ascenseur, chacun faisait le geste de chercher la clé, et Lisa murmurait d'un ton irrité : « Tu ouvres ou c'est moi ? »

Elle ouvrait, entrait la première et, dans le salon, sans me regarder, elle disait : « Il vaut mieux que nous sortions séparément, chez nos amis. Tu m'irrites, je t'irrite. Tu es d'une complaisance ridicule. Qui crois-tu que tes histoires de guerre, d'occupation, d'enfant prodige intéresse ? Parle de ce que tu fais et non de qui tu es ! »

Que dire après cela ? Prendre la porte. Je ne le fais pas. J'aime, je crois, jusqu'à la douleur qu'elle m'inflige.

8

Mes plus vieux amis

— Vieille, très vieille histoire que celle de mon père, ai-je dit à Vassos. J'avais quatre ans quand ils l'ont pris, croyez-vous qu'on se souvienne ?

Vassos enfoncé dans le fauteuil, tenant son cigare de la main gauche, l'entourant de ses doigts comme s'il voulait le dissimuler, paraissait presque somnoler, les sourcils froncés. Son silence était comme le vide. Et je parlais comme on tombe, pour ne plus entendre la voix de Lisa, ces scènes que nous avions jouées, que j'avais crues oubliées et que je revivais, avec la même douleur, la même humiliation, cherchant à imaginer ce que j'aurais pu dire, faire, pour en changer le dénouement qui était ma vie d'aujourd'hui, où je ne partageais plus avec Lisa que quelques habitudes, et ce rien, ces apparences se réduisaient chaque jour.

C'est de cela que j'aurais voulu parler. Mais avec qui ?

Mes plus vieux amis, Vincent et Jeanne, m'avaient toujours écouté avec bienveillance. Ils habitaient à Vernes dans une bastide située à quelques kilomètres de Montpellier où ils enseignaient l'un et l'autre, Vincent la philosophie, Jeanne les lettres. Je passais deux ou trois jours par an chez eux. Nous bavardions, sous les figuiers, devant la maison, ou bien tard le soir, assis autour de la cheminée dans la grande salle aux murs blancs et aux tommettes rouges. Nos corps changeaient d'année en année. Vincent perdait ses cheveux, Jeanne grossissait, et j'étais ce cinquantenaire essoufflé et pâle, mais nos voix gardaient le même son et dans la pénombre nous nous faisions illusion les uns les autres. Ils avaient accueilli Lisa avec, peut-être, un peu de la condescendance des professeurs pour une étudiante. Cela avait suffi pour que Lisa refuse de m'accompagner à Vernes. « Tu seras mieux, seul avec eux, disait-elle. Ce sont tes amis, votre passé, je perturbe, crois-moi, je sens cela. »

Nous avions donc continué nos bavardages à trois, moins fréquents. Les silences devenaient plus longs. Nous tisonnions l'un après l'autre mais le feu ne prenait plus. Où était l'enthousiasme ? Ils avaient été de toutes les batailles politiques, comme des intellectuels qui ont vingt-cinq ans en 1968. Vincent avait été le candidat socialiste à la mairie de Vernes, puis au siège de député. Il se contentait de voter encore, mais disait-il, nous avons été dupes. Le pouvoir nous a engloutis. Jeanne se moquait sans trop d'amertume des mirages auxquels elle avait cru, Cuba, la Chine, la Révolution. J'étais à leurs yeux, le représentant du pouvoir et, alors que je m'étais toujours tenu à la lisière des batailles politiques, haut fonctionnaire, n'est-ce pas ?, je siégeais à la Commission de Bruxelles. « Un symbole, commentait Vincent ironique. Voilà ce que la gauche est devenue, toi. »

A eux, Vincent et Jeanne, seulement à eux, j'aurais pu parler de Lisa. Je ne leur avais jamais rien dissimulé de mes passions puis de mes échecs. Ils avaient reçu Charlotte et Marie, ils les avaient aimées comme moi, puis ils s'étaient dépris, toujours dans mon camp, solidaires. Mais je n'avais jamais osé leur confier ce malheur quotidien, banal, qui peu à peu s'insinuait entre Lisa et moi. Je ne trouvais pas les mots, peut-être parce qu'il ne s'agissait plus de vocabulaire, mais d'une tristesse qui habitait chaque partie de mon corps, comme un désespoir d'enfant qui ne s'efface que par l'amour et la tendresse.

Je savais qu'ils devinaient que quelque chose se passait en moi, entre moi et Lisa sans doute, mais je les sentais sur leurs gardes, apeurés presque, comme s'ils avaient craint la contagion, comme s'ils étaient persuadés que, cette fois-ci, j'étais — nous étions — atteint d'un mal incurable. Marie ne succéderait pas à Charlotte, et Lisa à Marie. La partie était jouée. On ne rebattait plus les cartes. J'avais jeté tous mes atouts. J'étais perdant. Je ne devais pas l'avouer. Ils ne devaient pas le savoir, sinon ils auraient été entraînés par ma perte.

Donc je ne leur avais rien dit. Je les voyais deux à trois heures par an. Je leur téléphonais. « Lisa va bien ? me demandait Jeanne. Son livre ? Pascal Sergent est venu faire une conférence à l'université, tout à fait remarquable. Je lui ai parlé de Lisa, il a été très chaleureux. Ce manuscrit Dolfin, si elle l'exploite, quelle merveille ! quelle mine ! »

J'approuvais. Nous avancions ainsi sur un sol stable, balisé. Nous détournions le regard pour ne pas voir les fondrières. « Et toi ? Vincent est de moins en moins européen, de plus en plus patriote, archaïque, tu vois, républicain et tout et tout, critique, très critique pour le pouvoir, tu viens bientôt ? »

Qu'avais-je besoin de les retrouver, si je ne pouvais parler de ce qui me préoccupait, Lisa ?

9

Le désir contre le pouvoir

— Le seul souvenir que j'aie de mon père, ai-je repris et Vassos m'encourageait d'un mouvement de tête — « Oui, oui, parlez, confiez-vous », semblait-il me dire —, j'avais donc quatre ans, c'est un visage de vieux monsieur, les cheveux gris, peut-être décolorés, teints, il n'avait que quarante-quatre ans, il me voit, il m'effraie, il a comme des hoquets, des sanglots, sa bouche, une moue de bébé, il enlève ses lunettes, des yeux rougis remplis de larmes, ils l'ont pris une semaine plus tard, peut-être en avait-il le pressentiment ? Vous n'allez pas écrire cela, monsieur Vassos.

Je ne lui laisse pas le temps de répondre, je dis : « Après, après. » Et je m'emporte : « Rien, rien, monsieur Vassos. » Je me lève. Mon bureau comme celui du président de la Commission est situé au dernier étage du bâtiment des Communautés, mais au lieu de hautes baies vitrées, il ne comporte que ces fenêtres impossibles à ouvrir. Je serre les poings pour ne pas les toucher. Je n'ai jamais raconté à Lisa ce que je dis à Vassos, ma rage d'enfant qu'on a traîné dans la cour des Invalides, deux, trois fois, « Trois fois, monsieur Vassos, pour lui, croix de la Libération, Légion d'honneur, etc. » Et les places, les rues. Je tirais sur le cordon qui dévoilait les plaques, je lisais ce nom que je ne portais même pas : « Georges Gaspard ».

Je m'appuie des deux mains au fauteuil.

— Voilà ce que je sais, monsieur Vassos.

Il se lève à son tour. Il hoche la tête : « Votre passion », commence-t-il, puis il s'interrompt. Pourrait-il me revoir, une dernière fois. Il devance ma réponse, me remercie, et il me prend le bras, comme le font les médecins quand ils veulent rassurer leur malade.

Après le départ de Vassos, j'ai travaillé avec Jagot sur les dossiers à l'ordre du jour de la prochaine réunion de la Commission. Il est assis à la place de Vassos, mon jeune et conformiste double. « Notre difficulté, ce sont les Anglais et les Danois, dit-il, Wilkinson et Carlsten se sont vus, ont mis au point leur contre-proposition — il me tend une fiche, rajuste le nœud de sa cravate —, ils peuvent rallier Fleschen, Arroye, Magriet Hankert, le Bénélux donc, mais tout dépendra de Mahlberg, il faut que vous le voyiez personnellement, puisqu'il évoque toujours l'amitié franco-allemande, c'est le moment de nous en donner la preuve... » Les mots passent sur moi comme une rumeur indistincte. « Vous le verrez », insiste Jagot. Je sursaute. « Je prends rendez-vous avec lui ? » questionne-t-il.

— Je rentre, ai-je dit.

Jagot a refermé ses dossiers tout en me dévisageant longuement. « C'est urgent, Monsieur », répète-t-il à voix basse. Dans les couloirs, je croise Finci et Solas. On me parle. Ils imaginent que mes silences sont des réponses. « Ah bien, dit Finci, vous acceptez alors ? — Il y a donc possibilité d'un accord », murmure Solas.

Je renvoie mon chauffeur et je marche. Froid, sous un ciel bleu brillant que traversent des chapelets blancs de nuages atlantiques. Voilà des mois, peut-être des années, que je ne marche plus l'après-midi.

A Paris, les premiers temps — peut-être cela a-t-il duré un an —, je quittais le ministère des Finances, je traversais le Palais-Royal. J'avais hâte de surprendre Lisa. Je passais lentement dans les travées de la salle de lecture des Imprimés de la Bibliothèque nationale. Je l'apercevais tout à coup, penchée sous la lampe d'opaline verte, écrivant vite, ses livres entassés près d'elle. Je la regardais longtemps avant de la rejoindre. Ses cheveux masquant une partie de son visage. Parfois, quelqu'un que je ne connaissais pas, s'approchait d'elle, ils échangeaient quelques mots, puis elle recommençait à écrire. Je ne savais pas alors ce qu'est la jalousie. Enfin je lui touchais l'épaule. Elle souriait en fermant son livre. Nous sortions. C'était le début de l'après-midi, je la prenais par la taille. Nous buvions un café au comptoir, nous faisions lentement le tour du square Louvois et, quelquefois, nous prenions une chambre à l'hôtel qui fait face à la Bibliothèque. Lisa m'attendait dans le salon aux boiseries rousses cependant que je parlais avec autorité et désinvolture à la réception. Nous nous déshabillions sans nous séparer. « Attends, attends », disait-elle, mais je ne voulais pas cesser de l'enlacer. Nos vêtements en désordre se mêlaient au pied du lit, et nous glissions dans ces draps tendus, frais. Fougue et partage, ces deux mots me viennent, pour dire cette heure-là, aujourd'hui perdue.

En 1981, je suis entré au cabinet de Delmas, le ministre des Affaires européennes. Lisa a commencé d'explorer les archives de Venise et de Florence, elle a choisi d'écrire cette histoire des sensibilités au XVe siècle. J'ai été nommé à Bruxelles. Promotion éclatante, inattendue, confiance du président de la République, hommage à ma compétence et à ma capacité de travail, écrivait-on. Je suis devenu un homme politique, sans même le savoir, comme on vieillit. Et le corps de Lisa s'est raidi entre mes bras. Elle ne m'accompagnait plus. Elle me tolérait, détournant la bouche quand j'essayais de l'embrasser, fuyant mon regard, une expression de souffrance creusant ses traits.

— Qu'as-tu ?

Elle allumait une cigarette. Je la questionnais encore,

j'avais tort de la forcer à me répondre, ce qu'elle refusait longtemps, incapable de mentir, je le sais.

— Tu es satisfait, disait-elle sans me regarder, qu'est-ce que tu cherches d'autre ? Sa voix était sèche, dure. Que s'était-il donc passé entre nous ? Le temps ? L'usure ? Je voulais parler. Elle se dérobait. Ou bien, parfois, elle ouvrait une porte sur un gouffre. « Tu ne pourrais pas supporter ce que je pense et ça ne sert à rien de parler, je ne peux rien te dire, c'est comme ça. » Elle prenait ses livres, ses notes. « Laisse-moi travailler, veux-tu, sois gentil. »

Il me restait mon bureau, mes dossiers, Wilkinson, Solas, le point de vue du Président. J'avais le sentiment d'avoir fait un marché de dupes : la vie contre la mort, le vrai contre les apparences, le désir contre le pouvoir.

10

Ridicule, maladroit, grotesque

Un jour, enfin, j'ai pu parler avec Lisa. Elle rentrait de Venise. Elle était sur la piste du manuscrit complet de Francesco Dolfin, ce marchand-diplomate qui avait échappé aux Turcs lors de la prise de Constantinople, puis vécu à Florence, espionnant, pour le compte des doges, Laurent de Médicis, et sachant à la fin de sa vie quel était l'enjeu du voyage de Christophe Colomb. Elle retrouvait sa trace dans les archives, un rapport qu'il écrivait au doge en 1488, son nom dans la comptabilité d'un banquier florentin. Il était cité comme l'un des proches de Laurent, et elle bâtissait son livre autour de lui, avant même d'avoir lu la totalité du *journal* qu'il avait tenu.

— Je suis sûre que ce texte intégral existe, disait-elle.

Nous étions au premier étage d'un restaurant qui donne sur la Grand-Place. Je l'écoutais. Elle me fascinait mais plus elle parlait — j'en prenais conscience et je ne pouvais m'en empêcher sachant pourtant que cette attitude allait me condamner —, et plus je me renfrognais. J'étais heureux de sa vivacité et de sa joie, de cette passion qu'elle avait et qu'elle exprimait. « Pascal Sergent est enthousiaste aussi, disait-elle, si je tiens le manuscrit de Dolfin, j'ajoute une pièce au puzzle, peut-être celle qu'il est presque impossible de trouver, le secret d'une conscience, d'une intimité, tu comprends, on ne voit les gens que de l'extérieur, sauf exception presque miraculeuse. Ils font des affaires, ils signent des traités, des lettres de change, ils écrivent des rapports diplomatiques et puis d'un autre côté nous connaissons les œuvres littéraires, les poèmes de Laurent, les tableaux, l'imagination, mais l'intimité, la confession d'un homme seul, face à lui-même, ça nous échappe... »

Elle parlait et ne me voyait pas.

J'ai eu tort. J'ai dit : « Et notre intimité, elle ne nous échappe pas ? » Ma voix, morose et humble, peut-être grincheuse, comme un souffle aigre. Elle a posé sa cuillère. Je me souviens de cette grande assiette de faïence blanche et bleue, du waterzoï, des légumes qui affleuraient sous le bouillon crémeux, de la vapeur qui s'élevait, du bruit qu'a fait cette lourde cuillère d'argent, en heurtant le bord de l'assiette. J'ai eu du mal à avaler.

— Bon, parlons, si tu veux, a-t-elle dit. Et elle a croisé les bras.

On est ridicule, on est maladroit, parfois même grotesque quand, en amour, on revendique.

J'essayais de décrire ce qui ne se laisse pas saisir, son élan pour moi jadis, et cette lassitude ennuyée avec laquelle elle m'acceptait. Elle m'écoutait mais elle semblait ne pas comprendre. Je voulais lui dire ce que je ressentais, ce manque, ce besoin que j'avais d'elle, lui parler de ces heures d'autrefois dans la chambre de l'hôtel du square Louvois et je devenais, malgré moi, le petit douanier méticuleux de nos emplois du temps, un vérificateur tatillon de nos amours passées, un harpagon, un arpenteur, un calculateur. Elle avait beau jeu de mettre côte à côte la comptabilité de mes obligations et des siennes. Puis, comme je m'obstinais, elle dit d'une voix sans appel : « Je ne discute pas, Philippe, pas de ça. Ou tu comprends que les êtres changent, que je ne suis plus l'étudiante que tu as rencontrée, que tu n'es plus le rêveur qui passait quelques heures dans son bureau du ministère des Finances en dilettante, ou tu m'acceptes telle que je suis devenue, parce que je t'accepte autre » — elle s'interrompait, elle faisait une moue, presque une grimace —, « tu as changé Philippe, la politique t'a changé, les années t'ont changé, tu lisais des romans, tu t'intéressais à mes recherches, nous sortions ensemble, expositions, cinéma, etc., tu es devenu une machine à rapports, à conférences, à réunions internationales, c'est bien, je comprends cela, je suis historienne, après tout tu fais l'histoire, c'est passionnant, mais moi aussi Philippe je suis différente ; ou tu n'acceptes pas, alors tirons-en les conclusions, toi et moi. »

J'avais cru, voulu lui parler de ce qui nous unissait jadis et qui n'existait plus, notre fougue, mon corps qu'elle semblait aimer comme je désirais le sien, notre partage du désir. Elle avait, habilement, inconsciemment, qui sait, changé de partie.

— J'accepte Lisa, mais j'accepte, ai-je dit. J'ai tenté de saisir sa main. « Avant, tu te souviens, nous faisions l'amour, souvent, tu... »

Elle dégageait sa main, reprenait sa cuillère, goûtait le waterzoï, disait : « C'est froid, dommage. »

Puis elle allumait une cigarette.

11

Ma voix, comme un écho

Une fois de plus j'ai rendu les armes. Je regardais sa bouche — elle a les lèvres larges, bien dessinées —, j'effleurais ses yeux gris qui me fixaient, son visage où apparaissaient sur les pommettes de petites rides —, pas un trait ne bougeait, à peine un froncement de sourcils quand elle aspirait la fumée de sa cigarette, lentement, creusant un peu ses joues. Brusquement je craignais qu'elle ne se lève, qu'elle dise : « Je m'en vais Philippe, je ne peux plus vivre avec toi, c'est ainsi », et je baissais donc la tête, vaincu comme un joueur qui n'ose pas forcer l'autre à abattre son jeu. Qu'aurais-je vu ? La preuve d'un mensonge ? Ma solitude ?

Je m'efforçais de sauver la face, de faire comme si nous ne nous étions rien dit. Voulait-elle du café ? Elle se détendait. « Bien sûr », disait-elle. Et je la questionnais avec une fausse désinvolture, une curiosité truquée, sur ce *journal* de Francesco Dolfin. « Il a écrit ; chaque jour... », demandais-je, quarante ans... »

Etait-elle dupe ? Il était bien commode ce Vénitien du XVe siècle qui nous permettait de nous parler sans rien nous dire. N'était-ce pas cela qu'elle cherchait d'abord ? Cela qu'elle voulait me contraindre à accepter ? Cet arrangement entre un homme et une femme, ce contrat de sagesse qui vous fait avancer côte à côte, parce qu'il est triste de marcher seul, qu'on a des habitudes et qu'on sait qu'il ne sert à rien de se séparer pour retrouver, au bout d'un autre parcours, la même situation.

J'étais repris par mes obsessions. Lisa parlait et je l'interrompais, je lui disais : « Tu as de la chance, passionnant. » Elle devinait, au son de ma voix, que je m'apprêtais à nouveau à rouvrir notre vraie partie. Elle se levait. « Je te laisse, Philippe, je n'ai même pas défait mes valises. A ce soir. Tu dînes à la maison ? »

Je rentrais seul en voiture au siège des Communautés. Le chauffeur avait posé une liasse de journaux et de dépêches sur la banquette, près de moi. « M. Rouvière a téléphoné, disait-il, le Président veut vous voir, dès que vous le pourrez. » J'appelais Costes, je fixais l'heure de mon rendez-vous, tout en parcourant les titres des premières pages, je répondais à des questions, je m'irritais : « Voyez ça avec Jagot. »

J'essayais de me donner le change, de me persuader que cette tumeur n'existait pas, que je respirais, que je parlais, que je décidais, comme à l'habitude. Et plus je m'évertuais à oublier et plus ma voix me paraissait aussi éloignée de moi que celle que renvoie l'écho.

12

Tout est désordre

— Alors Guibert, disait le Président en s'avançant vers moi, cette manœuvre de Wilkinson et de Carlsten, dangereuse pour votre projet ? Où en êtes-vous ? Que pensent les Allemands ? J'ai vu Mahlberg, bien sûr — le Président souriait, murmurait comme en aparté : « Je vous facilite toujours le travail Guibert, je suis toujours avec vous, vous le savez bien » — Mahlberg n'a rien lâché. Mais si — il levait les mains — si l'Elysée nous aide, le Chancelier fera entendre raison à Mahlberg. Vous verrez. Ce n'est pas cela qui m'inquiète...

J'écoutais, je répondais peut-être plus lentement, comme un joueur en fin de partie quand les mouvements viennent d'instinct, qu'on se place sans même voir la balle et on la renvoie cependant, mais sans force, et chaque geste est douloureux et on le fait cependant.

— Tout va bien, Guibert ? Un peu fatigué ?

Lisa avait raison. On ne voit pas les yeux du Président, on ne sait quand ses rides se creusent, s'il sourit ou s'il grimace d'amertume et de regret. Il me retient. Il énonce comme toujours quelques idées générales, il fait mine de se confier et, avec une telle force de conviction, serrant les poings, que chaque fois je me laisse surprendre, dupe de sa prétention.

« J'ai besoin de vous, Guibert, commence-t-il, il faut m'aider, comprenez-vous, cette Europe, nous sommes si peu à la vouloir vraiment, vous, moi, Finci, sans doute Solas, mais est-ce que nous pouvons compter sur Mahlberg? Guibert, nous sommes les Christophe Colomb d'aujour-d'hui, nous poussons notre rocher de Sisyphe. »

Tout à coup il s'exclame, comme si, par hasard, la mémoire lui revenait. « Vous avez vu ce journaliste grec, Vassos, curieux, intéressant non, Rouvière m'a dit que vous l'aviez vu plusieurs fois, très bien, très bien Guibert. »

Je suis dans l'antichambre, Rouvière, Arroye, Coimbra, Finci, m'entourent. Ils m'entraînent dans la salle de réunions, de la Commission. J'en connais les lumières bleutées, la longue table ovale, les fauteuils jaunes, la large baie vitrée derrière laquelle se tiennent les interprètes, et l'horloge dont souvent, les nuits de discussions, nous arrêtions les aiguilles, afin de conclure dans la fiction d'une seule journée, alors que les heures passaient, que l'aube venait, puis un autre jour, une autre nuit. Nous dormions un peu. On nous servait dans l'antichambre des sandwiches et du café. Où sont cette énergie et cette passion qui me tenaient en éveil? Cette joie aussi que j'avais à trouver le mot, la phrase qui permettraient enfin d'adopter la directive? Je téléphonais à Lisa. « Ne m'attends pas, disais-je avec une sorte de jubilation, le Président m'a chargé de la rédaction finale. » « Vous êtes l'inventeur de la formule, Guibert, à vous de la transcrire », avait-il dit. Je lisais le texte, on m'applaudissait. Derrière la vitre, les traducteurs se levaient, me faisaient des signes d'approbation. Je rentrais. J'étais heureux, il me semble. Si Lisa dormait, je me couchais près d'elle et je serrais contre le mien son corps chaud.

Elle s'indignerait aujourd'hui si je la réveillais.

— Si vous n'y mettez pas du vôtre, nous n'en sortirons pas, dit Coimbra.

Il pousse vers moi le projet de résolution. Nous nous sommes assis en bout de table. Finci approuve. « On dirait que vous cherchez à bloquer la discussion, dit-il. Avant... »

Avant les choses étaient simples. J'arrivais de la Commission. Je m'allongeais près de Lisa. Nous nous enlacions. Je me levais. Je prenais une douche. Et la nuit s'effaçait. J'étais prêt. Chaque partie de moi à sa place, assumant son rôle.

Je ne peux plus. C'est la confusion dans ma tête, le désordre d'une armée en déroute.

— En somme, dit Arroye, ça vous arrange si nous piétinons. Je peux comprendre ça, mais ça aura des conséquences.

Ils se concertent, se concentrent. Rouvière me chuchote que je dois faire des concessions, que le Président le souhaite.

Ils ne comprennent pas que je me déglingue. Que j'en suis humilié et honteux. Que j'essaie de me reprendre en main, de me hurler des ordres. Que je ne peux admettre que ce petit drame médiocre et quotidien, ma vie privée comme on dit, à peine le sujet d'une pièce de théâtre bourgeois, m'obsède. Je regarde tour à tour Coimbra — une tête ronde, chauve, une peau mate, la cinquantaine —, Arroye — blond, rose, de petites veines bleues parcourant ses joues —, Finci, maigre, la peau plus mate encore que celle de Coimbra, des cheveux très noirs, brillants — et Rouvière — des yeux vifs et mobiles dans un visage blanc, impassible. Comment vivent-ils ? Voilà ce qui m'intéresse en eux maintenant. Leur secret. Comment font-ils encore pour se donner le change ? J'ai envie de crier mascarade, prétexte, de leur parler de ma vie qui est vide.

Ou alors ils font l'amour, ils aiment, ils sont comme j'étais. Sains.

— Nous voyons ça demain, avant la réunion, dit Rouvière.

J'approuve.

Je retourne dans mon bureau. Souvent j'y dors. A quoi bon retrouver Lisa ? Les veilleurs de nuit dans leur ronde promènent leur torche sur les murs, balaient mon visage, s'excusent. Je me lève. J'essaie de travailler.

— Déjà là, s'étonne Costes en déposant le courrier devant moi. Mon regard la gêne.

J'ai envie de savoir qui elle est. Je suis comme ces malades qui pour pouvoir parler de leur souffrance interrogent les autres sur leur santé.

Costes se détourne. Elle me propose un rasoir, du café. En me les apportant, elle semble prendre garde à ne pas me toucher, comme si j'étais contagieux.

C'est vrai, je me sens souffreteux, sale. Mais ce n'est pas l'effet de cette nuit, des vêtements froissés que je porte. Je n'enlace plus Lisa et cela suffit à m'empêcher de saisir les choses. En s'éloignant de moi elle m'a éloigné du monde.

Un matin, je me suis révolté. J'avais des mots grossiers plein la bouche.

— Je reviens dans une heure, ai-je dit à Costes.

Il était près de neuf heures quand je suis arrivé chez moi. L'appartement était sombre, assoupi. Le chat se frottait contre mes mollets. J'ai commencé à me dévêtir. De la cuisine Lisa a crié : « C'est toi, Philippe, tu es rentré. » Je n'ai pas répondu. « Je te prépare un café. » J'avais envie de crier : « Je me fous de ton café. » Je suis resté nu sous la robe de chambre. « Lisa », ai-je répété en m'approchant d'elle. Elle avait les cheveux relevés en chignon et elle semblait ne pas m'entendre, surveillant la bouilloire. J'ai fermé le gaz, je l'ai prise par les poignets. Je l'ai tirée vers la chambre. Elle a d'abord résisté puis elle m'a accompagné, calmement, s'allongeant sur le lit, les mains sous la nuque, les jambes écartées, un sourire de mépris. Elle a secoué la tête : « Pauvre type », a-t-elle dit.

Je suis parti.

Je ne fais plus l'amour avec elle. Tout est désordre et le monde m'échappe.

13

La lassitude et le mépris

J'étais dans cet état d'esprit quand j'ai reçu Vassos pour la troisième fois. Il entrait, levait la main pour me saluer, souriait à Costes, dénouait une longue écharpe blanche. Il portait une chemise noire, col ouvert, et une veste de cuir aux larges poches. Il me fascinait et m'irritait. Pas un de ses gestes qui ne me provoquât. Il avait une manière désinvolte de s'asseoir, de tirer sur ses pantalons de toile, de découvrir ainsi des bottillons de cuir fauve à hauts talons, de sortir cet étui à cigares dont je me souvenais, qu'il me montrait en signe de connivence.

Je sentais sa liberté. J'imaginais sa vie.

J'avais interrogé Paxonous, et la violence de ses propos m'avait surpris. Vassos ? Il l'avait connu il y avait quarante ans, en Grèce. Un paresseux. Un flatteur, un séducteur. Et le Président, naturellement, avait succombé. Il avait fallu le recevoir. « Vous allez le voir une troisième fois, vous avez tort. Il n'est pas sûr. » Vie privée tourmentée, liaisons, divorces, le goût des femmes et de l'argent. La colère déformait le visage massif de Paxonous. Il lissait sa moustache grise et touffue comme s'il avait voulu l'empêcher de trembler. « Un écrivain, Vassos, non ? » avais-je demandé.

Ecrivain, écrivain. Qu'est-ce que ça signifiait ? Vassos avait publié des livres pour femmes et maintenant il s'intéressait à l'Europe, est-ce que c'était normal ? « Ne lui confiez rien », avait conclu Paxonous.

68

— Nous parlions de votre père, commençait Vassos, vous m'avez ému, monsieur Guibert, vos souvenirs...

Durant quelques minutes, je n'ai pas écouté Vassos. Il fouillait dans ses poches, il m'observait avec curiosité, il m'interrogeait du regard comme on le fait avec quelqu'un qui donne des signes de malaise et auquel on propose son aide. Mais que pouvait-il ? Je m'enlisais. J'étais honteux. J'avais le sentiment de me livrer à lui alors que je ne disais rien. Mais j'avais tant d'amertume dans la tête et dans la bouche au souvenir de l'attitude de Lisa, que j'étais sûr qu'il devait comprendre, entendre mon indignation, deviner que j'étais victime de l'injustice d'une femme qui cherchait tous les prétextes pour se donner le droit, en me condamnant, de me tenir à distance, de me mépriser.

Je ne bougeais pas. Je baissais même la tête pour fuir ses yeux, mais silencieusement je le prenais à témoin. Je lui racontais ces samedis matin, quand nous nous apprêtions à sortir, c'était il y a quelques mois et nous déjeunions encore ensemble, seul moment où nous étions face à face, et je m'en faisais une fête, espérant pouvoir enfin lui parler, comme autrefois. Mais le Président m'appelait, alors que nous étions dans l'entrée. L'habitude, une soumission instinctive à l'ordre faisaient que tout en pensant que je ne devais pas décrocher le téléphone, tout en sachant que ce devait être le Président qui téléphonait systématiquement à chacun des douze membres de la Commision, pour leur faire croire qu'il avait un lien particulier avec chacun d'eux, je décrochais.

Il était intarissable et Lisa m'attendait. Il me flattait. « Vous avez fermé la bouche à Wilkinson, avec une pertinence et même une violence, Guibert, bravo, bravo, c'est comme ça qu'il faut, à certains moments, leur faire comprendre... »

J'étais pris. J'oubliais Lisa quelques secondes. Il savait qu'il m'avait ferré. « Vous m'avez ébloui, Philippe », reprenait-il, et j'étais sensible à ce qu'il utilisât mon prénom, qu'il fît mine de me confier ses intentions à long terme : « Déjeunons ou dînons Philippe, je vous exposerai mon plan pour les trois années qui viennent, j'ai maintenant les grandes lignes bien en tête et j'ai besoin, mais vraiment besoin de votre appui Philippe, je compte sur vous. »

Brusquement je pensais au coup de fil qu'il allait donner à Wilkinson, le félicitant de m'avoir résisté. J'imaginais ses propos : « Je suis français comme Guibert mais, en tant que Président de la Commission, je suis européen, Wilkinson, et je vous soutiens. »

Je n'écoutais plus le Président. Je surprenais le regard de Lisa. Elle était debout dans l'entrée, appuyée à la porte, les bras croisés. Je voyais ces rides autour de sa bouche, ce dédain qu'elle exprimait. Elle voulait que je sache qu'à ses yeux j'étais un courtisan, moi aussi, comme Jagot ou Rouvière, un pauvre type. Je m'affolais. J'interrompais le Président. Il riait, s'attardait à dessein : « Votre femme s'irrite, n'est-ce pas ? L'impatience de la jeunesse, embrassez-la pour moi, mais vous ne m'attendez pas pour cela, n'est-ce pas ? Philippe... ».

Je raccrochais. Je racontais, j'étais violent : « Ce connard, il parle, il parle, tu as entendu, j'ai été brutal, presque grossier, je m'en fous... »

J'approchais ma main de son bras. Elle reculait. Il me semblait qu'elle frissonnait à l'idée que je pus l'effleurer.

— Je t'en prie, disait-elle sèchement, allons-y, veux-tu ?, j'ai beaucoup de travail.

Nous déjeunions, journaux ouverts sur la table. Elle m'imposait ce silence qui me désespérait et que j'avais envie de rompre par n'importe quel moyen, le plus violent ou le

plus humble, hurler, l'insulter, renverser la table ou m'agenouiller et la supplier.

Fermée, le visage baissé, elle paraissait tout entière
occupée de ce qu'elle mangeait rapidement et de ce qu'elle
lisait. Et si je voulais saisir son poignet elle retirait son bras
avec une telle vivacité que je ne pouvais plus recommencer.

Avais-je mérité cela ?

Elle manifestait tant de bienveillance, de compréhension, d'affection pour Pascal Sergent, pour Paolo, tant
d'indulgence pour Vassos — quand plus tard il est venu dîner
et que j'ai découvert ainsi qu'elle le connaissait et qu'elle
l'acceptait tel qu'il était — qu'il me fallait bien admettre que
j'étais le seul qu'elle traitât avec cette rigueur hargneuse
impitoyable.

— Mais que t'ai-je fait ?

Je murmurais cette question. J'aurais voulu dire et je
n'osais pas de crainte d'entendre la réponse que j'imaginais,
que je n'eus pas pu supporter : « Que ne t'ai-je pas donné
pour que tu me méprises ainsi ? »

Avant, quand nous déjeunions ainsi en tête à tête,
j'emprisonnais ses jambes entre les miennes et si nous étions
assis côte à côte, je posais ma main sur sa cuisse, je caressais
son genou.

Avant, nous n'avions pas besoin de parler, nous pouvions même lire nos journaux placés de part et d'autre de nos
assiettes. Notre silence était intime et partagé.

Il était devenu mur, prison, parce qu'elle ne désirait plus
mon corps. Elle m'enfermait loin d'elle. Elle m'effaçait de
son monde. Elle m'annonçait que j'étais vieux, puisqu'elle
me marquait son indifférence et son dégoût. J'étais indigne.
Elle s'éloignait de moi avec d'autant plus de force qu'elle
craignait de vieillir. J'étais le messager des mauvaises nou-
velles. Je m'accrochais au radeau sur lequel elle était encore.
Elle refusait d'écouter mes appels, elle m'écartait pour ne
pas basculer, me rejoindre. Chacun pour soi.

— Que t'ai-je fait, répétai-je.

J'étais humble. Je quémandais pour ne pas me révolter.

Elle pouvait d'un geste me sauver, rendre à mon corps son existence et me restituer ma dignité. Mais il eût fallu qu'elle ressente à nouveau pour moi de l'attirance ou qu'elle me joue, par pitié, la comédie.

Or elle n'était pas femme à mentir et on ne commande pas au désir.

— Tu m'ennuies Philippe, disait-elle avec une lassitude qui était pire que du mépris.

14

Vaincu. Vainqueur

J'ai levé la tête. Vassos souriait.

— Que voulez-vous encore ? ai-je dit brutalement.

Je retournais m'asseoir derrière mon bureau, commençant à feuilleter le dossier qui était ouvert devant moi. Mais je ne réussissais pas à lire. Mes doigts tremblaient de colère. Il fallait que je trouve le courage de rompre avec Lisa. Je ne pouvais plus subir cette humiliation, accepter cette dépendance, l'arrangement — elle avait employé ce mot — qu'elle me proposait, où elle ne respectait que les apparences et ignorait mes sentiments, mon désir.

En finir, quel qu'en soit le prix. Ne pas laisser s'émietter dans le dégoût de soi, dans le ressentiment et le désespoir, ces dernières années qui me restaient. Si Dieu ou le hasard me les accordaient.

En finir, parce qu'elle me hantait, à tout instant.

— Que voulez-vous ? ai-je répété.

Il ne comprenait pas ma violence, l'irritation que je manifestais, lui signifiant que je ne voulais plus parler. « Tout était pourtant clair », disait-il. Il écartait les bras, il se levait, venait s'appuyer des deux mains à mon bureau. Il pensait que nous étions d'accord pour explorer ensemble le passé de l'Europe et la vie de mon père était un bon fil conducteur. Non ?

— Je voulais que vous me parliez encore de Georges Gaspard, voilà.

Le regard des femmes

Il prenait dans la poche de sa veste un livre qu'il plaçait devant moi.

Ces lunettes rondes, ce visage large qui remplissait toute la couverture, celui de mon père, et je me souvenais non de notre seule rencontre, de sa grimace quand il s'était mis à sangloter, mais de ce livre, que j'avais lu adolescent, dans la maison de ma mère, à Forgues, et de le prendre en main après tant d'années, car il devait être resté là-bas, dans la grande bibliothèque, sous le toit, parmi les milliers de livres qui s'entassaient, à moins que, mais je n'en étais pas sûr, je l'aie emporté avec moi et que je l'aie laissé avec tous les autres, dans les appartements que j'avais fuis, ceux que j'avais partagés avec Charlotte puis avec Marie, et chaque fois, j'étais parti comme un homme recherché qui n'a le temps que d'emporter ses papiers et qui dévale l'escalier, le col de sa chemise ouvert, ses lacets défaits et sa cravate dénouée, mais de toucher ce livre des années plus tard, de reconnaître le papier un peu gris des années cinquante, le cahier de photos, me bouleversait, comme si, vraiment, je me heurtais, par surprise, à mon père, enfin revenu.

Quand j'avais lu ce livre, je l'avais tant aimé ce père disparu, si fort, que je l'avais enfoui pour ne plus souffrir de son absence puisqu'il était perdu.

— Où l'avez-vous trouvé ?

Je parlais d'une voix si sourde qu'il me semblait que Vassos ne pouvait l'entendre et je répétais ma question, tout en gardant le livre entre mes mains, incapable de le lâcher, de le rendre, le caressant, l'ouvrant et le refermant, cherchant à lire, mais je n'y réussissais pas, le texte imprimé au dos de la couverture où seul me sautait aux yeux, le nom de Georges Gaspard, comme si je ne pouvais déchiffrer que ces deux mots.

Vassos bavardait, allant et venant, montrant le livre. « Une enquête, c'est toujours, c'est d'abord un coup de chance, disait-il. Hélène... » Il s'interrompait, baissait la voix, « Vous l'avez vue ? » Il avait toute confiance en elle. Il se passait la main dans les cheveux, il riait. Elle était un peu plus que son assistante, n'est-ce pas ? Hélène avait cherché, trouvé. « Elle est extraordinaire. » Il caressait à nouveau ses cheveux, et ce geste, comme une confidence indécente me gênait, me provoquait. Il était de ces hommes qu'une femme aime.

Et tout à coup, ouvrant le livre une nouvelle fois, je vis cette photo dont je ne me souvenais plus. C'était sous l'un des platanes du parc, à Forgues, devant la maison. Ma mère se tenait très droite, presque raide, les bras le long du corps, une ceinture blanche serrait sa robe noire qui tombait jusqu'aux chevilles. Ce devait être quelques années avant ma naissance, peut-être dans cette année 37, quand ma mère avait séjourné à Forgues plusieurs mois, mon père souvent absent, ma mère me l'avait raconté et ce récit oublié — elle me disait : « Tu comprends Philippe, ton père, je ne l'avais jamais beaucoup vu, même avant la guerre, avant que tu naisses, il était en Espagne, en 1937, il y a passé près d'une année, j'ai vécu seule à Forgues » — me revenait. Mon père, peut-être était-ce avant son départ, était tourné vers elle, et je distinguais cette ride d'amertume qui creusait sa joue, cette moue de dépit, que peut-être adolescent j'avais prise pour un sourire ou que je n'avais pas remarquée. Que sait-on du dépit et de l'amertume que peut faire naître une femme, quand on a quinze ans ?

Maintenant mon regard ne pouvait plus quitter le visage de mon père. Ma mère ne l'aimait plus comme Lisa ne m'aime plus. Et mon père le savait comme je le sais.

— Gardez le livre, m'a dit Vassos.

Je me sentais ridicule, incapable de répondre, avec la crainte d'éclater en sanglots, moi, à cinquante ans, et je revivais cette scène, mon père devant moi en larmes, le visage déformé par le désespoir et, pour la première fois, alors que j'avais si souvent pensé à cette rencontre, la seule rencontre avec lui dont je me souvenais, alors que je m'étais tant de fois répété ce que ma mère lui avait dit, en m'éloignant, me tirant par le bras, pour la première fois de ma vie, je retrouvais en moi cette voix, cassante, ce ton, excédé, chargé de reproches et de mépris, ma mère qui parlait : « Laisse-le Georges, laisse-le, tu vois bien l'effet que tu lui fais. »

Vassos a compris que je ne parlerai pas, mais l'effet que le livre avait produit sur moi lui suffisait. Il m'observait, les sourcils légèrement froncés, tout son visage tendu, guettant chacune de mes expressions. J'étais sa proie. Incapable de me lever comme si ce livre que je ne pouvais lâcher me paralysait. Vassos faisait le tour de mon bureau, me tapotait l'épaule ; sa familiarité, cette attitude condescendante, sa voix, teintée d'ironie, m'indignaient. Voilà où j'en étais. N'importe qui me dominait parce que Lisa m'avait rendu lâche. J'acceptais tout d'elle. Je capitulais à chaque instant devant son chantage. Je n'osais rentrer dans sa chambre, m'allonger près d'elle. Je ne faisais plus l'amour avec elle. J'étais un vaincu. Et peut-être mon père l'avait-il été aussi, capturé à cause de cela, parce qu'un homme est fait d'une seule étoffe. Et quand le fil de chaîne se déchire, tout vient, morceau après morceau.

— Gardez le livre, répétait Vassos. Je savais que vous seriez ému, nous reparlerons de tout ça.

Il était devant la porte et, le bras tendu, la main ouverte, il me saluait, vainqueur. Il écrivait, lançait-il, les mystères de l'Europe. Il pointait son doigt vers moi. Il fallait que je l'aide, n'est-ce pas ?

Vaincu. Vainqueur.

La soumission à une femme, la dépendance que crée l'amour, cette anxiété qu'il entraîne, cette impuissance qu'il révèle quand il se heurte au refus de l'autre, à son indifférence, à son dégoût et à son mépris, à sa haine, ce malheur quotidien, banal et insidieux, voilà ce qui me détruisait, lente corrosion contre laquelle je ne pouvais rien. Seule Lisa eût pu me guérir et elle était précisément l'origine de ma maladie. Il eût fallu la fuir. Et peut-être était-ce pour cela que mon père était parti, en Espagne d'abord, puis, malgré ma naissance, qu'il s'était enfoncé dans la guerre, jusqu'à en mourir, parce qu'il n'avait pas réussi à fuir assez loin et que la mort était la seule issue, le vrai départ.

15

Que tout éclate !

Costes est rentrée.

Je l'ai entendue. Je ne l'ai pas vue. J'avais caché ma tête dans mes bras croisés sur le bureau et je dissimulais ainsi contre ma poitrine ce livre toujours ouvert. Elle s'inquiétait, m'appelait à voix basse.

Je me suis redressé. « La tête, les yeux », ai-je murmuré. Migraine. Je l'ai vue se détendre. Elle comprenait. Elle m'apportait, vite, un verre d'eau, un cachet. Elle insistait. Et moi je lui parlais, de cette douleur qui pénétrait lentement, aiguë, d'une tempe à l'autre, des yeux qui me brûlaient.

Costes répétait : « Buvez, buvez, Monsieur », étonnée par la violence de mes propos. J'avais envie de saisir mes yeux, de les sortir de leurs orbites avec mes ongles.

— Vous avez si mal.

Je me pressais le front, les paupières. Que tout éclate ! En finir. Moi. Lisa. Et c'est ce que mon père avait voulu, je m'en persuadais.

Comment ne l'avais-je pas compris avant ? Comment avais-je pu laisser ma mère mourir sans l'interroger, ne cherchant jamais à aller au-delà des quelques confidences qu'elle m'avait faites, ce long séjour à Forgues, en 1937, ce refus de porter le nom de guerre de mon père, comme pour se dissocier de lui, le tenir à distance, loin, au bout de la mémoire. Elle n'avait que trente-cinq ans en 1945, plus jeune que Lisa, belle, très brune, les lèvres fortes ; et le corps moulé dans des robes serrées. Je me souviens de ses escarpins blancs, de longs châles, de son parfum quand elle m'embrassait, du plaisir que je prenais à la retenir, m'agrippant à son cou, la tête contre ses seins : « Philippe, Philippe, laisse-moi veux-tu », disait-elle.

J'avais une dizaine d'années. Elle partait au journal. Et je ne la revoyais que le lendemain soir. Marthe s'occupait de moi. Comment n'avais-je jamais pensé à ce qu'étaient les nuits de cette femme qui n'avait pas quarante ans. Parce qu'elle était ma mère, je n'avais jamais osé imaginer. Et cependant, je rencontrais parfois Charles Hartman, « mon patron », disait ma mère, et j'aurais dû comprendre le rire qu'elle avait, qui roulait dans sa gorge. Elle se penchait en arrière, et quelque chose me choquait dans la manière dont elle gonflait ainsi ses seins. Hartman venait parfois déjeuner le dimanche, ou bien nous sortions tous les trois, et il nous conduisait jusqu'au bord de la Seine, dans les environs de Fontainebleau. Nous marchions sur le chemin de halage, moi entre eux qui se parlaient peu. Tout était si clair. Mais je voulais préserver les apparences. Ils se vouvoyaient. « Charles vous... Mireille vous... » Ils ne se prenaient pas la main. Ils échangeaient quelques mots sur la situation politique, les enquêtes que ma mère avait en cours. Je m'en tenais là.

Et avec Lisa si longtemps j'ai refusé de savoir ce qui la liait à Pascal Sergent, — ce texte à écrire, leur travail, voilà ce dont je me suis contenté. Et je n'ai jamais imaginé ce que pouvaient être les nuits de Lisa quand elle était seule à Paris, à Venise, à Florence, dans ces universités étrangères où elle se rend souvent.

Et je sais pourtant. Et maintenant je veux tout apprendre. Revoir donc Charles Hartman avant qu'il ne disparaisse lui aussi et que l'eau se referme, redevienne lisse, toutes les pierres tombées, les vies enfouies et la mienne entraînée au fond avec ces mémoires disparues.

Il faut.

Costes me propose un autre cachet. « Le Président m'attend, murmure-t-elle. Il souhaite me parler avant le début de la réunion de la Commission. »

Jagot rentre à son tour dans le bureau. Il brandit deux feuillets. « Nous les tenons », dit-il. Peu à peu je recommençais à participer au jeu. De petits mots d'abord : « Bien, très bien Jagot. »

Je ferme le livre. Je me lève. Je questionne. Malhberg ? Finci ? Le chancelier est intervenu, et Mahlberg commence à bouger. « C'est l'Elysée, n'est-ce pas ? » Jagot approuvait. Il a en effet secoué les gens du « Château ». Il se rengorge. Il bouge le torse, se dandine. « Ça n'a pas dû être sans effet », dit-il en riant. Je glisse le livre dans le tiroir où je classe mes notes personnelles. Costes a vu mon geste et, comme je lui montre la clé, restée dans la serrure, elle me rassure d'un mouvement de tête.

J'invite Jagot à m'accompagner chez le Président. « C'est votre affaire, après tout. » Il ouvre la porte, me laisse passer en s'inclinant et il dissimule ainsi ce sourire de triomphe, cette rougeur qui colore ses joues. Je sens sa joie, son orgueil. Il m'enveloppe de chiffres et de suggestions. Il m'émeut. Quelle femme le fera trébucher, lui aussi ? A moins qu'il ne soit de cette espèce que l'on sert, ou qui refuse de voir.

Moi je ne peux plus être aveugle.

Dans l'ascenseur nous rencontrons Arroye, Magriet Hankert. Poignées de main, mots, sourires. J'imite. Je suis un automate qui donne le change. Encore.

16

Les héros

Lisa quand je suis rentré, peu avant minuit, ce jour-là, travaillait dans sa chambre.

Au bout du couloir, la lumière de sa lampe de chevet, par la porte qu'elle avait laissée ouverte, découpait dans l'obscurité un volume jaune, aux angles vifs, aux faces obliques au milieu duquel se tenait le chat, assis. Il ne bougeait pas quand je m'avançais vers lui mais, tout à coup, il a bondi, disparaissant dans la chambre et je le retrouvais, quand j'y pénétrais, allongé au milieu des papiers que Lisa avait disposés sur son lit, autour d'elle. Elle semblait tout en me regardant ne pas me voir, mordillant un crayon rouge. Et je m'arrêtais. Elle avait ses cheveux relevés en chignon et son cou paraissait plus long, gracile, l'expression même de son visage était différente. J'y découvrais une vulnérabilité, la naïveté et l'innocence d'une nudité et c'était cela qu'elle voulait sans doute masquer quand elle répandait ses cheveux autour de son visage, le flou des mèches, les reflets roux, empêchant de saisir ses traits, d'en déceler les lignes de faiblesse. Je fus ému. Elle me parut désarmée. Elle portait un survêtement de tissu éponge blanc fait d'une pièce, largement échancré sur la poitrine, si bien que je voyais ses seins, et que tout son corps me paraissait alangui. Le désir de le toucher, de me laisser peu à peu gagner par sa tiédeur fut si fort que je fis un grand pas, et qu'elle put croire que j'allais me laisser tomber sur elle. Elle sursauta, le chat quitta le lit, se plaçant devant moi.

— Qu'est-ce qu'il y a Philippe ? dit-elle d'une voix irritée.

Courbée, elle rassemblait ses papiers et dans le mouvement qu'elle faisait le ruban qui retenait ses cheveux se dénoua et quand elle se redressa le front à demi caché par les boucles, elle avait retrouvé un visage hostile, anguleux et l'intense vivacité de son regard, presque rêveur il y a un instant. C'était comme si je l'avais surprise dans un moment de faiblesse et que ma brusquerie l'eût refermée, tendue à nouveau.

— Excuse-moi, ai-je dit.

Je reprenais mon rôle d'humble soupirant, d'amoureux maladroit, d'ours pataud et grossier.

— Tu travailles ?

Elle achevait de ranger ses feuillets dans un classeur et elle me répondait d'une inclinaison de tête, ne me quittant pas des yeux. Est-ce que je ne voyais pas qu'elle travaillait, semblait-elle me dire ?

Quand je m'assis au bord du lit, elle recula comme si elle avait craint que je n'exige d'elle qu'elle cédât à mon désir, et chacun des gestes qu'elle faisait me signifiait son refus. Elle fermait l'échancrure de son corsage, cachait ainsi ses seins, cependant que de la main gauche elle tirait vers elle la couverture, disant : « Tu permets », m'obligeant à me lever et ainsi bardée, protégée, elle ajoutait, comme pour elle-même, regardant sa montre, qu'il était tard, qu'elle allait éteindre.

— Je ne te vois jamais, ai-je dit.

Elle enfonçait la tête dans ses épaules, sans me répondre et je me reprochais ces premiers mots, ce ton de reproche et de bouderie que je prenais malgré moi, dès que j'étais en face d'elle, trop de silences entre nous maintenant, pour que je pusse parler sans rancœur ni amertume.

— Je vais partir, laisser tomber, ai-je ajouté, aller vivre à Forgues. Viens.

Elle avait aimé cette maison. Du dernier étage, sous les combles, on apercevait, par-dessus la cime des platanes et des palmiers, au-delà du parc, les rochers rouges qui tombent en falaises abruptes dans la mer. Je connaissais les sentiers qui permettaient d'accéder à de petites criques, invisibles depuis la route, là, les vagues, lentement, venaient mourir sur des plages de sable gris. Certains étés, nous quittions la maison tôt le matin et nous n'y rentrions qu'à la nuit, seuls, toute une journée entre les rochers, le ciel, le sable, la mer. Lisa pénétrait nue dans les vagues et, allongé sur le sable, je suivais chacun de ses gestes, le mouvement de ses bras qu'elle levait au-dessus de la tête, gonflant ses seins. Elle se tournait vers moi et le soleil était si vif que je ne voyais que sa silhouette, ses traits masqués par l'ombre. Mais elle criait : « Viens Philippe, viens, elle est douce. » Une fois, je me souviens, elle avait lancé « mer suave » et, ce mot inattendu, je le répétai, en m'asseyant à nouveau sur le lit, cependant qu'elle soupirait, marquant sa lassitude, son ennui.

— Viens, ai-je murmuré, et j'ai tendu la main.

Elle a haussé les épaules, s'est reculée encore. Etait-ce ma nouvelle manière de la persécuter, disait-elle ? Imaginais-je un seul instant qu'elle pourrait vivre là-bas, loin des universités, des bibliothèques, coincée au bout d'une route, à l'extrémité d'un cap, en tête à tête avec moi, qui bientôt repartirais anxieux d'être oublié, attiré comme je l'étais par toutes les facettes de la vie publique ?

— Drogué, Philippe, dit-elle. Tu ne sais pas à quel point tu es dépendant, prisonnier.

Elle regarda sa montre. Je devais maintenant la laisser dormir.

La sagesse m'eût commandé de quitter sa chambre. La nuit les mots deviennent assassins. Les phrases sont des coupe-gorge.

— Tu ne veux plus être avec moi, ici, là-bas, pourquoi ne le dis-tu pas ?

Elle s'allongeait, me tournait le dos.

— Mon père, ai-je commencé.

Elle rejeta brusquement les couvertures, se leva, et le chat, qu'elle avait peut-être bousculé, miaula, cependant qu'elle hurlait, prise de l'une de ces colères que je provoquais parfois, et qui, quand j'essayais de comprendre les sentiments confus qu'elles faisaient naître en moi, me prouvaient que je gardais, sur Lisa, au moins ce pouvoir, celui de l'irriter, de me faire haïr d'elle. Et j'aimais mieux cela que son indifférence.

— Ton père, maintenant, cria-t-elle, le héros.

Elle revenait dans la chambre, tenant un verre d'eau et des cachets dans l'autre main. C'est moi qui me tassais, essayant de l'interrompre, effrayé par cette violence que je suscitais puis qu'une fois déchaînée, j'essayais de contenir et de fuir.

— La maison de Forgues, disait-elle, seule avec toi, là-bas, mais tu es fou. Philippe, pourquoi ne pas m'enfermer aussi dans la chambre de ta mère ?

Elles s'étaient rencontrées à Forgues chaque été. Elles bavardaient souvent à voix basse, sous les platanes et c'est Lisa qui versait le thé. Elles se taisaient quand j'approchais et j'aimais et je craignais leur complicité, comme un lien profond qui se tissait ainsi, par ma mère, entre Lisa et moi, et je m'inquiétais de ce qu'il supposait d'hostilité aux hommes, à mon père et à moi. C'est à partir de la mort de ma mère, que Lisa s'était peu à peu éloignée de moi, refusant de retourner à Forgues, choisissant de passer de plus en plus souvent ses vacances chez elle, à Venise, dans la maison de Paolo et Béatrice.

La tête penchée en arrière, elle avalait deux cachets, puis elle buvait et paraissait aussitôt se calmer.

84

— Pars à Forgues, si tu veux, disait-elle en se recouchant. Je n'y viendrai jamais.

Elle appuyait son coude sur l'oreiller, sa joue sur sa paume. J'avais peut-être choisi d'être un héros, comme mon père, disait-elle, mais elle ne serait jamais la victime.

— Ta mère... commença-t-elle, puis elle s'interrompit.

— Qu'est-ce que tu sais ?

— Je dors, a-t-elle dit et elle a éteint sa lampe.

17

Un homme normal

J'ai harcelé Lisa, plusieurs jours. Que savait-elle de mon passé que j'ignorais ? Quelles confidences avait-elle recueillies de ma mère ? Je me souvenais maintenant avec anxiété de leurs chuchotements dans le parc, de leurs promenades, bras dessus, bras dessous, le long de la route du bord de mer, de leur connivence, de leurs rires, leurs têtes penchées l'une vers l'autre. Comment avais-je pu ne pas questionner Lisa, ne pas deviner l'alliance des femmes contre moi, contre nous, mon père et moi ? Les soupçons que j'avais eus, ma vanité les avait dissipés. N'étaient-elles pas comme mes deux épouses, la vieille et la jeune, communiant dans leur amour pour moi. Je ne pouvais être que le sujet de leurs propos. Et cette illusion suffisait à me rassurer.

Mais un homme qui ne fait plus l'amour avec sa femme, perd toute vanité. Je voyais clair désormais. Lisa possédait, seule, une part de mon passé, et cela lui donnait encore plus de pouvoir sur moi. Le mépris qu'elle me manifestait avait peut-être son origine dans ce que j'ignorais. Et je me sentais encore plus dépendant d'elle, tenu de la supplier pour obtenir non plus seulement le droit de l'embrasser, de l'aimer, mais de savoir qui j'étais. Tout se mêlait ainsi pour accroître mon angoisse et faire de Lisa le bourreau qui avait pouvoir de me torturer et de me sauver.

Elle se levait tard, parce qu'elle savait que je partais tôt, si bien que nous nous croisions seulement, moi qui buvais debout une dernière tasse de café, elle qui entrait dans la cuisine, la tête baissée, les cheveux masquant son visage. Elle avait les gestes lents et maladroits. Je me sermonnais en silence. Je disais d'une voix mécanique les phrases convenues du matin. Tu as bien dormi ? Qu'est-ce que tu fais aujourd'hui ? Elle me répondait par des mots identiques usés par l'habitude. Quelle heure est-il ? Il est si tard ? Nous tressions ainsi, sans nous regarder, ces liens polis auxquels elle voulait limiter nos rapports.

La sagesse m'eût commandé d'accepter ce contrat qu'elle renouvelait chaque matin. Mais je le déchirais d'une question, qui surgissait, malgré moi. « Tu me parlais de ma mère, qu'est-ce... »

Lisa haussait les épaules, prenait sa tasse, quittait la cuisine. Parfois elle disait, excédée : « Tu ne vas pas recommencer ! C'est donc ça ta nouvelle obsession ? »

Si je la suivais jusqu'à sa chambre, elle en claquait la porte et si je l'ouvrais — et je n'osais que rarement — elle s'enfermait dans sa salle de bains. Couvrant le bruit de l'eau s'élevait la voix éraillée, émouvante, tragique même d'un poète russe dont Lisa écoutait presque chaque matin, les chansons. C'était un obstacle de plus qu'elle mettait entre nous, une langue nouvelle qu'elle apprenait, sachant que je ne pourrais pénétrer à sa suite dans ce territoire étranger, où elle se réfugiait, suivant des cours de russe, fredonnant ces refrains dont les paroles m'échappaient mais qui exprimaient un amour malheureux, dont Lisa partageait l'émotion, le désespoir, en me laissant à sa porte.

Je criais : « Je pars Lisa. » Elle n'entendait pas, la voix du poète si forte. Je criais à nouveau et, quelquefois, enfin, elle arrêtait la cassette pour lancer : « Je suis dans mon bain. » « Je pars. » « A ce soir. »

J'avais tant à dire, tant de questions. Je quittais sa chambre avec un sentiment d'injustice et parfois dans le couloir je hurlais : « Salope, salope, garce », étonné moi-même par ces mots qui n'étaient pas de mon vocabulaire et qui venaient de je ne sais où, comme une vomissure aigre, emplissant la bouche et il me fallait les dire pour ne pas étouffer. Je me sentais sale, laid, malodorant. Je saluais à peine mon chauffeur, j'essayais de lire les journaux et je murmurais encore, les yeux fermés, des injures : « Putain, putain », m'arrivait-il de dire et cette grossièreté que je découvrais en moi, cette haine même dont je prenais la mesure, m'effrayaient comme un ivrogne brusquement dégrisé par l'accident qu'il a provoqué. Jusqu'où étais-je capable d'aller ? J'abaissais en hâte la vitre de la portière et l'air vif en plein visage achevait de me dessoûler. Je pensais calmement. C'est ainsi qu'on tue par passion. Et j'imaginais la succession des actes, la porte de la salle de bains de Lisa forcée, elle, nue, qui me repoussait et moi qui lui criais que je l'aimais, qui l'implorais : « Aime-moi, aime-moi », et je serrais sa gorge pour qu'elle prononce ces deux mots qu'elle ne voulait pas dire, qu'elle ne pouvait plus dire.

— Je vous dépose à la Commission, Monsieur ?

Je cessais de contempler ce gouffre. J'étais un homme normal. J'assumais une fonction. J'ai répondu au chauffeur. J'ai repris les journaux. « *Europe : L'espoir se lève à l'Est.* »

Je lisais mais les mots se dissolvaient comme ces fresques anciennes qui s'effacent dès qu'elles sont mises au jour.

J'ai pensé : « Peut-être a-t-il voulu la tuer et l'a-t-elle dénoncé aux Allemands pour se défendre ? »

J'ai revu cette photo de mon père, le visage tourné vers ma mère, la douleur qu'il exprimait, peut-être une sorte de rage, la même que celle qui venait de m'emporter, tumultueuse, vulgaire, violente, insensée. Et la guerre est si commode pour régler ses affaires privées.

J'ai demandé au chauffeur de s'arrêter. Il me fallait marcher. J'étais pris de nausées.

Qu'allais-je imaginer ?

18

Tu te souviens ?

Lisa, il y a deux ou trois ans et sans que j'en comprenne la raison, m'avait dit d'une voix posée, avec une sincérité tranquille : « Philippe, tu ne te rends pas compte, mais tu me fais peur, tu peux être si violent, tu ne le sais pas toi-même. » C'était un dimanche, une éclaircie entre nous, un déjeuner à la terrasse d'un restaurant au bord de la Meuse, face à une haute falaise qui tombait dans les eaux sombres que des péniches lentement éventraient.

J'avais ri, incrédule, presque flatté d'abord de ce qu'elle m'avouait, puis parce qu'elle le répétait, m'expliquant qu'elle ne pouvait aimer un homme qui l'effrayait, qui cédait à la colère, qu'elle était pour — elle détachait chaque syllabe — la civilisation courtoise, « Comprends-tu cela ? » et qu'elle avait ajouté en me tapotant la main « Tu es barbare, opaque : et moi ça ne me va pas », j'avais dit que je souffrais seulement de son éloignement, de son indifférence, si malheureux d'être privé d'elle.

« Sois tendre », avait-elle dit puis, c'est maintenant cela qui me revenait, « ce n'est plus la guerre, Philippe, tu ne fais pas la guerre, Philippe, ne répète pas ton père, je t'en prie. »

C'était l'un des derniers déjeuners en tête à tête que nous avions eu. « Mais je veux être tendre », avais-je répondu à Lisa. Comment pouvais-je imiter un père que j'avais si peu connu ? La guerre ? Elle n'était pour moi qu'un long couloir noir de frayeur dans lequel, enfant, j'avais dû marcher, seul, ma mère derrière moi m'incitant à avancer : « Allons, allons. » Elle me poussait — et tout à coup, je m'en souviens à cet instant, alors que j'écris — elle disait d'une voix rageuse : « Remercie ton père, si tu as peur, remercie-le. »

Sur cette terrasse, au bord de la Meuse et le ciel se couvrait peu à peu, l'air devenait humide et froid, les eaux plus noires encore, et les péniches semblaient plus lourde- ment chargées, remontant avec peine le courant, je ne m'étais pas souvenu de cette phrase. J'avais pris les mains de Lisa. Je lui répétais : « Je suis tendre Lisa, tendre. » Je tentais de l'émouvoir par de petites scènes de notre passé, que je jouais devant elle, afin qu'elle me donnât la réplique, comme autrefois.

« Tu te souviens ? »

Le samedi, quand nous habitions Paris, nous retenions une chambre dans l'un des hôtels de ces petites villes de l'île de France, Senlis, Provins, Barbizon, Villers-Cotterêts, d'où l'on peut gagner facilement les forêts. Nous marchions toute la matinée du dimanche, on nous servait, devant la haute cheminée, un poulet cuit à l'étouffée dans une marmite de terre. « Tu te souviens, c'était à Barbizon. » Lisa souriait avec une lassitude distraite. Mais quand j'avais dit, à mi- voix : « Ils ont des chambres ici », elle avait retiré ses mains.

Sur la route du retour, alors que nous traversions une forêt de chênes, j'avais ralenti. Des pistes s'ouvraient de part et d'autre de la chaussée, mais Lisa au moment où je songeais à m'enfoncer sous les arbres pour y faire halte, m'avait demandé de rouler plus vite.

Le passé était le passé. Nous habitions Bruxelles, près de la Porte Louise. Et Lisa ne me dirait plus aujourd'hui ce qu'elle m'avait conseillé, ce dimanche-là, sur les bords de la Meuse. Peu lui importait désormais que je sois tendre ou violent. Elle était si éloignée de moi, ces deux ou trois dernières années, que même quand je l'enlaçais — et quand l'avais-je fait pour la dernière fois, il y a trois, quatre, six mois ? — elle était absente, indifférente, dérobant sa bouche, ses yeux, avec dans la tête, j'en étais sûr, une voix étrangère, russe, allemande, ou bien sa voix italienne, qui couvrait mon pauvre murmure, mon ennuyeuse et désespérée complaisance.

19

Elle était à tous

Je me suis tu durant plus de dix jours, me contentant de ces mots ménagers, insipides comme des pâtes trop cuites, gluantes. Le soir je m'enfermais dans mon bureau. Réunions à préparer. Lisa sortait. « Je m'en vais », lançait-elle. Une injure m'étouffait. Je répondais : « Salut ». Colloque, conférence, rencontre avec des universitaires soviétiques ; elle s'arrangeait pour, d'une phrase, me donner le prétexte de son départ. Elle passait quatre jours à Bruges, à l'Institut européen. « Tu as le numéro. Tu peux m'y joindre tôt le matin. » Le président de la Commission, dont le discours ouvrait l'année universitaire, me disait à son retour : « J'ai vu votre femme à Bruges, Guibert, nous avons beaucoup parlé de vous, mais oui, vous avez de la chance, une femme remarquable, ah ! Guibert... »

Elle était à tous. Ils la voyaient. Ils l'écoutaient. Elle leur souriait. Elle leur parlait. Qu'avais-je d'elle ? Si peu, auquel je tenais encore tant. Le soir, quand elle sortait, je guettais son retour. A chaque bruit de frein, je m'approchais de la fenêtre. J'étais un jaloux de comédie. J'imaginais que je la verrais se pencher, embrasser l'homme qui conduisait la voiture.

Une nuit, ainsi, une voiture a longuement stationné devant l'immeuble. Elle ne pouvait qu'être à l'intérieur, hésitant à quitter l'ami qui la raccompagnait, peut-être Pascal Sergent qui enseignait ces jours-là à Bruxelles. La voiture à la fin démarrait sans que personne en descendît — Lisa avait donc cédé — et quand elle rentrait, à cinq heures du matin, j'étais encore réveillé, lâche cependant au point de ne pas bouger, de ne pas la contraindre au mensonge ou pire peut-être, à l'aveu.

Souvent durant ces nuits de veille je lisais le livre que m'avait prêté Vassos. Mais cette biographie de mon père se limitait à son activité publique d'avocat, d'homme politique, de combattant des Brigades internationales en Espagne en 1937, puis de résistant. Seules trois photos rappelaient qu'il avait eu une vie privée et, depuis que la mienne était si douloureuse, il me semblait dérisoire de partager un homme en deux, privé, public. Ce héros qu'on célébrait, cet homme peut-être dénoncé, mon père, il me semblait l'entendre me murmurer, la nuit, pendant que j'attendais Lisa : « Philippe, si tu savais, si tu savais... »

20

La poésie et les journaux

— ... Votre père, commençait Vassos.

Nous dînions chez nous, tous les quatre. Hélène assise en face de moi, qui ne quittait pas Vassos des yeux et l'approuvait de petits hochements de tête serviles ; Lisa le plus souvent debout parce qu'elle se levait à chaque instant, pour servir, desservir et même quand ce n'était pas nécessaire, comme si elle voulait ne pas entendre, fuir cette table, ce dîner qu'elle avait pourtant organisé, qu'elle m'avait annoncé le jour où elle m'apprenait qu'elle avait rencontré à Venise, par hasard, son vieil ami Serge Vassos, celui-là même qui m'avait interviewé, deux ou trois fois, non ?

Vassos et Hélène étaient arrivés tôt, enlacés, elle avec un long imperméable noir et un chapeau de feutre à larges bords, lui un duffel-coat beige et une casquette de tweed. J'avais ouvert la porte et il s'était exclamé : « Vous voyez, Guibert, les dieux, toujours les dieux, ils aiment les retrouvailles. » Il serrait longuement Lisa contre lui, « *cara, cara,* répétait-il, *sono felice* ».

Nous nous tenions maintenant à l'écart, Hélène et moi, étrangers à ce couple qui se reconstituait, à cette langue, celle de leur jeunesse, et je les imaginais si bien, lui cet écrivain en exil, elle cette étudiante. Je la découvrais comme jamais je ne l'avais vue, plus vive, le visage mobile comme si employer l'italien la libérait. Elle riait, elle avait des gestes désinvoltes : « *Ma va ma va* », disait-elle, en haussant les épaules et je me sentais exclu, geôlier qui ne peut rien contre le désir d'être soi. J'en souffrais d'autant plus que je découvrais entre elle et Vassos une complicité des corps, une souplesse commune, alors que j'étais lourd et rigide, maladroit. Lisa comprit cela. Ma présence entravait sa gaieté, mon regard la gênait comme celui d'un voyeur auquel elle révélait une intimité, cachée jusque-là. Et elle resta de plus en plus longtemps à la cuisine. Mais quand elle revenait Vassos souriait de plaisir. Il me prenait à témoin, il sollicitait l'approbation d'Hélène. « Formidable, Lisa, formidable. » Il semblait parler du dîner, de ces tortellini, de ce sauté de veau aux tomates, de ce vin rouge *spumante,* du lambrusco, dont il se servait, levant haut son verre avant de boire. Je savais qu'il saluait la beauté de Lisa, son corps plus élancé, plus nerveux encore qu'à l'habitude. Elle portait sur des pantalons de toile noire, un gilet gris perle, serré à la taille, que je ne lui connaissais pas. Qu'elle ait fait effort pour plaire à Vassos m'accablait. De longues boucles affinaient son visage et à chacun de ses mouvements on les devinait sous ses cheveux flous aux nuances rousses. Elle avait une silhouette juvénile et l'assurance fière d'une femme volontaire, qui se sait attirante et ne se laisse pas séduire mais choisit elle-même ceux qu'elle veut aimer. Et puis, tout à coup, une phrase de Vassos que je ne comprenais pas, lui donnait une expression de naïveté et de tendresse, de bienveillance dont je ne me souvenais pas qu'elle l'ait jamais eue avec moi.

A cet instant, ils nous oubliaient, Hélène et moi.

— Que dis-tu, Serge, demandait Hélène ?

Il riait encore, éludait la question d'un mouvement de la main, se tournait vers moi.

— Cette histoire de votre père, nous allons savoir.

Puis à nouveau, il s'adressait à Lisa.

— *Ma perchè non ha cercato a sapere, è incredibile.*

C'est moi qui interrogeais Lisa. Que disait-il ?

— Il s'étonne que tu ne saches rien.

Elle quittait la salle à manger et Vassos commençait à me parler d'elle, de sa passion déjà, à dix-huit ans, pour le xve siècle. « Je trouvais ça anormal, contre nature. » Elle passait ses après-midi aux Archives. Il aurait préféré autre chose, n'est-ce pas ? je ne supportais plus sa complaisance, son sans-gêne, cette impudeur.

— *Basta, prego,* disait Lisa en rentrant.

— Bavard, disait-il, trop bavard.

Hélène se mit à parler de lui. Elle lui caressait le poignet, elle racontait. Il l'écoutait comme un chat dont on gratte le cou, la tête un peu levée, les yeux mi-clos.

Que possédait-il donc, Vassos, dont j'étais dépourvu ? Hélène l'aimait. Lisa lui gardait une affection et une bienveillance qu'elle n'avait jamais eues pour moi. Au moment de son départ, après qu'il l'eut embrassée, elle avait effleuré sa joue, comme on le fait à un enfant qu'on veut consoler et rassurer. Hélène alors s'était appuyée contre l'épaule de Vassos, comme si elle avait voulu ajouter sa tendresse à celle de Lisa. Et Vassos avait enveloppé Lisa dans ses bras.

J'étais seul. Incapable d'ouvrir mes bras.

Vassos me donnait une bourrade. Il me remerciait, me prenait aux épaules. Il allait démêler ce mystère, si je le voulais. « Vous le voulez, non ? » Il fallait savoir comment son père était mort, toujours. Je ne pouvais répondre. Et il soliloquait, les vies sont pleines de répétitions, de jeux de miroirs, de rencontres. « Vous avez vu, Lisa et moi, vous ? Qui pouvait croire ? »

Lisa en riant — ce rire qu'elle avait si joyeux — le poussait dans l'escalier. « *Vatene adesso* », disait-elle. Mais Vassos continuait de parler. « La mort d'un père, affirmait-il, apprend le sens de la vie. Entre un père et un fils... » Il nouait ses doigts. « Tout est lié », lançait-il encore cependant qu'Hélène l'entraînait.

Lisa a fermé la porte et baissé la tête.

— Tu l'as beaucoup aimé, ai-je dit en la suivant dans la salle à manger.

Elle s'est tournée si brusquement que j'ai buté contre elle, qui reculait d'un pas. Elle avait à nouveau son masque de guerre, les lèvres serrées, les sourcils froncés. Si je voulais le combat, elle était prête, impitoyable.

J'ai ployé le genou. J'ai murmuré que je l'enviais de ne pas avoir rompu avec son passé, si court une vie n'est-ce pas ? Si rare ceux qu'on a pu aimer ? Je l'approuvais. Sympathique, chaleureux Vassos, ajoutai-je même. Elle m'observait sur ses gardes. Je détournais son attention, je lui montrais le livre que Vassos m'avait prêté, les photos où l'on voyait mon père debout près de ma mère. C'était à Forgues que cette photographie avait été prise, en 1937 sans doute. « Ce regard de mon père, ai-je dit cette ride, cette amertume... »

Elle se penchait. Je posais mon bras sur son épaule.

— Ma mère ne devait plus l'aimer, ai-je dit.

Lisa se dégageait de mon bras.

— Crois-tu qu'on ait pu aimer quelqu'un comme lui ?

Elle s'éloignait, commençant à déboutonner son gilet, de petits gestes précis qu'elle faisait, la tête droite.

— L'amour. Il faut du temps — elle haussait les épaules — ton père n'en avait pas.

Sous son gilet elle portait un chemisier de soie noire dont les boutons de nacre brillaient.

— Il y a ceux qui lisent de la poésie et ceux qui lisent les journaux, dit-elle. Une vie ne suffit pas pour faire l'un et l'autre.

Elle enlevait son chemisier et je m'étonnais qu'elle se déshabillât ainsi devant moi, restant en soutien-gorge. On lisait de la poésie quand on avait quinze, vingt ans, reprenait-elle, après on lisait les journaux. Pourquoi pas ? Mais alors il ne fallait pas s'étonner. Qu'est-ce que c'était l'amour ? Un divertissement ? Pas plus qu'un poème et on peut vivre sans poésie. « Tu ne crois pas ? » Elle haussait les épaules.

Elle s'enfonçait dans le couloir sans allumer la lumière.

21

Guérir

Je n'ai pas eu envie de suivre Lisa, de rester debout au pied de son lit jusqu'à ce qu'elle me repousse ou qu'elle me dise : « Bon, viens. »

Assez. Assez de soumission, d'humiliation, de lamentation. Au diable. Lisa, Vassos, Hélène. Je les laissais à leurs petits jeux. Poésie ? On pouvait vivre et mourir dignement sans l'amour d'une femme. J'en prenais mon parti. Peut-être comme l'avait fait mon père. Qui pèse le plus à la fin, dans une vie, la prose ou la poésie ? Qui creuse plus profond, moi ou Vassos ?

J'ai connu cette nuit-là une brusque bouffée d'orgueil comme si avoir vu Vassos, aux côtés de Lisa, m'avait donné l'énergie d'en finir avec cette comédie pitoyable dont j'étais l'auteur, l'acteur et le spectateur.

« Arrangement », disait Lisa. Soit. Arrangement. J'en avais la détermination. J'en aurais la force.

Je me suis enfermé dans mon bureau. J'ai travaillé. A peine dormi. Je suis sorti avant que Lisa ne se lève. Ma gaieté, qui n'était pas feinte, surprenait Costes. Je convoquais Jagot. Je voulais déjeuner, en tête à tête avec chacun des membres de la Commission. « Parfait, Monsieur, parfait, vous contre-attaquez. » Et je décidais d'accompagner le Président qui se rendait à Strasbourg, pour suivre la séance du Parlement européen. Jagot m'approuvait. Je devais m'appuyer sur les députés pour peser sur la Commission. Il se frottait les mains. « Excellent, Monsieur. J'organise tout cela. »

Je chargeai Costes de prévenir Lisa. Je serai absent trois jours.

Pour la première fois depuis des mois, peut-être des années, je retrouvai l'élan. Avant mon départ pour Strasbourg, à la fin de la matinée, j'ai dicté une dizaine de lettres, rencontré Bergonzo, le Secrétaire général de la Commission, organisé avec lui l'ordre du jour des prochaines séances. J'insistai. Je tenais à ce qu'on aborde rapidement les questions relevant de ma compétence. Je m'indignai qu'ils les aient renvoyées à plusieurs mois. En accord avec le Président, s'excusait-il. « Nous pensions qu'en ce moment... » « En ce moment quoi ? »

Je l'empêchai de me répondre. J'exigeai. « Je suis là et bien là. »

« Parfait Guibert, je ne demande pas mieux, nous nous inquiétions un peu. »

Ils avaient tort. Je voulais guérir. J'étais guéri.

22

L'illusion et le désespoir

Combien de temps me suis-je illusionné ? A Strasbourg durant trois jours, j'assistai aux séances du Parlement, j'intervins devant le groupe des députés chargés de la Culture et de la Communication. J'ai écouté et j'ai parlé, présidé des déjeuners et des dîners de parlementaires. J'emplissais ma tête de mots. En séance, je gardais les écouteurs sur mes oreilles même quand je comprenais la langue de l'intervenant. Le soir, télévision, somnifère.

Lisa ? Je faisais défiler son nom devant mes yeux, comme sur écran. Je ne souffrais plus. Guéri, te dis-je. J'étais comme un malade qui se tâte, s'étonne de ne plus ressentir sa douleur, jette ses boîtes de calmants, fanfaronne, se félicite de sa vigueur. S'imagine qu'il va pouvoir vivre à nouveau comme « avant ».

Finci, présent à Strasbourg, m'invitait à participer à Rome à un colloque consacré aux perspectives de la presse et des médias italiens face à l'Europe. Pourquoi pas ? Je partis directement de Strasbourg pour Rome sans même avertir Lisa. Qu'elle pense ce qu'elle veut. Qu'en avais-je à foutre ? C'était cela, non, qu'elle voulait ? Chacun pour soi. Tant mieux.

J'aurais dû me méfier de la violence que je mettais à proclamer ma guérison. J'exagérais. J'étais descendu au Palazzo Imperiale, un hôtel proche de la Piazza Navona. Je disposais de la soirée et de la nuit avant que ne débute le colloque. Je traînais dans les rues vides, battues par l'averse et le vent, découvrant une Rome sombre et sale, sans touristes, qui ressemblait avec ses petites *trattorie,* ses *salumerie* mal éclairées, ses pavés, ses façades écaillées, à une bourgade méditerranéenne. La Piazza Navona était un vaisseau désert échoué, mal éclairé. Je me perdis, me retrouvai dans de grandes avenues, avec, au bout, la Piazza Venezia, elle aussi balayée par des bourrasques et écrasée par la falaise du monument Vittorio Emmanuelle. Et j'eus, tout à coup, au milieu de la chaussée, la tentation de rester là, afin qu'un de ces longs autobus verts me renverse.

Guérison ?

Je ne cédais pas encore à l'angoisse et au désespoir que je sentais poindre à nouveau, comme une ankylose qui revient alors qu'on s'est cru valide, débarrassé du mal. Et ce n'était qu'une rémission.

Je doublai la dose de somnifères. Je dormis donc.

Je rêvai d'une femme énorme, aux seins, au ventre et aux cuisses monstrueuses mais au visage bienveillant, et je m'enfonçai dans ces chairs avec volupté ne voyant que ce sourire, n'entendant que cette voix : « Viens, viens, viens », murmurait-elle, et tout à coup elle m'écrasait de tout son poids, j'étouffai et elle plaçait son sexe sur ma bouche.

Je me réveillai tard. J'appelai Lisa aussitôt. Voix calme, qui ne manifestait aucune surprise. « Tu es à Rome ? C'est bien. Tu as beau temps ? Je vais peut-être partir pour Paris, deux ou trois jours. Quand tu rentreras, n'oublie pas de prévenir la concierge. Pour le chat. »

Je balbutiai. « Je t'embrasse », disait-elle. Elle raccrochait me laissant avec cet objet qui sifflait dans mon oreille comme ma douleur revenue.

Heureusement la réception m'appelait. « Monsieur Guibert, on vous attend. » Il me fallait me dépêcher. Les gestes chassaient les pensées. Elle allait voir, Lisa, si je n'étais pas capable de me débarrasser d'elle, de l'arracher de ma tête. Affaire de volonté.

Dans le hall de l'hôtel, une jeune femme brune, petite, un imperméable gris serré à la taille, s'avançait vers moi. « Je ne dois plus vous quitter », disait-elle. « Tant mieux, tant mieux. » Je choisissais aussitôt le ton, ambigu. J'endossais la défroque du séducteur, à l'affût de toutes les occasions de chasse. Elle riait, me donnait la réplique en habituée de ces jeux de rôles, où rien n'est imprévu. Je l'invitai à dîner après la séance de l'après-midi. « Attendez, attendez, disait-elle, vous allez être pris ». J'avais l'énergie d'un homme qui veut se sauver. « Nous verrons », murmurai-je comme nous arrivions dans le cloître, non loin du Panthéon, où se tenait le colloque.

Je fus entouré. On me lançait des noms, Fanti, Nardini, Barzanti, Guerrieri, Magliano, Veltri. On me poussait à la tribune. Je présidais. La salle donnait, par une cloison vitrée, sur le cloître. J'apercevais la jeune femme qui, assise sur une marche, sous la colonnade, lisait un journal, les jambes allongées. Il faisait beau. Des palmiers mêlaient leurs plus hautes branches au-dessus d'un toit de tuiles.

Ailleurs il y avait la mer.

« Monsieur le commissaire Guibert, membre de la commission de Bruxelles, chargé des questions de culture et de communication... »

J'étais dans un aquarium. On me passait le micro.

« Mesdames, Messieurs, l'Europe... »

Je dévidais ma prose.

Et j'avais tant besoin de poésie.

Ils m'ont applaudi — et je regardais la jeune femme qui s'était levée, se dirigeait lentement vers le puits, placé au centre du jardin. Elle avançait, la tête baissée, rêveuse, les mains dans les poches de son imperméable, et j'aurais voulu marcher près d'elle, loin. Ils m'ont posé des questions « Monsieur Guibert, pensez-vous que la Commission, dans l'hypothèse d'une union politique aura pouvoir de définir une loi sur la presse qui... »

J'écoutais, je répondais, regardant le ciel qui s'obscurcissait, les nuages qui en quelques instants avaient envahi cette surface bleue et la jeune femme se réfugiait sous la colonnade, cependant que la pluie commençait à tomber, frappant de biais la cloison vitrée.

Ils m'ont entouré, entraîné vers les voitures, et j'essayais de prendre la jeune femme par le bras au moment où nous nous trouvions dans l'entrée, mais elle s'écartait avec déférence et je ne pouvais que lui lancer : « Vous venez n'est-ce pas ? Vous ne me quittez pas ? »

Je la retrouvai dans le grand salon décoré de portraits d'hommes politiques, où l'on avait dressé les tables, et des serveurs en veste rose s'affairaient. Elle était assise loin de moi, et je me levais, me dirigeais vers elle, lui mettais la main sur l'épaule, lui murmurais à l'oreille : « Donnez-moi votre adresse, je veux absolument vous voir ce soir, absolument. » Elle griffonnait sur une carte de visite : « Je vous en prie asseyez-vous, on vous attend », puis elle riait. « C'est d'accord, ajoutait-elle, mais je passe vous prendre, à l'hôtel, d'accord, d'accord. »

Je regagnai ma place, tant pis pour toi Lisa. J'étais vivant. Guéri de toi. Peu m'importait désormais ce que tu faisais de tes journées, de tes nuits. Chacun pour soi, n'est-ce pas ? Arrangement, arrangement. Je m'arrangerai. Tu m'as cru mort, Lisa, je suis vivant.

Mon voisin de droite, un homme d'une soixantaine d'années, les cheveux blancs bouclés, de fines lunettes à monture dorée, aux verres teintés, se pencha vers moi, tout en posant la main sur mon poignet. « Charmante, votre hôtesse, n'est-ce pas ? Depuis que nous recevons des Japonais, cela fait partie des usages. » Il me clignait de l'œil, il ajoutait à mi-voix : « Soyez Japonais jusqu'au bout, c'est prévu dans le contrat, mon cher. »

La jeune femme souriait à ses voisins, jetait de temps à autre un regard vers moi, et souvent son visage se figeait, et l'on pouvait croire qu'elle continuait à sourire, mais sous ce masque je devinais son ennui, son mépris. Elle jouait avec ses couverts, elle chipotait, elle sortait un petit miroir rond, repoussait du bout des doigts les mèches qui étaient tombées sur son front. Le désespoir comme un courant d'air glacé se glissa en moi. Cette femme serait aussi inaccessible que des lettres sur un écran, présentes et cependant froides, signes protégés par une épaisseur de verre. Elle ne me donnerait rien, qu'une forme, que je devrais faire vivre seul.

Lisa, Lisa, qui m'aimera encore, puisque tu ne m'aimes plus ?

— Vassos a dû vous parler de moi, non ?

Mon voisin avait gardé sa main sur mon poignet. Il m'expliquait que, comme président de l'AMEI — « Oui, je suis Eugenio Magliano, l'Agence méditerranéenne d'information, vous connaissez ? » — il avait eu l'idée d'une grande série de reportages sur l'Europe inconnue, « secrète vous comprenez, le dessous des cartes, les hommes », qui pourrait servir de point de départ à un livre. Il désignait Veltri l'éditeur, un petit homme maigre et brun qui parlait avec vivacité à ses voisins, tournant la tête à droite et à gauche, montrant ainsi un profil osseux, le nez busqué, des pommettes saillantes, des tempes creusées.

— Vassos, un fureteur extraordinaire, reprenait Magliano. Ami de votre femme, je crois, elle est vénitienne, n'est-ce pas ? comme moi, mon cher, comme moi.

— Vénitienne, oui...

23

La mort par avance

C'était il y a des siècles et Lisa poussait la grille du petit jardin de sa maison de la Giudecca. Elle s'effaçait pour que j'entre le premier : « A toi, va », murmurait-elle. Elle détournait la tête quand j'essayais de la regarder, elle se dérobait quand je voulais l'enlacer, la soutenir, puis, tout à coup, elle se jetait à mon cou, elle sanglotait. « Philippe, Philippe, c'est sa maison, il n'en sortait pas, et c'est mon enfance, tu comprends. » Je posais les valises dans l'allée de gravier blanc, je suivais Lisa derrière les massifs où elle avait l'habitude de se réfugier pour lire, échapper aux leçons de catéchisme ou de piano. « Il le savait, il m'appelait depuis la maison, il disait à ma mère " Je ne la vois pas, elle a dû sortir " et il me faisait un signe de la main, m'avertissant que ma mère allait descendre, me chercher, alors je m'enfuyais vraiment et je ne revenais qu'à la nuit. »

Lisa se blottissait contre moi, elle recommençait à sangloter, et que pouvais-je dire, moi qui ne savais pas ce que c'est que la mort d'un père et l'amour qu'il vous donne ?

On avait ouvert la porte de la maison et la mère de Lisa — ce ne pouvait être qu'elle — était apparue sur le seuil. C'était une grande femme au corps lourd enveloppé d'une robe ample de tissu noir. Elle avait les jambes et les bras nus, très blancs et ce contraste me parut indécent, vulgaire. Lisa m'avait forcé à m'accroupir, près d'elle, derrière l'un des massifs. « Je ne veux pas la voir, je ne peux pas », murmurait-elle. Je tentais de la raisonner cependant que sa mère, du haut des marches, nous cherchait, lançant d'une voix aiguë, autoritaire : « *Lisa, Lisa sei qui ?* » Elle s'approchait des valises, les soupesait, puis les abandonnait à leur place, regagnant la maison, laissant la porte ouverte.

« Je ne peux pas, répétait Lisa, partons, je t'en prie, partons avant qu'elle revienne. » Nous nous étions enfuis en courant et, me retournant du bout de la rue, j'avais vu la grande femme noire, les bras levés qui nous appelait en faisant des gestes, mais sans crier comme si notre course la rendait muette. Plus tard, de la chambre de l'hôtel Londra Palazzo, Riva degli Schiavoni, Lisa avait téléphoné chez elle, disant d'une voix étouffée, celle d'une petite fille fautive et repentante : « Excuse-moi maman, je t'en prie, pardonne-moi, mais c'était trop pour moi, la maison sans lui, plus tard, peut-être plus tard maman. »

Cependant qu'elle parlait je lui caressais les cheveux, le dos, je l'embrassais avec tendresse, comme mon enfant malade et désespérée, je la berçais, et elle se laissait aller contre moi, le visage sur ma poitrine, « Pleure, pleure, mon amour ».

Elle était emportée par ces longues vagues de tristesse qui la faisaient hoqueter et je disais : « Ne résiste pas, mon amour, laisse-toi envahir, recouvrir par cette peine. »

Jamais je ne l'avais sentie ainsi, abandonnée, sans défense contre moi, et j'étais fort de sa confiance et de sa faiblesse. Elle s'est endormie — et il me semble que c'est la seule fois — entre mes bras et j'ai continué de la caresser, m'endormant à mon tour, me réveillant en sursaut, au milieu de la nuit alors qu'elle m'embrassait, qu'elle desserrait le col de ma chemise, la déboutonnait, et qu'elle disait : « Aime-moi, Philippe, je t'en prie, fais-moi l'amour, fais-moi l'amour. » Je voudrais, pour me meurtrir et pour mesurer le temps passé, le changement des choses, me souvenir de chaque instant de cet amour, de Lisa accrochée à moi, de son murmure, de la volonté qu'elle avait, qu'elle exprimait par sa peau, ses mouvements, son élan, de se donner — ainsi l'on dit, et le mot est juste —, d'être dans moi comme j'étais dans elle. Je me souviens de nos sueurs qui collaient nos corps l'un contre l'autre, de la respiration, comme un halètement, que partageaient nos peaux humides quand elles s'écartaient, se retrouvaient, du cri rauque de Lisa, de son visage exsangue, de ses cheveux collés par la sueur sur son front, sur ses tempes, de sa tête qui retombait en arrière comme si sa nuque s'était brisée, du sommeil tout à coup qui la terrassait, et elle enfonçait son visage dans le coussin. Je regardais son corps nu, et j'étais proche des larmes.

Est-il possible qu'il y eût cela entre nous ? Et Lisa qui, quelques jours plus tard, me disait alors que nous déjeunions à la terrasse d'un petit restaurant des Fondamente Nuove, « Si tu veux nous nous marions », et elle baissait la tête, elle ajoutait : « Mon père est mort, j'ai besoin de te savoir avec moi, toujours. »

Ces mots je ne les ai pas inventés, ce siècle si éloigné, il a existé, je ne le rêve pas, que s'est-il donc produit pour que nous soyons maintenant ces ennemis qui s'épient, ces corps étrangers qui s'écartent l'un de l'autre, pourquoi la mort vient-elle ainsi par avance ?

24

Les dés ont roulé

— Alors, vénitienne, votre femme, répétait Magliano en hochant la tête.

Je confirmais une nouvelle fois. Je sortais de mes souvenirs, retrouvant le salon, les convives, la jeune femme qui m'observait, les coudes sur la table, le menton appuyé à ses poings, les yeux mi-clos, absente.

Magliano serrait mon poignet. Vassos, disait-il, avait découvert des documents exceptionnels, mais il hésitait à les publier. « Cela dépend de vous, murmurait-il, c'est ce qu'il me dit. »

Je penchais la tête vers mon voisin de gauche et sans comprendre ce qu'il me disait j'approuvais, l'invitais à poursuivre croyant ainsi échapper à Magliano mais il ne lâchait pas mon poignet, me forçait à l'écouter encore vanter les qualités de Vassos. « Il a — il frottait son pouce contre son index — cette chose, ce flair, il pressent, il devine, laissez-le faire, faites-lui confiance, il vous en apprendra sur vous beaucoup. Cette arrestation de votre père, il dit... »

Les dés roulaient. Je ne pouvais les reprendre. J'avais envie de fermer les yeux et j'étais anxieux cependant de savoir ce qu'ils révéleraient.

Le soir, alors que je ne l'avais plus aperçue de tout l'après-midi, que je l'avais presque oubliée, j'ai vu la jeune femme s'avancer vers moi dans le hall de l'hôtel. Elle tenait son sac à deux mains, appuyé sur son ventre, et elle me fixait avec un air d'innocence et d'ennui.

« Me voilà, disait-elle. Si c'est trop tôt pour vous, je peux attendre, ou si vous avez changé d'avis... »

Elle haussa les épaules. Elle souriait.

— Je suis à votre disposition.

Elle exécutait les clauses de son contrat avec une indifférence polie, surprise cependant de mon hésitation et de mon trouble.

Je n'avais rien à lui dire. Je ne la désirais pas. J'étais vide. Mais je craignais encore plus de m'avouer que sans Lisa, je n'étais rien qu'un homme remplissant une fonction sociale, présidant un colloque, étudiant des dossiers, et s'endormant seul dans une chambre d'hôtel, une bouteille d'eau gazeuse à la main devant un écran de télévision.

Je l'ai prise par le bras, entraînée vers les ascenseurs. Je lui offrais un verre de champagne dans ma chambre.

— Si vous voulez, disait-elle d'une voix égale.

Je me tenais contre elle, dans l'ascenseur, je ne la lâchais pas dans le couloir qui conduisait à ma chambre, j'ouvrais. Au-delà de la petite entrée éclairée on apercevait le lit, les deux fauteuils de part et d'autre de la table basse sur laquelle la direction avait disposé une corbeille de fruits. J'entendais le grésillement de l'air conditionné, le ronflement sourd du réfrigérateur, la rumeur de la rue, comme une houle lointaine, et dans ma tête, ce sifflement.

Elle avançait cependant que je fermais la porte. Elle posait son sac, enlevait cet imperméable gris. Elle portait un tailleur noir à fines rayures blanches, dont la jupe moulait ses hanches fortes.

Je m'approchais d'elle qui ne bougeait pas. Je ne ressentais rien. Je l'enveloppais de mes bras. Elle me repoussait fermement, sans me quitter des yeux.

— Comme vous y allez, disait-elle. Vous êtes français...

Elle riait.

— Nous devions boire un verre, dîner. Elle ouvrait le réfrigérateur, sortait deux quarts de champagne. Je fais le service ? minauda-t-elle.

C'était comme si tout mon corps s'affaissait en moi, me tirant de l'intérieur, vers la terre. J'avais envie de m'asseoir à même le plancher, de m'allonger, de me transformer en une masse informe, gluante, faite de replis. On n'aurait plus prise sur moi. Je disparaîtrais. Je ne serais rien que ce tas adipeux.

— Allez-vous-en, ai-je dit. Je vous en prie.

Les mots raclaient ma gorge. Elle rangeait les bouteilles dans le réfrigérateur. Elle reprenait son sac et son imperméable.

— Comme vous voulez, disait-elle.

Puis du seuil de la chambre elle s'inquiétait. Devrait-elle appeler quelqu'un, avertir la réception ? Est-ce que j'allais bien ?

— Bonne nuit, disait-elle enfin, fermant doucement la porte.

Les bruits se sont amplifiés dans ma tête. J'avais envie de hurler pour tenter de les faire sortir de moi.

Loin d'être guéri, j'étais donc plus malade que jamais. J'ai téléphoné plusieurs fois à Bruxelles, espérant que Lisa soit rentrée de Paris. Mais la maison était vide. J'imaginais le chat que la sonnerie du téléphone dérangeait, qui quittait la chambre de Lisa, avançait lentement dans le long couloir, s'installait devant la porte d'entrée, la tête posée sur les pattes allongées, attendant que Lisa glisse les clés dans la serrure.

Et il pouvait rester ainsi des heures.

25

Le secret entrevu

Moi aussi, comme le chat, j'ai attendu Lisa.

Elle n'est rentrée à Bruxelles que plusieurs jours après mon retour de Rome.

Ce chat devant la porte, immobile, patient, indifférent à ma présence, je me mis à le haïr. Mais il m'ignorait comme si je n'avais été qu'un roturier. Il refusait même de réclamer sa pitance. A la fin, je cédais, je remplissais son écuelle mais il attendait la nuit pour se nourrir comme si sa dignité lui eût interdit de me montrer qu'il avait besoin de moi. Quand je me levais il était déjà devant la porte et quand je me couchais tard, espérant toujours que Lisa allait rentrer par le dernier train, il était encore là. En partant au bureau, je l'écartais de la pointe du pied, je criais : « Fous le camp ». Il résistait, se laissait pousser et je n'osais le frapper comme s'il avait pu rapporter à Lisa mes mauvais traitements qu'elle ne m'aurait pas pardonnés.

J'ai tenu trois jours, puis j'ai téléphoné à Florence Sergent. Je l'imaginais derrière son bureau en arc de cercle, avec, derrière elle, les tours de la Défense. J'aurais dû prévoir son ironie, les flèches qu'elle me lançait de sa voix doucereuse, son enthousiasme mondain, « Mon cher Philippe, disait-elle, quelle joie de vous entendre, c'est si rare, vous me manquez, et notre Lisa, toujours aussi... — elle riait — et vous encore jaloux ? Que vous êtes jeune, Philippe, un gamin. »

Le regard des femmes

Je ne l'écoutais plus. Lisa n'était donc pas à Paris, comme elle me l'avait dit. J'inventais, la gorge nouée, un prétexte à mon appel auquel Florence paraissait croire, me répondant en détail, appelant une secrétaire, me fournissant des statistiques. Et Pascal, demandai-je. Il était à Cambridge ou à Bologne, quelle importance. « Vous savez comment je suis, si différente de vous, plus sage, plus vieille, je laisse gambader les chevaux, Philippe, ils rentrent toujours quand ils sont las, croyez-moi. »

Ma tête a déroulé sans fin le scénario de leurs journées. Je les voyais elle et lui dans leur chambre d'hôtel, à Cambridge ou à Bologne, assis l'un en face de l'autre dans une *trattoria* ou un pub. Et puis l'écran devenait noir. Que savais-je d'elle dans les bras d'un autre ? Elle avait eu une ou deux fois avec moi des audaces si inattendues que j'en avais été effrayé comme d'une confidence scandaleuse, un secret qu'elle me laissait entrevoir. Puis elle était redevenue l'épouse, comme si elle avait voulu par sa froideur et sa passivité, son dédain, me faire oublier ce qu'elle m'avait livré d'elle. Et je mesurais à quel point, après plus de dix ans de vie commune, je ne la connaissais pas. Avais-je d'ailleurs voulu savoir qui elle était ? Peut-être avais-je eu peur de savoir, d'imaginer, de comprendre. Et je me souvenais, dans ma solitude, de certaines de ses expressions, quand, parfois, je parlais d'elle. Elle me regardait avec ironie, la tête un peu penchée. « Tu crois ça de moi ? » murmurait-elle. Je n'allais pas plus loin. Maintenant qu'elle ne me donnait plus le change, j'étais bien contraint de m'interroger.

26

Une autre planète

Le sixième jour, le chat n'était plus devant la porte.

J'entendais venant de sa chambre la voix russe qui chantait. Je me suis avancé lentement comme si je traînais un poids considérable et que mon corps fut devenu plomb. Elle était assise par terre, les cheveux enveloppés dans une serviette orange, portant un déshabillé de soie que je ne lui connaissais pas. Autour d'elle, elle avait étalé des fiches, posé des livres. Elle fumait, la cigarette au coin des lèvres. J'étais paralysé. Je me sentais incongru, incapable de parler. Elle a levé la tête. Elle était gaie, m'interpellant joyeusement : « Philippe, alors Rome, mon Italie, ton colloque ? » Elle n'attendait pas ma réponse, elle ne disait rien de son silence, de son absence. Elle me montrait les livres, elle me parlait des manuscrits de Francesco Dolfin dont elle avait découvert une nouvelle partie. Elle allait finalement réécrire son livre, en prenant Dolfin comme sujet principal.

J'appartenais à une autre planète. Sa joie m'écrasait et me désespérait. Je parlais une langue qui n'était pas la sienne. Comment aurais-je pu me faire comprendre ? La toucher ?

Tout à coup, elle s'est interrompue, elle a froncé les sourcils.

— Qu'est-ce que tu as ? a-t-elle demandé.

Le chat que je n'avais pas vu, s'est avancé, se plaçant entre elle et moi. J'ai dû dire : « Où étais-tu ? Tu ne m'as pas appelé. Je m'inquiétais. Tu aurais pu... J'ai téléphoné à Florence Sergent. »

— C'est donc ça.

Elle s'est levée et le chat a bondi sur le bureau.

Je ne pouvais pas extirper de moi les mots que je voulais lui dire : tu me manquais, je t'ai tant attendue, sans toi c'est l'enfer.

— Dis-moi au moins...

— Je n'ai rien à dire.

Elle me tournait le dos, ouvrait des tiroirs, y déposait ses fiches avec des gestes précis.

Et brusquement parce qu'il fallait que je fasse éclater cette chape, que j'essaie d'atteindre Lisa, j'ai donné de toute ma force un coup de poing sur le bureau.

Le chat a sauté sur les épaules de Lisa, et d'une voix douce comme si je n'existais pas elle a commencé à lui parler, le prenant dans ses bras.

— Ce n'est plus possible de vivre comme cela, ai-je dit.

J'ai quitté sa chambre.

27

Le cours de la vie

Vaincu une nouvelle fois, puisque, dès le lendemain matin, dans la cuisine, et le chat était assis sur ses pattes de derrière près de la théière, je faisais acte de soumission. Je me reniais. J'expliquais mon geste de colère. Et Lisa ne levait pas la tête, caressant de la main droite le chat qui ronronnait. Je sollicitais son pardon. Je répétais : « Je t'attendais depuis si longtemps, j'étais si inquiet, d'habitude tu m'appelles, je ne savais où te joindre. »

J'étais debout, prêt à partir pour le bureau, mon manteau boutonné jusqu'au col et je tenais à la main ma mallette pleine de documents. Elle était en pyjama, les cheveux défaits, brillants. Elle buvait à petites gorgées puis se servait du thé lentement.

— Je t'accompagne jusqu'à la porte, a-t-elle dit.

Je répétais humblement son nom, comme on prie. Je m'entendais et je méprisais ma voix suppliante. Peut-être les fauves sur leur tabouret contraints de sauter à travers un cercle de feu éprouvaient-ils ce que je ressentais. Mais je ne pouvais que lui obéir et me soumettre.

— Tu seras là ce soir ? ai-je demandé.

— Et toi ? a-t-elle dit en me regardant avec une expression de défi.

Je l'ai embrassée sur la joue, devant la porte. Le chat était resté, loin, au bout du couloir.

La vie ainsi avait repris son cours.

Je ne l'ai plus jamais interrogée sur son absence. Les questions étaient sur mes lèvres mais elle les pressentait et d'un regard, ou d'un mouvement — elle se levait, elle me passait un plat, elle me versait du café ou bien elle allumait la télévision — elle m'empêchait de les poser, et peu à peu ces quelques jours où elle m'avait tant manqué, s'effacèrent. Ce n'était qu'un épisode de plus, presque indistinct, dans ce jeu sans surprise qu'étaient devenues nos relations. J'étais toujours perdant puisque comme un otage qui craint pour sa vie je n'osais jamais aller jusqu'au bout de ma révolte. J'accumulais les raisons que j'avais de la quitter et il suffisait que j'imagine ma vie sans elle pour que je sache que j'étais prêt à accepter toutes ses exigences et toutes les humiliations. Parfois je tentais de lui expliquer combien j'étais dépendant d'elle, et peut-être espérais-je l'apitoyer ou même la séduire. Mais elle aimait les chats et je jouais au chien qu'on repousse et qui revient sans cesse et que, à la fin, on récompense parce qu'il vous lasse et vous émeut, un peu, par tant de servilité.

Le plus souvent d'ailleurs je l'irritais. Elle travaillait et je m'asseyais près d'elle lui répétant que je l'aimais, qu'elle était ma raison de vivre. Elle levait les yeux.

— Tu as fini avec tes dossiers ? disait-elle. Tu t'ennuies, tu te distrais un peu.

Je protestais. Plus rien ne comptait qu'elle. Mes fonctions à la Commission, le pouvoir — sur quoi, sur qui ? —, les luttes politiques, la construction de l'Europe, etc. Je n'étais plus dupe, les décors étaient tombés. La scène était vide. Lisa seule demeurait.

— Tu parles, murmurait-elle.

Si je m'obstinais, elle s'emportait. Elle ne changeait ni de rôle ni de vie au gré de mes humeurs. J'avais voulu

118

occuper une place, j'avais considéré la vie privée comme allant de soi, sans importance. Ce choix que j'avais fait, elle s'y était pliée. C'était le sien aussi maintenant.

— Laisse-moi, je travaille, concluait-elle.

28

Le verdict

Mais qu'avais-je choisi ? J'étais poussé en avant par un ordre qui me paraissait naturel et dont je ne mesurais pas les conséquences. Des routes s'ouvraient devant moi alors même que je ne les cherchais pas, et chaque fois j'avais hésité à les emprunter. J'avais interrogé Lisa. J'étais partagé entre la curiosité et l'inquiétude, le sentiment aussi d'une obligation. Pourquoi, au nom de quoi aurais-je rejeté ce qui s'offrait, que je n'avais pas sollicité et qui venait à moi avec la force d'un destin ? Avais-je le droit de me dérober ? Je tentais d'expliquer à Lisa mon état d'esprit. Elle me regardait, goguenarde. Elle imaginait que, habilement, j'avais construit des stratagèmes pour que ceux qui en avaient le pouvoir en vinssent à penser que ma place était ailleurs, qu'il fallait me proposer ce poste de directeur d'administration centrale, cette fonction de chargé de mission au cabinet de Delmas. Mais non, disais-je avec une sorte de jubilation, je n'ai rien demandé. Je peux rester toute ma vie au ministère, pourquoi pas ? Que Lisa me dise ce qu'elle désirait, je me plierais à sa décision. Elle deviendrait mon destin. Elle se renfrognait. Elle m'accusait de vouloir lui faire porter le poids d'un refus, endosser la responsabilité de mon choix. Ce que je voulais, disait-elle, c'était en toute occasion m'en remettre aux autres, ou plutôt jouer cette comédie, pour rester innocent, toujours, avec des coupables autour de moi. Mais elle n'était pas dupe. Il fallait, une fois, que j'avoue ce que j'étais. Elle, que je le sache, les responsabilités sociales ne l'intéressaient pas. Elle n'aimait pas disposer du pouvoir. Elle détestait agir sur les hommes ou dépendre d'eux. Seul ce qui était déjà accompli, bouclé, loin dans le passé, la passionnait.

« Toi, ajoutait-elle, c'est autre chose. »

Je reprends une à une ces longues conversations que nous avions dans notre appartement de la rue Henri-Barbusse. Je la suivais sur le balcon, dans la cuisine, dans sa chambre. Je la harcelais. Sans doute ai-je ainsi abusé d'elle, suscité son dégoût. Elle me disait : « Tu as envie de tout envahir. Tu entres dans une pièce et les cloisons éclatent, on n'entend que toi, tu parles, tu exposes, tu as besoin de la rumeur, les autres n'existent pas pour eux-mêmes, mais pour toi, pour toi seul Philippe. Tu t'empares des gens. Tu aimes qu'on te regarde. C'est la notoriété qui t'intéresse. »

Je riais. Je devinais la lassitude qui la gagnait. Peut-être ainsi, moment de la vie après moment de la vie, ai-je vraiment dilapidé le crédit que j'avais auprès d'elle.

Tout à coup, je me souviens avec précision de l'un de ses propos.

J'étais rentré tard, parce que le ministre avait demandé à me voir d'urgence et il n'était retourné à son bureau qu'au terme d'une séance à l'Assemblée. J'avais de l'estime et du respect pour Delmas, qui accomplissait son « métier de ministre » comme il disait, avec l'application têtue d'un artisan, étudiant les dossiers avec une minutie d'horloger, une modestie de vieux médecin. On critiquait sa discrétion, son côté notaire et l'habileté avec laquelle il s'était entouré de hauts fonctionnaires, non politiques, comme moi. Mais en même temps je savais que sous la cendre couvait l'ambition, la certitude d'être un jour appelé à de plus hautes fonctions, peut-être celle de Premier ministre. Il n'en parlait jamais, mais il s'y préparait. Et il plaçait ses hommes, pour plus tard, se créant une cohorte de fidèles. « Guibert, en politique, me disait-il, ce ne sont pas les idées qui comptent, mais la ténacité et les liens d'amitié. Il faut pouvoir compter sur une dizaine d'amis sûrs, sûrs, Guibert, prêts à vous suivre n'importe où. Si vous les avez, vous irez loin. »

Il m'avait annoncé, ce soir-là, la décision du président de la République — qu'il avait suscitée bien sûr, je le comprenais — n'est-ce pas ? de me nommer à la commission de Bruxelles. Promotion exceptionnelle, charge équivalente à celle d'un ministère. Un tremplin pour un saut ultérieur. Cela ne se refusait pas.

J'avais cependant réservé ma réponse jusqu'au matin.

Lisa lisait quand j'étais rentré, l'appelant dès que j'avais franchi le seuil. J'étais joyeux. « Lisa, Lisa », criai-je. Aimait-elle Bruxelles ? Je riais. Puis la voyant studieuse, enfermée dans le cercle de la lampe de son bureau, j'avais raconté, d'une voix dont je réfrénais les élans, mon entrevue avec Delmas. Si Lisa le désirait, je rejetterais l'offre, mais il me faudrait alors quitter le cabinet de Delmas, retrouver ma Direction au ministère, pourquoi pas ? J'y vivrais très bien.

— Hypocrite, m'avait-elle dit avec une tendresse lasse, comment pourrais-tu refuser ? Tu en rêves déjà.

Elle avait allumé une cigarette, s'était rejetée en arrière, avait fermé son livre. Tapé du plat de la main sur sa couverture.

— Voilà mon univers. Les hommes disparus, devenus des mots, des idées. Toi tu vis dans les choses réelles. Tu aimes les bruits de la foule, Philippe, pas l'imaginaire, pas la poésie. Tu fréquentes les journalistes, pas les poètes.

Ainsi il y a des années déjà qu'elle m'avait jugé comme plus tard elle jugerait mon père, avec les mêmes mots et, seulement aujourd'hui, fouillant dans mes souvenirs je retrouve son verdict, sa bienveillance d'alors, la liberté qu'elle m'avait laissée.

Je suis resté un moment près d'elle, dans sa chambre, pendant que, comme à l'habitude, elle lisait. Le chat allongé au pied du lit m'observait, sur ses gardes. Je voulais lui dire mes regrets, lui faire mes excuses. Je l'avais encombrée des années durant de ma personne. J'avais peut-être noyé sa vie sous mon fracas. Mais la seule chose qui comptait désormais pour moi était de l'enlacer, de me réchauffer à son corps. J'avais compris que tout est simulacre, hormis cela, un corps de femme contre soi. J'avais fait, depuis le début de ma vie, le mauvais pari. M'entendait-elle ? Pourquoi, c'était mon seul reproche, ne m'avait-elle ouvert les yeux, imposé de renoncer à ces enfantillages, une carrière, un pouvoir ? Je disais encore, comme une litanie : « Partons à Forgues, changeons de vie, laisse-moi dormir avec toi. »

Elle ne bougeait pas.

Je sortais de sa chambre comme j'étais sorti de sa vie, lentement.

29

Séquence après séquence

Chaque fois que je la quittais ainsi, regagnant lentement mon bureau, je tentais de me raisonner. J'étais ce soldat blessé qui porte les mains à son ventre et croit qu'il peut encore courir avec les autres. Je m'asseyais — je me laissais tomber plutôt — devant la télévision. J'attrapais quelques images. Je m'engourdissais. Je m'enfonçais dans une somnolence morose. Les scènes morcelées que je saisissais, ce puzzle dispersé, étaient le reflet de mes pensées contradictoires. Désespoir. Colère. Ennui. Mes sentiments me lassaient. Leur répétition m'humiliait. Mais je ne pouvais supporter le déroulement d'un film. Je ne voulais pas entrer dans une histoire. Je craignais de m'y reconnaître. Un soir, je laissais se poursuivre ainsi, durant une dizaine de minutes, une intrigue qui peu à peu prenait un sens. Un homme et une femme se rencontraient, se découvraient, l'amour naissait entre eux et, seuls dans un vaste atelier de peintre, sous une verrière, ils commençaient à se dévêtir, l'un contre l'autre, et cette scène, presque pudique, mais qui montrait le désir partagé, me fut si douloureuse que je l'effaçais aussitôt en me levant d'un bond révolté. J'étais exclu de ce que tous les autres avaient et que je ne possédais plus. Je découvris alors que Lisa était debout, appuyée à la porte du salon et, en me retournant, je saisis combien elle était, elle aussi, fascinée par les images, et que, les interrompant, je brisais un rêve. Je la bousculais en passant. Je me couchais, impuissant à trouver le sommeil, avec une envie de hurler si forte que j'en mordais mon poing.

Excès ridicule. Agis. Mais je ne le pouvais plus. Je gesticulais comme ceux qui s'enlisent et que chaque mouvement condamne à l'étouffement. Et l'inutilité de mes efforts, la vanité de mes résolutions me stupéfiaient. J'étais donc devenu cela ! Ma vie se réduisait ainsi à ces réunions de la Commission, à mes conciliabules avec Jagot, Solas, le Président, à ces colloques et ces déclarations à la presse, à tout ce spectacle qui ne me surprenait même plus, et à cette solitude, le soir, la nuit. Etait-ce possible ? Je contemplais mon désespoir comme s'il se fut agi de celui d'un autre. C'est donc ainsi qu'on vieillit, c'est cela le bout du chemin ? Déjà !

Je me levais. Je rôdais dans l'appartement, je me cognais à mes souvenirs, à des scènes qui surgissaient et peuplaient ce labyrinthe qu'est l'insomnie.

Ainsi je me souvins — je crus d'abord que je visionnais la scène du film qui m'avait été insupportable — d'un atelier de peintre, je revis l'immeuble où il était situé, au coin de la rue de l'Abbé-de-l'Epée et du boulevard Saint-Michel, face au jardin du Luxembourg. Je découvrais la verrière, j'en distinguais l'armature de poutrelles d'acier et, surtout, la couleur bleue qui empêchait de voir le ciel. C'était donc la guerre. Il faisait si froid dans cet atelier. Je portais sur les épaules une couverture et j'étais appuyé au cadre d'une porte, comme l'avait été Lisa, et je voyais un homme et une femme enlacés au centre de l'atelier, debout, et les mains de l'homme couvraient les seins de la femme, glissaient vers sa jupe, et elle, comme pour lui permettre de mieux la caresser, levait les bras, m'apercevait et criait d'une voix rageuse : « Philippe, Philippe, qu'est-ce que tu fais là ? »

Je m'enfuyais vers la petite chambre, à droite d'un escalier. Et ma mère poussait la porte, se penchait sur mon lit, « que je t'y reprenne », disait-elle. « Dors. » Et derrière elle je devinais Charles Hartman, je voyais ses mains qui se posaient sur les hanches de ma mère. « Mireille, murmurait-il, il dort voyons, laisse-le. »

J'ai passé la nuit à revoir, séquence après séquence, cette scène, à essayer de la situer, 1943, 1944, peut-être avant. Et cet effort, ce travail de montage, les yeux ouverts dans ce silence nocturne que les voix venues du passé, tout à coup, crevaient : « Philippe, Philippe, qu'est-ce que tu fais là ? », m'épuisaient. C'est dans les jours qui ont suivi que j'ai fait rechercher la trace de Charles Hartman.

30

On ne juge pas

Malade, Charles Hartman, m'a dit Costes en me tendant une fiche. Je lisais l'adresse. « 18, rue de l'Abbé-de-l'Epée », chez lui donc, dans cet atelier d'autrefois, encore.

— Malade, quoi malade ?

Une infirmière en permanence, disait Costes. Trois interventions chirurgicales. Cancer. Sa fille rentre des Etats-Unis d'urgence.

— Quelle fille ?

Je bougonnais. Je ne voulais pas montrer ma curiosité, mon ignorance, mon impatience. Je n'avais plus revu Hartman depuis la mort de ma mère que nous avions enterrée à Forgues par l'un de ces grands vents froids de janvier qui dessinent le paysage à coups de larges méplats de couleurs vives.

Je savais qu'il avait publié des livres, qu'il avait quitté la direction du journal et s'était marié. Je l'avais averti de la mort de ma mère, parce qu'il me semblait qu'elle aurait désiré qu'il soit là. Mais j'avais envoyé le faire-part au journal me refusant à chercher son adresse comme si j'avais voulu que le hasard décide, en fin de compte, de sa présence ou de son absence, et que je ne sois responsable ni de l'une ni de l'autre. Il était arrivé au moment où les fossoyeurs commençaient à jeter leurs pelletées bruyantes sur le cercueil, alors que le vent envoyait de la poussière au visage si bien que, au bord de la tombe, je fermais les yeux. Il s'était donc placé près de moi à mon insu et m'avait saisi la main comme si j'avais été encore l'enfant qu'il guidait dans les forêts de l'Ile-de-France, aux côtés de celle qui était morte. J'avais reconnu sa paume, sèche, osseuse et, me tournant vers lui, j'avais croisé son regard, qu'il détournait aussitôt, abandonnant ma main, restant droit, le menton légèrement levé, faisant face au vent. Il avait peu changé, à peine maigri, les cheveux coupés court. On ne survit qu'en tuant, avais-je pensé. Il les a sacrifiés l'un et l'autre, mon père et ma mère, pour être là.

Je m'étais écarté de lui, sans même le présenter à Lisa. Mais pendant que je serrais les mains de quelques habitants de Forgues venus assister à l'inhumation, je le vis qui lui parlait, l'entraînait vers le parapet qui surplombe le village.

Le maire m'entretint longtemps. C'était ma mère qu'on enterrait, et il me parlait de mon père. « Vous savez, pour M. Guibert, ça ne m'a pas étonné, déjà avant la guerre, je pensais, avec ce courage qu'il a, on le tuera. Pour une femme, bien sûr, un homme comme lui, c'est dur à vivre, peut-être... » Je hochais la tête, je m'éloignais.

Hartman et Lisa étaient accoudés au parapet, épaule contre épaule, comme de vieux amis qui cherchent à se rassurer, à se défendre contre le vent. Au moment où je les rejoignais, Hartman enveloppa de son bras droit les épaules de Lisa, et je restais interdit de cette familiarité soudaine, des sanglots de Lisa. Je la touchais. Elle sursauta, cessa de pleurer, et Hartman mit les mains dans les poches de son manteau. Il faisait la moue, la lèvre inférieure avancée, une grimace d'ennui, tristesse, dégoût, déformant ses traits. Il pencha la tête. « Vous l'écoutiez, dit-il à Lisa. Vous ne la jugiez pas. On ne juge pas les gens qu'on respecte. On leur fait confiance. Ils ont leurs raisons. Elles ne sont pas mesquines. »

— Toi — il redressait la tête —, je dois te le dire Philippe, tu n'as pas cherché à la comprendre. Elle a beaucoup souffert de ça. Elle voulait s'expliquer. Elle l'a fait, elle l'a fait, tu verras...

Il secouait la tête, puis avant que j'aie pu le questionner sur le sens de ses propos, il s'éloignait.

J'avais fait un pas pour le suivre. Lisa m'a retenu.

— Laisse, disait-elle, il est comme toi, malheureux.

31

Le bleu de jadis

Etais-je vraiment malheureux ? Il me semblait que justice était faite. Ma mère rejoignait mon père. Restait Charles Hartman.

Dans l'escalier du 18, rue de l'Abbé-de-l'Epée, je retrouvais une odeur de lavande, celle que je détestais quand j'étais enfant, et qui me donnait à nouveau un haut-le-cœur, envie de m'enfuir, mais la porte s'ouvrait déjà, et je reconnaissais la petite entrée, l'escalier de la mezzanine, ma chambre là, était-ce possible que durant tant d'années ces vestiges fussent restés enfouis ?

L'infirmière chuchotait les mots de circonstance que je devinais plus que je les entendais : fatigué, très mal, quelques instants seulement, sa fille, Mme Herzberg, arrive demain matin de New York, il est très heureux de vous voir, il a toute sa tête. En entrant dans l'atelier elle me montrait une bouteille et un verre, murmurant encore que je pouvais le faire boire, qu'elle était là, dans la petite chambre, proche de l'escalier, « ma » chambre donc.

J'ai vu d'abord la verrière, ce damier de poutrelles, mais on avait décapé la peinture bleue, et le ciel changeait comme un décor mobile. Puis j'ai aperçu la couverture. J'en portais une sur les épaules quand je les avais surpris, Hartman et elle, ici dans cet atelier et peut-être était-ce la même.

Il était tassé dans son fauteuil, la couverture lui couvrant la poitrine et les jambes, les yeux enfoncés dans un visage exsangue, les lèvres comme aspirées vers l'intérieur de la bouche. Un bouquet d'œillets blancs et rouges d'une vivacité provocante était placé sur une petite table de marbre noir, près de la bouteille et du verre.

Hartman ne bougeait pas, mais ses yeux vifs ne me quittaient pas, suivant chacun de mes mouvements. Et j'hésitais à m'asseoir, allant et venant dans l'atelier, retrouvant un détail, cet angle du mur contre lequel je m'étais heurté. Je portais la main à ma tempe comme si j'avais encore mal, près d'un demi-siècle plus tard. Ma tête était donc à cette hauteur, un mètre à peine, gamin de quatre ou cinq ans, mon père vivant, pourchassé, cependant qu'ils s'aimaient ici, elle et lui qui vivait toujours.

Il secouait la tête.

— Il y a si longtemps, commença-t-il.

Une voix étouffée, celle d'un homme qui arrive au bout d'une course.

— Mais tu te souviens, n'est-ce pas ?

Il penchait la tête. Je fis non. Il me sembla qu'il était rassuré.

— Tu ne connais pas Nathalie, elle arrive demain. Tout le monde vient. Toi. Elle.

Il parlait d'une manière saccadée, reprenant son souffle après chaque mot, et l'angoisse me gagnait, comme si à mon tour rejoint, j'avais du mal à respirer.

Il fallait que je parte.

Je m'étouffais.

Je me reprochais cette visite, morbide. Avais-je voulu m'assurer que la mort allait enfin s'emparer de Charles Hartman ? J'avais imaginé de le questionner, de le contraindre à me parler. Et je n'avais qu'une hâte, m'enfuir. Lui essayait de me retenir. Il soulevait sa main, l'avançait dans ma direction, et j'avais peur qu'il ne m'agrippe alors que j'étais debout, loin de lui. Je reculais encore. Il murmurait, je devinais plus que je ne comprenais : « Après, disait-il, quand... » Il s'interrompait, dodelinait de la tête : après il me donnerait, reprenait-il, puisqu'elle avait voulu me dire.

Je m'efforçais de l'interrompre. Je ne désirais plus rien entendre, rien savoir. Qu'on scelle avec sa mort la pierre tombale sur mon passé enfoui. C'était cela la sagesse. Cela que je voulais de toutes mes forces.

Mais je n'osais lui refuser la main qu'il me tendait.

— Elle voulait te dire, recommençait-il.

J'essayais de me dégager.

— Ecoute-moi, Philippe.

L'infirmière entrait. Il se taisait enfin et c'est elle qui, posément, desserrait les doigts de Hartman, me libérait, lui expliquait que j'allais revenir le voir, que demain sa fille arrivait, « votre Nathalie, vous en parlez si souvent ».

Je m'éloignais à reculons.

Le ciel donnait à la verrière sa couleur bleue de jadis.

32

Saccage seul

Lisa, quand je suis rentré de Paris, le soir même, n'a pas voulu entendre le récit de ma visite à Charles Hartman. Dès que j'ai prononcé ce nom, elle s'est tournée vers moi et son visage avait une expression si grave que je m'interrompais d'abord, reprenant pourtant parce que la pression en moi était trop forte et qu'il fallait que je dise, quelles qu'en soient les conséquences, et je pressentais la réprobation de Lisa.

Hartman, expliquai-je, habitait à quelques pas de la rue Henri-Barbusse où nous avions vécu, et je l'avais oublié, durant toutes ces années, comme son atelier où j'avais dormi, ces années ensevelies, ce refus de me souvenir...

Lisa quittait le salon sans même me répondre. Je la suivais. Hartman va mourir, reprenais-je. « Tu te souviens, à Forgues ?

— C'est ton passé, dit-elle, fais ce que tu veux.

Elle s'installait à son bureau, dans sa chambre. Elle approchait le cendrier, prenait une cigarette. Je connaissais chacun de ces gestes, précis et rituels. Ils annonçaient qu'elle s'enfermait, cessait de m'entendre.

— Il m'a dit.

Je désirais parler de ma mère. Les quelques mots qu'Hartman avait prononcés, que j'avais tenté de ne pas entendre battaient comme un cœur enfiévré. « Elle avait voulu me dire », murmurai-je.

— Saccage, si tu veux, dit Lisa tout en commençant à

écrire, mais saccage seul. Tu as peut-être besoin de cela. Ce n'est pas mon affaire.

Puis comme je m'obstinais à poursuivre, que je lui décrivais cette verrière si bleue comme un rideau tendu derrière lequel étaient mes souvenirs, elle avait croisé les bras.

— Tu n'as même pas ce courage, avait-elle dit avec mépris, être seul en face de toi, de ce passé que tu déterres.

Et elle avait hurlé, tout à coup, et sa violence me terrifiait.

— Va jusqu'au bout pour une fois.

Et comme je ne bougeais pas, elle s'était levée, marchant vers moi, me poussant hors de sa chambre, le visage déformé par la fureur, disant : « Patauge dans ta boue, puisque tu veux ça, ne me salis pas. »

Je me laissais chasser. Elle claquait la porte.

Elle me haïssait.

33

Les boucles et les nœuds

Hartman est mort peu de temps après. Et mon passé au lieu de se refermer devenait ce gouffre béant, qui m'attirait, que je n'osais explorer pourtant.

J'avais reçu, au siège de la Commission, une lettre de Nathalie Herzberg, qui m'annonçait le décès de son père, m'avertissait que le notaire détenait un document scellé à mon nom, qu'il attendait mes instructions. « Maître Vincenton, 42, boulevard de Bonne-Nouvelle, à Paris. »

J'avais tendu la lettre à Costes, qui la parcourait, m'interrogeait, comme elle savait le faire, d'un simple mouvement des sourcils. Je marmonnais pour qu'elle ne comprenne pas, pour la laisser interpréter, deviner, agir ou temporiser.

Puis il y avait eu, ce 15 mars, le dîner d'anniversaire, Lisa entre Pascal et Vassos et moi que Florence interrogeait et consolait.

Et maintenant cette nouvelle demande de rendez-vous de Vassos. « Urgent et important », a-t-il dit.

Quand Finci, Wilkinson et Solas sont sortis de mon bureau, Costes est rentrée. Elle devait savoir. Avais-je accordé un entretien à Vassos ? Quand ?

Elle ouvrait mon agenda, attendait une indication.

— Ce document, ai-je demandé, le notaire...

Elle l'avait reçu, naturellement.

La vie, avait dit Vassos, comme une suite de boucles et de nœuds, où les fils se tressent et s'emmêlent.

DEUXIÈME PARTIE

Le regard de la mère

34

Tu es né, l'année de la guerre

Je n'ai jamais pu te parler, Philippe. Tu t'es toujours refusé à m'écouter. J'avais des explications à te donner. Je suis morte. Charles est mort. C'est drôle d'écrire cela, de penser que tu lis ces lignes, alors que je suis enfouie dans le cimetière de Forgues, et Charles je ne sais où. Après sa mort, nous en sommes convenus, son notaire te transmettra ces pages. Combien ? Je ne sais pas. Je n'ai plus que cela à faire, t'écrire, et en traçant les mots je parle. J'aime m'entendre, c'est comme si j'avais quelqu'un en face de moi. Toi, ou n'importe qui. Mais c'est avec toi que je veux régler mes comptes.

Je n'ai pas honte. Je n'ai rien à me reprocher. Je ne suis pas responsable de la disparition de ton père. Et pourtant je suis sûre que tu m'en as accusée, sans jamais oser me le dire.

Eh bien non, ce n'est pas moi, Philippe.

Ton père, je l'ai trompé souvent, presque autant que j'ai pu, avec qui j'ai trouvé. Je te dis cela avec fierté. Ç'a été ma façon de vivre, de survivre plutôt, lui avait la sienne dont j'étais exclue. Je te raconterai.

Mais je n'ai pas trahi ton père.

A Forgues, je te voyais rôder dans la maison, cherchant sa trace ou des preuves de ma délation, qui sait ? Tu fouillais dans ma chambre, dans la bibliothèque, tu lisais les livres qu'il avait lus. Il suffisait que je m'approche de toi pour que tu partes. J'entendais claquer la porte et c'est comme si elle m'avait coincé les doigts.

Mais je me mordais les lèvres pour ne pas hurler. Tu étais là, à me guetter. Tu attendais que je perde patience. Je t'observais aussi. Je pensais, c'est mon fils, il est sorti de moi, et je t'aimais. C'est son fils, il est né de Georges et je te détestais. Tu lui ressemblais, tu lui ressembles de plus en plus. Ce n'est pas la forme du visage, mais les expressions. Je te trouve hypocrite, prétentieux, égoïste. Tu n'aimes pas les femmes. Tu es comme lui. Et comme lui tu m'as laissée seule.

A ton père j'ai dit ce que je pensais, ce que je faisais.

Tu n'étais pas né. Nous étions mariés depuis six ans. Ça n'allait plus. Est-ce que ç'a avait jamais été ?

Je l'avais épousé à vingt ans. Il parlait mieux que mon père. Il semblait tout connaître du monde. Il fallait l'entendre évoquer Saigon, où il avait plaidé, Alger où il avait vécu quelques mois. Je n'étais jamais sortie du département. Il me montrait l'horizon. Je me suis laissé faire, j'étais vierge. Je croyais que sa brutalité, sa voracité étaient la règle. Je ne ressentais rien, mais comme une idiote j'étais heureuse qu'il pousse un cri, qu'il s'essuie le front, du revers de la main, qu'il ait une sorte de souffle rauque comme quand on boit. Après il me tournait le dos et je rêvais aux voyages que nous allions accomplir.

Mais il avait d'autres projets.

Est-ce qu'il m'a séduite pour les réaliser, ou bien a-t-il eu tout à coup l'intuition, une fois marié, que je pouvais lui être utile ? Je ne sais pas. Il était — tu es comme lui — toujours double, trouble, il ne savait pas lui-même ce qu'il pensait vraiment et cela lui était indifférent. Il utilisait les circonstances. Il savait convaincre. Il faisait un grand étalage de ses convictions. Et tu l'aurais cru, tu le crois puisque c'est un héros, mort pour la France. Il le croyait peut-être lui-même. Je sais, moi, qu'il ne pensait qu'à lui, à lui seul, à la manière dont il pouvait être le premier, le centre. Il lui fallait une scène, des gens qui l'applaudissaient, qui l'admiraient.

Je suis allée l'écouter plaider plusieurs fois. Il ne regardait

140

jamais l'accusé qu'il défendait, même pas les jurés, mais le public. C'est là qu'il a commencé à me dégoûter. Je le croyais ému d'avoir perdu. Son client était condamné à une lourde peine. Lui me disait : « Ce n'était pas mal, Mireille, je crois que j'étais en forme, pas facile, mais je les ai tenus en haleine. » Si je parlais du verdict, il haussait les épaules. Les jurés étaient des cons. « Mais tu verras la presse, demain. »

Tu es comme ça.

J'ai cru que Lisa allait te sauver. Les autres, Charlotte, Marie, de pauvres filles. Je n'ai jamais compris pourquoi tu les avais choisies. J'en avais de la peine pour elles et pour toi. Qu'est-ce qu'elles t'apportaient ? Que faisais-tu avec elles au lit, mon pauvre fils ? Charlotte n'avait même pas de seins et sa peau blanchâtre me répugnait. Marie avait des mains d'homme, des jambes courtes, une grosse tête, des gestes brusques et maladroits.

Tu ne l'as jamais su mais j'ai téléphoné à tes amis, Jeanne et Vincent, je voulais, avec un peu de perfidie, connaître ce qu'ils pensaient de Charlotte, puis de Marie. Jeanne était gênée, flattée aussi, complice. Elle me laissait entendre que j'avais raison. Mais elle prétendait que tu avais un problème avec moi : tu m'aimais trop, disait-elle. J'étais une mère trop forte, trop belle. Je ricane. Elle est professeur de lettres dans une université, Jeanne, et c'est cela qu'elle raconte ! En fait tu hésitais entre la haine et l'indifférence. Tu regrettais que je sois vivante et que ton père soit mort. Tu aurais aimé que je disparaisse. Tu ne savais même pas que tu avais ce désir mais moi je le lisais dans tes yeux, quand je m'approchais de toi. Quand tu cessais de me haïr tu ne me voyais plus.

Le regard des femmes

Ce qui compte pour toi, comme cela comptait pour ton père, ce sont les projets, l'ambition. Oh! bien cachés, derrière des idées, de belles proclamations.

Ton père, quand il m'a annoncé qu'il voulait être candidat aux élections législatives, dans mon département, celui de ma famille, il ne m'a pas avoué : « Je veux être député, je veux avoir mon nom dans la presse, tous les jours si c'est possible. Je veux qu'on parle de moi. Toi et ta famille, vous m'êtes très utiles parce qu'on vous connaît dans la circonscription, vous êtes du pays. »

J'aurais accepté ce cynisme. Mais il faut du courage pour être franc avec soi et avec les autres.

Alors il m'expliquait que le département avait besoin d'un homme politique neuf, qui se dévouerait, qui aurait la confiance des plus pauvres, etc. Je l'ai cru. Je n'ai pas pensé tout de suite qu'il m'avait épousée pour se donner une adresse, un nom dans le pays où il voulait être candidat.

D'ailleurs est-ce qu'il le savait lui-même? Il agissait d'instinct. Et j'ai découvert en toi le même comportement.

Je n'ai rien dit de tout cela à Lisa.

Elle, je l'ai tout de suite aimée. Je me demandais même pourquoi elle avait accepté de vivre avec toi. Mais j'avais bien vécu avec ton père! Je ne voulais lui faire aucune confidence qui te nuise. J'espérais même que tu allais changer, grâce à elle.

Tu as été, un ou deux étés, joyeux, calme. Tu m'embrassais comme un fils. Quand vous entriez dans la cuisine, le matin, je vous regardais, vos corps bougeaient ensemble, et j'en étais émue. J'avais connu cela, quelquefois dans ma vie. Pas avec ton père. Mais avec Charles Hartman, oui. Je te le dis. Pourquoi souffrirais-tu de cet aveu? S'il t'irrite, tant pis pour toi. Ce sont ces choses-là qu'il me fallait te dire. Pourquoi? Je ne le sais pas moi-même, peut-être pour hurler, par-delà ma mort, que j'existe, que j'ai voulu exister, que ton

142

père n'a pas réussi à m'étouffer, et que je le lui ai crié, qu'il l'a su et, s'il en a été blessé, qu'il ne s'en prenne qu'à lui-même.

Je parle de lui comme s'il était encore là. J'ai tant de griefs à son endroit. Tant de rage m'habite. Et il m'a encore fallu assister à la pose de la plaque qui porte son nom, sur notre maison. Toi tu n'as pas voulu venir. Moi j'ai dû jouer les femmes émues, les veuves, répondre au discours du maire, t'excuser, invoquer tes responsabilités à Bruxelles.

Le maire m'a répondu : « Le fils est digne du père. Il œuvre comme lui pour le bien public. »

J'avais envie de ricaner. Je ne vous crois plus, vous, les hommes. Ni toi, ni ce maire, ni tous ceux qui paradent. Je les regarde. Boum, boum, musique, l'heure de vérité, quelle honte !

J'imagine combien ton père aurait été heureux de connaî- tre ce temps d'aujourd'hui, il aurait couru d'émission en émission, il aurait été « très bon », il me semble l'entendre. Quelle injustice ! qu'il soit mort avant cette époque où, enfin, les visages des hommes publics sont connus de tous ! Il est mort trop tôt, vraiment. Et il aurait été fier de savoir que toi aussi tu participais à la grande parade.

A Forgues, le maire est si heureux de lire ton nom dans les journaux, de t'apercevoir à la télévision. Il me téléphone pour me prévenir quand tu participes à une émission. Le lendemain il m'appelle de nouveau pour me féliciter. Tu iras loin, disent-ils tous, le maire, le boucher, le boulanger.

Loin ? Mais qu'est-ce que ça veut dire ?

Je ne savais pas ce qu'était un homme célèbre, un héros. Mon père était un médecin connu de tout le département. Il mettait les enfants au monde et il fermait les yeux des morts. Le salon d'attente était toujours plein, et j'étais réveillée la nuit par le moteur de la voiture quand il partait pour une consultation d'urgence ou qu'il en revenait.

Le regard des femmes

Célèbre, mon père? Il aurait ri. Quand ma mère protestait parce qu'il acceptait toutes les visites, il répondait à voix basse, timide et résolu : « Je suis médecin, tu le savais. »

Moi j'ignorais que j'allais vivre avec un homme célèbre et que mon fils le deviendrait aussi.

Quand tu es entré au cabinet de ce ministre, Delmas, je crois, j'ai eu une longue conversation avec Lisa. Je devinais qu'entre vous les choses avaient changé. Je vous voyais désaccordés.

Lisa, parce qu'il faisait trop chaud au dernier étage, prétendait-elle, dormait seule au rez-de-chaussée.

Je connaissais ces prétextes.

Un jour je n'avais plus pu coucher près de ton père. Il était devenu un corps étranger — écoute comme l'expression dit bien ce qu'on éprouve — ou bien j'avais découvert qu'il l'était. Tout m'irritait de ce que j'avais pourtant supporté. Il toussait. Il bougeait, il se levait. Il me touchait. Et j'avais un frisson de dégoût. Est-ce parce que j'avais connu et aimé d'autres hommes?

Cela te choque, n'est-ce pas?, apprends qui j'étais, je t'écris dans ce but. Peut-être. Mais surtout, je n'avais plus confiance en lui. Et même, je le méprisais. Comment peut-on dormir près d'un homme, dont on craint qu'il vous frôle, qu'on ressent comme un ennemi?

J'ai dormi seule et j'ai su que notre couple n'existait plus. J'en ai souffert. Jamais je n'avais imaginé mon père et ma mère autrement qu'ensemble dans le grand lit où j'allais me glisser entre eux. Il me semblait qu'ils formaient côte à côte une personne unique, et je posais ma tête sur leurs bras qui se mêlaient. Je m'encastrais, j'entrais dans ce grand corps, j'étais heureuse de cette chaleur qu'il me donnait. Je n'ai jamais connu cette intimité avec ton père et quand j'ai vu que vous

vous sépariez, Lisa et toi, j'ai eu l'impression que je voyais ma vie dans un miroir.

Je n'ai pas osé parler à Lisa de cela. J'ai pris des voies détournées. Je lui conseillais de t'empêcher d'entrer dans le milieu politique. Je l'ai connu. Je savais que tu n'y résisterais pas. Tu ressemblais trop à ton père pour ne pas te laisser corrompre. Je disais à Lisa : « Partez en Italie avec Philippe. Vous enseignerez. Il trouvera quelque chose à faire là-bas, à l'ambassade, pourquoi pas ? » Je n'imaginais pas moi-même que cela fût possible. J'ai découvert que vous étiez déjà si loin l'un de l'autre quand Lisa m'a répondu : « Pourquoi voulez-vous que je me mêle des choix de Philippe ? C'est à lui de savoir ce qu'il doit faire, pour lui. » « Et votre couple ? » « Vous croyez qu'il pense que le couple existe ? »

Que lui répondre ?

Ton père était aussi, comme toi, occupé d'abord de lui-même. Je devais me soumettre, le suivre, l'admirer. Il voulait que je l'approuve parce qu'il avait besoin de ma soumission.

Tant que j'ai cru à sa sincérité j'ai accepté. Il avait, prétendait-il — je te l'ai dit — des convictions. J'ai même essayé de les comprendre, de les partager. Je le voyais comme une sorte de médecin, soignant les malades de la société. J'écoutais ses discours dans les banquets. Je l'observais cependant qu'il embrassait les petites vieilles vêtues de noir, avec leur visage ridé, leurs cheveux blancs ramassés en chignon sous un chapeau de paille. J'étais assise à l'ombre des platanes. Il serrait les mains des joueurs de boules. Il parlait dans la cour des écoles. Il demanda à mon père, qui accepta, de prendre place sur les tribunes, à ses côtés. « Je suis le gendre du docteur Goiran, vous le connaissez, je suis fier qu'il soit là, je suis heureux de faire partie de sa famille, de votre pays… » J'étais gênée. Il me semblait qu'il ouvrait la porte de notre maison et qu'il demandait aux gens d'entrer. Il fut élu dès le premier tour.

Nous nous sommes installés rue de Bourgogne, à quel-

ques pas de la Chambre des députés. Nous recevions deux fois par semaine ses amis politiques, des journalistes. Mon père avait vendu une vigne et deux bastides pour financer la campagne électorale et nos débuts à Paris.

J'ai donc vu les hommes célèbres, les députés, les chroniqueurs, les présidents des Partis. Que faisaient-ils sinon se faire plaisir, se servir? Que changeaient-ils à la vie des gens?

Je pensais au salon d'attente de mon père, à ces enfants malades que les mères portaient dans leurs bras et qu'elles déposaient sur la table recouverte d'un drap blanc. Souvent j'entr'ouvrais la porte du cabinet et j'apercevais mon père penché sur l'enfant. Il lui tâtait la gorge, il lui souriait. Il rassurait la mère. J'étais heureuse. Maintenant j'avais autour de moi des hommes qui péroraient, n'écoutant jamais les autres, chacun parlant pour soi. Ton père ne rêvait que de la présidence d'une commission de l'Assemblée ou d'un Parti. Il s'emportait contre moi qui me désintéressais, disait-il, de ses projets. Comment pouvais-je me passionner pour ses luttes qui l'opposaient à ceux-là mêmes auxquels il donnait l'accolade, qu'il accueillait comme des amis chers? Celui-là le trahissait. Celui-ci complotait. Cet autre intriguait. Je ne l'écoutais pas longtemps. Je quittais le salon, je m'enfermais. Il s'en prenait à moi. Je n'étais qu'une provinciale.

Nous avons eu ainsi nos premières scènes violentes, et le masque est tombé. J'ai découvert qui il était. Egoïste. Les idées qu'il exposait n'étaient qu'un prétexte pour s'affirmer, lui.

Des gens défilaient dans les rues, d'autres en grève occupaient les magasins. Et lui téléphonait, s'impatientait. Il voulait être au gouvernement. Il revenait de chez Blum ou de chez Daladier, exaspéré. On l'avait trompé. Blum était un faux-jeton, Daladier un incapable. Je l'entends encore qui va et vient dans l'appartement, qui hurle. Les socialistes sont des salauds et les radicaux l'ont lâché.

146

J'ai eu, là, du mépris et du dégoût. Comment aurais-je pu l'aimer encore ? Que valaient ses discours généreux ?

Quand il a décidé de partir en Espagne, je n'ai pas cru à sa sincérité. D'ailleurs, il me l'avouait : il voulait prendre sa revanche sur Blum, s'imposer. On serait obligé de tenir compte de sa popularité, du rôle qu'il allait jouer.

Un héros ? Des idées ? Seulement le désir de dominer, de gagner comme un épicier.

J'ai commencé alors à me refuser à lui. Je ne pouvais plus. Et il est devenu comme enragé.

Que je dorme seule, il l'avait accepté. Ça l'arrangeait même. Il rentrait tard de ses réunions. Et comme tous les autres il avait des aventures ici et là. C'est ça, un homme ! Mais il s'imaginait pouvoir disposer de moi à son gré. « Tu es ma femme », *répétait-il. Je l'entends encore crier.*

Je ne peux même pas raconter, c'est trop intime, trop laid, trop sinistre. Et pourtant je veux que tu saches.

Tu as été si dur avec moi, si méprisant. Je n'ai jamais senti vraiment que tu m'aimais. Dès que tu as eu six ou sept ans, tu t'es éloigné. Peut-être ai-je eu tort de te faire connaître Charles. J'ai toujours été discrète mais il fallait bien que je vive ! Tu es devenu hostile. Tu ne m'as plus parlé. C'était si injuste. Pourquoi prenais-tu, par-delà sa mort, le parti d'un père que tu n'avais presque pas connu ?

C'est moi, moi seule, qui avais voulu que tu naisses. Moi qui avais accepté, en toute conscience, dans ce but, qu'il me fasse l'amour. Tu as été conçu, ici, dans cette maison de Forgues, par ma volonté, parce que je sentais que la guerre était là, si proche, parce que mon père était mort et que ma mère allait disparaître aussi, je le savais, et, c'est mon égoïsme

147

à moi, je voulais aimer quelqu'un, toi que j'imaginais, mon fils.

Je n'ai pas eu le courage de choisir un autre père. Georges était, malgré tout, mon mari. J'avais déjà connu beaucoup d'hommes en trois années. Je l'avais décidé. Pour me venger de lui et parce que mon corps avait besoin de toucher un autre corps. J'avais découvert alors qu'un homme peut faire l'amour avec tendresse, qu'il peut donner et non pas prendre.

Comment te dire tout cela ? Pourquoi te le dire ? Parce que je veux que tu saches qui était ta mère, une femme, et je ne sais même pas si tu vois, si tu imagines ce que c'est qu'une femme, ce dont elle a besoin ? Pauvre Charlotte, pauvre Marie et même pauvre Lisa !

Ton père ne venait presque plus à Forgues et moi, parce que ma mère vivait seule et allait mourir, j'avais quitté Paris. Mais ton père restait député de notre département. Dans l'été 38, il a donc passé près d'une semaine à Forgues. Et quand il est rentré dans ma chambre, après tant de mois, je ne l'ai pas repoussé. Je te voulais, Philippe. Oh, je t'ai tant désiré, mon fils. Il me semblait que tu me permettrais d'échapper aux hommes. Tu serais eux tous à la fois. Je n'aurais plus besoin d'eux. Ni de Georges — qu'il soit ce qu'il voulait être ! — ni de Marc ou de Robert, ces deux amants que j'avais gardés plus longtemps que les autres, qui me téléphonaient à Forgues, qui me pressaient — Marc surtout — de divorcer, puisque Georges vivait à Paris.

Moi je t'attendais, je rompais avec eux.

Et tu es né l'année de la guerre. Les autres autour de moi pleuraient, moi j'étais si heureuse, tu me protégeais de la peur.

Puisque tu m'as préféré un père que tu ne connaissais pas, que tu imaginais, tu dois savoir qu'il m'a demandé de te tuer. Je n'ai aucun scrupule à te dire cela.

Quand il a su que j'étais enceinte, il est venu chaque jour pour exiger de moi que je me fasse avorter. Il avait tout organisé à Paris. Je l'ai chassé. Il m'a téléphoné chaque nuit pendant près d'un mois. « Tu es folle », répétait-il. Il m'insultait. Je l'avais eu, hurlait-il. Il m'accusait de lui avoir tendu un piège. Il m'a dit : « Tu es une salope. »

Voilà l'homme pour lequel tu ne m'as pas aimée. Je me suis enfermée à Forgues. Je n'ai plus répondu au téléphone.

Ma mère est morte peu après ta naissance, et il a bien fallu qu'il vienne à Forgues pour assister à l'enterrement. Il était le député du département, n'est-ce pas ? Il pouvait transformer en réunion politique l'inhumation. Et il voulait être présent à l'ouverture du testament, pour savoir ce à quoi il avait droit.

A rien, heureusement, puisque tu étais là. Il t'a vu. Tu étais beau. Il était étonné, maladroit, mais enfermé dans ce qu'il avait dit, dans son ambition.

Après je ne l'ai plus vu durant plusieurs mois. Il avait été fait prisonnier. Je suis rentrée à Paris avec toi, parce qu'il fallait que je trouve un emploi, qu'on m'écrivait que les Allemands envisageaient de réquisitionner notre appartement de la rue de Bourgogne.

Un soir, au mois d'avril 1942, un homme s'est présenté que je ne connaissais pas.

Tu dormais. Cela faisait trois ans que je n'avais plus fait l'amour. J'avais trente-deux ans.

Les fenêtres étaient ouvertes, et l'appartement envahi par la pénombre. Il faisait si doux. Nous nous sommes assis, l'un en face de l'autre, moi sur le canapé du salon, lui sur le fauteuil.

Il suffit que je m'arrête d'écrire pour entendre les bruits de ce soir-là. Une voix, sans doute celle d'un agent de la défense passive, des bruits de pas, une patrouille allemande peut-être. Quel silence ! Et la respiration de cet homme, haletante. Il me parlait de ton père qui s'était évadé et vivait dans la clandestinité. Il n'avait pas le droit de m'en dire davantage. Georges l'avait assuré que je pouvais l'héberger, pour cette nuit.

Ainsi c'est ton père qui m'a envoyé Charles Hartman. Je n'entendais plus ce qu'il me disait, j'avais envie de caresser ses cheveux, de serrer sa tête contre mes seins. Oui, Philippe, c'est comme cela. Il s'est arrêté de parler, enfin. Nous nous sommes levés ensemble et approchés l'un de l'autre.

J'ai tant eu de plaisir à l'aimer que je t'en ai aimé davantage, toi. Je savais ton père vivant, libre. Je ne le voyais pas. J'étais heureuse avec un égoïsme tranquille, sans remords, Philippe. Je n'avais rien choisi. Les hommes comme ton père avaient dirigé le pays. Il me paraissait normal qu'ils essaient de réparer leurs fautes. Moi, je continuais à n'être ni célèbre ni héroïque, une femme qui avait un enfant et un amant qu'elle rencontrait trop rarement.

Puis Charles aussi est passé dans la clandestinité. Nous ne sommes plus allés dans son atelier, rue de l'Abbé-de-l'Epée, et j'ai été à nouveau seule avec toi.

Un après-midi — je ne t'ai jamais raconté cela — alors que je rentrais, une jeune femme m'a abordée dans la rue, me demandant de l'accompagner. J'étais avec toi. J'ai hésité. Elle était envoyée, disait-elle, par Charles. Elle a insisté. « Venez avec votre fils. »

Nous ne sommes pas allés bien loin, dans un immeuble au coin de la rue Vaneau et de la rue de Sèvres. J'étais impatiente de retrouver Charles. Et quand elle a ouvert la porte de l'appartement — au troisième étage — c'est ton père que j'ai vu.

Dois-je te le dire aussi ? J'ai été déçue. Je l'ai caché car il paraissait si changé, grossi mais d'une mauvaise graisse, la tête ronde, des lunettes enfoncées dans les orbites, vieilli. Il n'a pas fait un geste pour m'embrasser. C'est toi qu'il regardait. Tu t'es mis à sangloter, et j'ai pensé, il va me le prendre. Et puis il s'est mis à pleurer aussi et cela durait, cela me devenait insupportable. Et je crois bien que je lui ai dit de partir. C'était injuste. Et tu vas trouver là de quoi me haïr un peu plus. Mais que m'importe, je ne te vois plus. Et tu m'as toujours haïe.

Je ne sais même pas si tu te souviens de cette rencontre. Tu n'avais que quatre ans et tu ne m'as jamais interrogée.

C'est peu après qu'ils ont arrêté ton père. Nous avons dû nous cacher aussi et nous avons échappé par miracle, c'est toi qui as vu les voitures de la Gestapo, à une souricière, rue de Seine, tendue à l'adresse que m'avait donnée Charles et où nous aurions dû être en sécurité.

Bien sûr la mort de ton père m'a touchée. Mais je lui en voulais de te mettre en danger. C'est un de mes plus lourds griefs contre lui. Ce n'est peut-être ni noble ni héroïque mais m'avait-il jamais consultée ? Avait-il même essayé de nous faire fuir à l'étranger ? Il sanglotait devant toi. Il eût mieux fait de nous protéger.

C'est pour tout cela, pour bien marquer qu'il avait toujours agi seul, et que la gloire devait lui revenir, que j'ai refusé de porter son nom de guerre. Qu'il le garde !

Mais je ne pouvais me dérober aux cérémonies. Charles insistait pour que j'y participe. On épinglait des décorations sur ta poitrine. Tu étais fier. Que savais-tu, mon pauvre petit garçon, de ton père ?

Après...
Tu dois avoir des souvenirs et je m'aperçois que je n'ai déjà plus envie de te raconter les miens.

Le regard des femmes

Que pourrais-je te dire, que tu ne saches ?

C'est moi qui me suis séparée de Charles, qui l'ai contraint à cesser de me voir. Je ne le désirais plus assez. Nos relations devenaient une habitude. Je ne pouvais supporter de vieillir avec lui. Il fallait que je sois seule, que je me retire à Forgues. Ce que j'ai fait, tu le sais. Tu n'avais plus besoin de moi. Et d'ailleurs tu ne voulais plus me voir. Pas un mot que tu n'aies prononcé que je n'aie ressenti comme une gifle. Pas un regard que tu n'aies porté sur moi où je n'aie vu de la colère, de la haine je le redis.

Pense à ce que j'ai dû souffrir. Si tu éprouves des remords, tant mieux.

Si je continue à écrire, il faudra que je revive tout cela, notre incompréhension, tes silences, il faudrait que je réentende les mots que tu me lançais, excédé, « Maman, ne te mêle pas de ça, je fais ce que je veux, tu entends, ce que je veux. »

Qui t'empêchait ? Je voulais comprendre, je voulais que tu m'expliques, que tu me racontes.

Je préfère m'interrompre ici. Tu n'auras finalement à lire que quelques pages. J'espère que toi, tu n'as pas déjà pressenti que la vieillesse est l'absence du désir. Je le guette, je l'espère, j'attends son élan. Il n'est plus là. Le corps est une masse de chair, d'humeurs, de laideur, avec au centre un vide.

Tu comprendras, Philippe, que je ne regrette rien de ce que j'ai fait.

J'espère te faire un peu mal avec ces pages que je t'adresse par-delà deux morts.

Si tu as mal, tu seras obligé de penser à moi, ta mère.

TROISIÈME PARTIE

Une apparence d'homme

35

Le premier mot

Sorcière.

Je l'ai vue. Je m'étais avancé dans la pièce où l'on avait placé le cercueil. Lisa avait tenté de me retenir, saisissant mon bras : « N'entre pas Philippe », puis, plus bas encore : « Tu vas te faire mal, pour rien, je t'en prie, n'entre pas. »

Je me suis dégagé, je l'ai repoussée.

Cette pièce ressemblait à un hangar mal éclairé par une seule lucarne.

Le froid glacial m'avait saisi et un silence d'eau profonde.

Le cercueil reposait au centre sur un socle recouvert d'un drap noir. Il était fermé puisqu'elle était morte depuis trois jours, déjà. Mais sur le flanc du cercueil un hublot vitré permettait de voir son visage.

Elle souriait, j'en suis sûr. Avait-elle les yeux ouverts ? Je me répète que c'est impossible et cependant je jurerais que, le visage tourné vers moi, comme si elle était couchée sur le côté, elle me regardait.

Je me suis approché et je pouvais, tendant le bras, toucher la vitre qui me séparait d'elle. Je ne sais combien de temps je suis resté ainsi à la dévisager. Quelqu'un de l'hôpital est entré et m'a entraîné dehors où Lisa m'attendait.

Le bruit et la chaleur m'ont donné envie de vomir. J'ai

155

voulu retourner me réfugier près d'elle. Mais Lisa m'a poussé dans un bureau. Il me fallait remplir des formulaires, sortir mon carnet de chèques, choisir des modèles de cercueil, fixer l'heure et la date de l'inhumation.

Cette nuit-là, j'ai refusé de dormir à Forgues, dans la maison. Il me semblait qu'elle m'avait dit : « Tu n'es pas libéré de moi, regarde comme je souris, je vais revenir te surprendre. »

Sorcière.

C'est ainsi que je l'appelais et je l'avais oublié. Mais voyant ces pages jaunes, son écriture noire, aiguë et régulière, obstinée, le mot m'est revenu.

Pourquoi l'instituteur avait-il choisi ce mot-là pour nous apprendre à écrire ? Nous avions passé plusieurs jours à confectionner avec du carton et de la ficelle une sorcière. Je ne réussissais pas à la terminer alors que mes camarades l'avaient déjà posée, debout sur leur pupitre. L'instituteur s'était assis près de moi et, en quelques coups de ciseaux, il avait achevé de réaliser cette petite marionnette. « Peins le visage », m'avait-il dit. J'avais commencé par tracer le nez, la bouche, puis au moment de dessiner les yeux j'avais eu peur. Je ne voulais pas qu'elle me regarde, que ma mère soit là, dans la salle de classe à me surveiller. Et j'avais barbouillé tout le visage de peinture noire, si bien que ma sorcière était encore plus effrayante, masquée.

C'est ainsi que j'ai donné ce nom à ma mère.

Et je l'ai écrit sur des pages jaunes identiques à celles-ci.

Elles se trouvaient dans le bureau de mon père rue de Bourgogne. Je les volais car ma mère m'interdisait de pénétrer dans cette pièce où elle travaillait. Elle ne me donnait que celles où elle avait écrit le brouillon de ses articles mais ces pages me paraissaient souillées et je barbouillais de traits rageurs ces lignes que je ne comprenais pas, puis je les déchirais ou bien je les froissais.

J'ai eu la tentation de faire de même avec ces pages-ci, sans les lire.

Costes m'avait tendu le paquet, recommandé à mon nom. Je l'ouvrais. Je découvrais un autre pli, cacheté. Et l'écriture de ma mère : « *A remettre à Charles Hartman, afin que, après sa mort, ceci soit transmis à mon fils Philippe Guibert.* »

J'avais déchiré lentement l'enveloppe, la gardant à hauteur de mes yeux comme si j'avais pu lire son contenu par transparence. Et quand j'avais reconnu ces feuilles jaunes, ce papier de mon enfance que ma mère rapportait par rames du journal, quand j'avais vu son écriture, je m'étais souvenu de la phrase de Lisa, dans l'antichambre du reposoir de l'hôpital : « N'entre pas, Philippe. »

J'étais entré.

J'avais lu.

Sorcière.

Les pages, dans le bureau de mon père, étaient entassées sur une table basse, proche de la fenêtre. Je devais pour l'atteindre passer devant la machine à écrire. Et, chaque fois, sachant pourtant que j'allais être puni, j'appuyais de mes deux paumes sur le clavier, enfonçant les touches, veillant à ce que pas une seule ne revînt à sa position. Puis m'emparant du plus de feuilles que je pouvais, les serrant contre ma poitrine, je m'enfuyais dans ma chambre. Je les dispersais sur le sol. Je traçais mes premiers dessins, je calligraphiais ce mot, *Sorcière.*

Je devais avoir moins de six ans.

Je ne réussissais jamais à emprisonner le mot dans une seule page, mes lettres étaient trop grosses, chacune d'elles envahissait tout l'espace, et je continuais, sur une autre feuille, les rapprochant, mais le mot ainsi décomposé devenait illisible.

Ma mère entrait et sans parler elle me giflait. Je ne

protestais pas, je faisais glisser les pages jusqu'à ce que je retrouve le mot.

Sorcière.

Il était là, devant moi, se surimposant à ces lignes qu'elle avait écrites.

36

Le corps de l'autre

Ces pages me brûlaient les doigts. Elles étaient comme un marron chaud qu'on essaie de décortiquer et qu'on passe d'une main dans l'autre, qu'on pose, qu'on reprend, qu'on rejette et, quand enfin on l'ouvre, il brûle encore.

Ces pages jaunes je les touchais, je les éloignais, je les cachais sous un dossier, je les enfouissais dans le tiroir, le fermant à clé et je posais mes mains à plat sur le bureau, comme pour les contrôler, ne pas les laisser bouger seules, aller vers la clé, tourner, tirer, saisir, placer les feuilles jaunes devant moi. Et les mots noirs me brûleraient encore. Je relirais la dernière phrase. Sorcière perfide, ma mère, elle savait bien que ce n'est pas à elle que je penserais d'abord, mais à Lisa.

Je reprenais les pages. Ma mère, le doigt tendu, me montrait Lisa, se moquait de moi, doucereuse. Tu vois comment une femme peut juger un homme? Tu entends son verdict? De l'homme, il ne reste rien debout, ni générosité, ni conviction, ni sincérité, il n'est plus que ce tas de boue qu'on piétine, qu'on utilise parfois puis qu'on rejette et que la mort même ne rachète pas. Tu entends ce qu'une femme a pensé de ton père, ce qu'une autre peut penser de toi? Tu vois combien elle est libre quand l'amour ne la retient plus? Et ces mots, relis-les. Tu les repousses, tu les enterres, les voici : désir, corps, plaisir, hommes, autres hommes, vers qui cette femme va puisqu'elle n'aime plus celui avec qui elle vit, ton père, toi.

Je téléphonais à Lisa. Je raccrochais avant même que la sonnerie ne retentisse.

Costes rentrait. Le Président souhaitait me voir.

Je quittais mon bureau, je longeais des couloirs, j'entrais dans un ascenseur, je répondais par des mots à d'autres mots, et c'est comme si j'avais été debout à côté d'un double, une sorte de mécanique creuse qui se déplaçait, parlait, serrait la main du Président, s'asseyait en face de lui, et j'aurais voulu me glisser dans cet autre moi, faire corps avec lui, mais je ne voyais plus rien, je n'entendais rien. Quand je reprenais conscience, le Président interloqué m'observait, les mains croisées, sa bouche appuyée sur ses pouces.

J'étais entré enfin dans le corps de l'autre.

— Vous m'écoutiez, Guibert ?

Le Président penchait un peu la tête sur le côté comme s'il avait eu l'intuition d'une présence, près de moi, alors que je demeurais immobile, assis dans le fauteuil.

Je renouais le fil. Il se levait, passait et repassait devant la baie vitrée, croisait les bras, et, à contre-jour, je ne distinguais que sa silhouette bien campée, épaules larges, jambes écartées. « Les subventions, disait-il, celles que la Commission accorde généreusement, pour toutes sortes d'activités, créations culturelles, programme d'échanges universitaires — il s'interrompait, s'approchait — votre femme est concernée Guibert — il riait — un peu, un peu, mais enfin elle enseigne à Bruges, à Florence, c'est la Commission qui paie ces instituts. Comment va-t-elle au fait ? Nous ne nous voyons jamais, il faudra que je corrige cela, je vais organiser une soirée pour les membres de la Commission et leurs épouses... » Puis il s'écartait, s'asseyait, croisait à nouveau ses mains. « Les subventions se perdent, Guibert, qui sait où elles vont ? Personne, ou plutôt si... »

Il dépliait un journal, me montrait un titre que je ne

parvenais pas à lire. « Votre ami Vassos, disait-il, tenez. » Il me tendait le quotidien puis, se ravisant, commençait à lire. « Les subventions européennes, nouvelle source de profits pour la Mafia. »

Il repliait le journal. « Procurez-vous ça, *La Repubblica* d'hier. Vous y êtes, disait-il, pas seul, l'agriculture, les subventions industrielles, je vois chaque commissaire. A en croire ce Vassos, ça file de tous les côtés. »

Tout à coup, il frappait du poing sur la table, mais d'un geste maîtrisé. Que pouvait-on faire si les administrations des Etats étaient pourries? Lui était sûr de la probité des fonctionnaires de la Commission. « Nos tuyauteries fonctionnent, mais c'est le seau qui est percé, est-ce que c'est de notre faute? »

Il se levait, me raccompagnait, la main sur l'épaule. « Si vous voyez ce Vassos, faites-lui la leçon. »

Je tentais de m'indigner, mais j'étais sans énergie. Vassos, c'est lui, le Président, qui l'avait reçu d'abord. Je n'avais fait que suivre les conseils de Rouvière. Il ne me reprochait rien, répondait-il, « Les journalistes sont là pour ça mais Vassos lui-même m'a raconté qu'il connaissait votre femme depuis des années, que vous étiez des amis, tant mieux, Philippe, voyez-le, voyez-le souvent, faites lui comprendre le sens de notre action. »

Solas attendait dans l'antichambre, nous nous saluions.

« Faites un contrôle serré, Philippe, il faut que nous soyons inattaquables et nous le sommes. Embrassez votre femme. »

A nouveau je quittais mon corps, je marchais près de lui qui serrait des mains, souriait, disait qu'il ne faisait pas si froid pour la saison, qu'il ne partait pas en vacances et qu'il n'était pas question de remaniement ministériel à Paris.

Vassos, Lisa : ces deux noms emplissaient ma tête pendant que l'autre parlait.

37

Les complices

Vassos m'attendait dans le vent qui balayait le trottoir devant l'immeuble de la Commission. Dès que je l'ai vu, j'ai cessé d'être double, ne pensant plus qu'à l'éviter, et tenté cependant d'aller vers lui, de le secouer. Qu'avait-il à faire des confidences au Président? Que cherchait-il? Jagot qui m'avait devancé ouvrait la portière de ma voiture mais au moment où je me baissais, Vassos m'interpella. « Philippe, ohé! Philippe. » Les drapeaux des douze pays claquaient, les mâts de métal oscillaient, et les drisses en les heurtant provoquaient une vibration aiguë, comme un froissement continu, pareil à celui des insectes, les nuits d'été. Vassos s'avançait vers moi, les mains dans les poches d'un long imperméable blanc, les cheveux rejetés en arrière par le vent. Son visage en paraissait plus maigre, long, effilé, les oreilles pointues, avec une expression menaçante et ironique.

Jagot tenait la portière. « Vous me fuyez, Philippe, mais je veux vous voir, moi, je dois vous voir », dit Vassos en me rejoignant.

Avant que j'aie pu répondre, il proposait de m'accompagner et il contournait la voiture, cependant que Jagot m'interrogeait du regard, me rappelait que les députés m'attendaient.

« On y va, on y va », dit Vassos. On ne devait pas se soucier de lui, il fallait qu'il me parle, maintenant. Il s'installait près de moi à l'arrière, posait la main sur mon genou. « Quelques mots, Philippe, seulement quelques mots. » Il passait sa main gauche dans ses cheveux, « quel vent », disait-il, puis il chuchotait comme s'il ne voulait pas que Jagot assis à côté du chauffeur puisse entendre. « Vous savez, bien sûr, que Charles Hartman est mort. » Je ne voulais pas l'entendre, mais il me dominait, m'imposait sa présence. « Votre papier dans *Repubblica*, ai-je dit, ces accusations. »

Il haussa les épaules, rejeta sa tête en arrière. « Vous savez bien que tout cela est vrai. » Mais ce n'était pas ce qui l'intéressait. « Cet article, disait-il, c'est le métier, pas la passion. » Il riait. « Lisa ne vous a pas dit que je suis un homme de passion ? »

Il tapota mon genou. « Vous êtes plus jeune que moi, Philippe, non ? », puis se penchant à toucher mon visage, il murmura : « La fille d'Hartman, Nathalie Herzberg, j'aurais pu vous le dire avant, mais il me fallait vérifier, vous comprenez ? Maintenant j'ai des documents, les preuves Philippe, et cette enquête-là me passionne, les subventions de la Commission, la Mafia — il haussait les épaules — la pourriture et la corruption habituelles, mais l'arrestation de votre père, la Résistance, il y a des choses à révéler, je voulais vous prévenir Philippe, par amitié, mais j'irai jusqu'au bout... »

Nous arrivions. Jagot descendait, puis le chauffeur. Vassos me retint, serrant mon bras.

— Vous voulez ma conclusion ? Hartman a livré votre père. Je vais écrire tout ça. Et il a été couvert, il a même agi sur ordre. Curieux non ? Vous ne trouvez pas ça révoltant ?

J'ai réussi à articuler que je me désintéressais des événements d'il y a un demi-siècle.

Vassos continuait de tenir mon bras.

— Le notaire d'Hartman vous a remis des documents, non ? Votre mère, m'a dit Nathalie Herzberg.

Je me suis dégagé d'un mouvement violent. Qu'il me foute la paix. Je n'avais rien à dire.

— Moi — il faisait une grimace, sortait de la voiture, puis s'appuyant au toit, il ajoutait : Lisa m'a demandé de vous prévenir, j'ai plus que de l'amitié pour elle...

Il me fixait, plissant les paupières.

— Vous l'avez compris, je veux vous ménager, Philippe.

Je restais figé, le regardant sans répondre.

— Je vous enverrai ça, dès que ce sera écrit.

Quand je descendis de la voiture, il était déjà loin, au bout du parking, l'imperméable blanc battant les mollets. Il sautillait entre des flaques, se retournant, me saluant d'un geste de la main.

A nouveau je suis sorti de moi.

Jagot parlait : « Vous avez eu le temps de parcourir le dossier ? »

Le corps que j'avais quitté répondait, suivait Jagot, entrait dans la salle de réunion du quatrième étage et, cependant que les députés se levaient pour m'accueillir, j'imaginais Nathalie Herzberg recevant Vassos dans l'atelier de la rue de l'Abbé-de-l'Epée, disposant sur une table les documents qu'elle allait lui remettre. Etait-il possible qu'elle ait avoué la culpabilité de son père ? Vassos mentait. Et tout en montant à la tribune, écoutant les questions que les députés posaient, leur répondant, donnant des précisions sur la politique de la Commission, je l'imaginais encore, alors qu'il retrouvait Lisa. Ils discutaient ensemble de moi, complices comme peut-être ma mère l'avait été avec Charles Hartman. Cette répétition sans fin, cette boucle qui se reproduisait, pouvais-je y échapper ? A qui Lisa me livrait-elle ? A qui Vassos me dénonçait-il ?

Dans la voiture, j'ai retrouvé, sur la banquette arrière,

l'enveloppe contenant les pages de ma mère, que j'avais laissées là, souhaitant peut-être qu'on me les vole, qu'on les lise. Mais le chauffeur se retournait vers moi : « Vous l'aviez oubliée, Monsieur, je n'ai pas quitté la voiture. »

— Chez moi, chez moi, ai-je répété.

Je baissai la glace. La voiture filait le long du Palais-Royal, s'enfonçait dans les rues étroites de la vieille ville, retrouvait les avenues de la Porte Louise.

— Demain, comme d'habitude, Monsieur ?

Demain ? Qui pouvait dire si je vivrais demain ?

38

Les mots, quels qu'ils soient

Tout en poussant la porte de l'appartement, et sans que je sache pourquoi je le faisais, j'ai crié : « Lisa, Lisa ! »

Je m'avançai. J'entendais la voix rauque du poète russe qui depuis la chambre de Lisa se répandait dans le couloir et avait étouffé mon appel. J'entrai.

Lisa était assise dans son fauteuil à bascule, les jambes serrées sur sa poitrine, les mains nouées autour de ses genoux. Le magnétophone était posé sur le bureau.

Elle ne bougea pas tout en me regardant mais sans sembler me voir. Elle avait ses cheveux défaits. Ses seins gonflaient le tee-shirt blanc qu'elle portait par-dessus une jupe noire courte, si bien que je voyais ses cuisses, ses jambes dont la vigueur me frappa comme si je le remarquais pour la première fois, et je découvrais aussi ce collant noir brodé d'arabesques.

Il émanait d'elle une telle indifférence à mon égard, un tel repliement sur soi, que j'en eus le corps troué. Et cette douleur m'unifiait. J'étais dans moi. J'avais besoin de cette souffrance pour savoir que j'existais. Lisa appuyait sur la touche du magnétophone. Silence. Seul ce grésillement dans ma tête comprimait mes tempes.

Je lui tendis l'enveloppe. Elle la retournait, elle me dévisageait, puis elle sortait les pages, lisait les premières

166

phrases et, la bouche pincée, les replaçait dans l'enveloppe qu'elle me présentait secouant la tête, disait : « Non Philippe, non, non. »

Comme je n'avançais pas la main elle se leva et s'approcha de moi. Elle plaça l'enveloppe à hauteur de mon visage. Je ne voyais plus que ses yeux.

— Je ne veux pas savoir ce qu'elle te dit, Philippe, c'est sacrilège de me le montrer. C'est à toi, pour toi.

Elle appuyait l'enveloppe contre ma poitrine.

— Je te l'ai dit, déjà.

Je lui ai arraché l'enveloppe, je l'ai lancée hors de la chambre, j'ai hurlé : « Et quand tu parles avec Vassos, d'Hartman, de ce qu'il sait, de ce qu'il faut me dire ou me cacher. »

Je l'ai saisie aux épaules et ma colère est tombée. J'avais envie de sangloter, de me coller contre elle, de l'enlacer, de parler avec elle à voix basse et lente de ce que ma mère écrivait. Je voulais qu'elle me rassure ou qu'au contraire elle avoue, mais qu'elle parle, et même si je savais ce qu'elle aurait pu me dire, il me fallait l'entendre encore.

J'étais insatiable. Je voulais qu'elle recommence sans fin à me dire qu'elle ne m'aimait plus, quelle ne me désirait plus, qu'elle me méprisait, comme si j'avais cru qu'obtenir d'elle cet aveu que tout confirmait, m'eût laissé une dernière chance de renouer avec elle.

Parole d'amour, de haine, qu'importe. Elle m'eût fait exister. J'avais besoin qu'elle me parle, que ses mots, quels qu'ils soient, me fassent renaître.

Mais elle se dégageait, me repoussant à deux mains, la bouche serrée par l'amertume, le regard fixe. « Va-t'en, murmurait-elle, tu es trop con. »

Je reculais. Je suppliais. Je n'avais pas échappé à mon rôle. Et comme je restais sur le seuil, les bras tendus — et je me voyais, ridicule, mon corps bedonnant et

167

disgracieux, jouant l'amant délaissé —, elle ajoutait avec lassitude : « Je ne veux plus te voir, Philippe, plus, je ne peux plus. »

Elle secouait la tête, déterminée et accablée.

39

Coupable et innocent

Qu'avais-je fait ?

Je me sentais coupable et innocent. J'étais allé vers elle pour qu'elle me parle. Ma colère d'un instant était celle d'un de ces gros insectes qui se heurtent mille fois aux vitres avec une obstination stupide et rageuse avant de s'abattre sur le rebord de la fenêtre fermée.

Je me suis terré dans mon bureau, lumières éteintes.

Je l'entendais, loin, qui ouvrait et claquait les placards du couloir, ceux où elle range ses vêtements. Elle se préparait à sortir. Ses pas. Devais-je la retenir ? Elle me bousculerait. Et si je décidais de ne pas la lâcher. De la saisir par les poignets, de l'entraîner jusqu'à sa chambre. De la pousser sur le lit. Nous étions seuls. J'étais le plus fort. Je la dévêtirais, je la caresserais enfin, comme je le voulais. Ma bouche s'emplissait d'une salive amère, brûlante. Mais après je savais bien — ou j'en avais si peur — que cela se produirait : je ne réussirai pas à l'aimer.

Qu'avais-je alors à imaginer des scènes violentes qui se termineraient par le ridicule ? Voilà ce que ma mère me confiait. Mon père, moi, nous ne pouvions pas leur donner ce qu'elles attendaient de nous, ce à quoi elles avaient droit, qu'elles exigeaient, qu'elles recherchaient auprès de Marc et de Robert, de tous ces hommes que ma mère ne nommait pas, mais qu'elle évoquait, jusqu'à Charles Hartman. Et que lui importait qu'il eût dénoncé mon père ? Et Lisa, qui ?

169

Vassos encore ? Pascal ? Quel autre que je ne connaissais pas, pour lequel longuement chaque matin elle se coiffait, choisissait de se glisser dans ces collants brodés, et parfois afin de la voir j'attendais plus d'une heure avant qu'elle quitte sa salle de bains, belle, pour qui ?

Que de mots pour masquer une évidence, que d'esquives l'un et l'autre, pour ne pas dire, entendre ces quelques phrases : j'ai besoin du corps d'un homme et toi tu ne m'offres plus rien. Ma mère osait d'ailleurs l'écrire, et c'est moi qui refusais de lire.

J'allumais. Je reprenais les pages jaunes, les phrases noires. Voilà ce que j'avais voulu montrer à Lisa pour qu'elle me le répète.

Mais elle me l'avait dit, déjà, elle aussi, tant de fois. Et je ne voulais pas le comprendre.

Etait-il possible que je ne sois plus que cette apparence d'homme, réduit à gesticuler, à imaginer, à me cogner impuissant contre la vitre ?

Il y eut à nouveau, venant du fond, comme portée par le vent, la voix russe, mélopée indistincte dont je ne percevais que les sonorités graves.

Peut-être aurais-je dû aller vers elle, lui dire. Je suis comme ton chat qui ne demande rien, qu'à se coucher au pied de ton lit, qu'à te frôler pour que tu lui caresses le cou. Mais il ne peut rien d'autre. Va, sors. Je t'attendrai devant la porte, comme lui.

J'entendais le sifflement de la cafetière qui couvrait peu à peu la voix. Je me rassurais. Elle ne partait donc pas.

Je me levais. J'allais franchir l'espace qui nous séparait. M'expliquer encore. Il le fallait.

Et tout à coup elle était dans l'entrée, devant moi. Elle portait sa longue veste noire dont elle avait relevé le col, cachant ainsi ses cheveux. Un chapeau enfoncé jusqu'aux sourcils masquait ses yeux. Ses pantalons étroits se cassaient sur des bottines effilées.

Elle fit un pas et, comme je ne bougeais pas, elle me repoussa. Je vis ses lèvres tracées d'un rouge sombre qui tranchait avec la pâleur de son visage. Je sentis son parfum.

Elle ouvrait la porte.

— Où vas-tu ?

Je la suivais sur le palier, mais elle n'attendait pas l'ascenseur, elle descendait l'escalier sans se retourner.

— Lisa, Lisa.

C'était l'appel que j'avais lancé en ouvrant la porte et j'aurais tant voulu que le temps recule, comme une bobine qui s'enroule, effaçant les images.

Elle s'immobilisa, se retourna.

— Tu n'as pas compris, dit-elle.

Elle avait un petit mouvement de tête, d'étonnement et de mépris. J'ai répété son nom cependant qu'elle disparaissait dans la courbe de l'escalier, qu'en me penchant j'apercevais son chapeau, sa silhouette, et que le bruit de ses talons sur le marbre s'enfonçait dans ma tête, dans mon sexe, battant à l'intérieur de moi, comme une pulsation brûlante.

J'ai couru vers la fenêtre. Je l'ai vue encore marcher au bord de la chaussée, en direction de la Porte Louise. Il fallait que je la rejoigne. J'ai crié le plus fort que j'ai pu. Elle ne s'est pas retournée. Un taxi s'arrêtait et la rue tout à coup était vide, les flaques irisées de lumière jaune.

40

Panique

Envie de briser ma tête dans un hurlement. Nausée. Sensation de gâchis, comme si ma vie était un non-sens, une chose qui m'échappe, ma voix parle sans que je la maîtrise, mes mains saisissent Lisa aux épaules sans que je les commande, et mon amour pour Lisa, mon désir d'elle, mes illusions perdurent malgré moi alors que je devrais les chasser, oublier. Je suis impuissant et lâche.

Panique.

Le vide de l'appartement s'abat sur moi, m'étrangle, serre mon sexe, l'arrache, j'ai mal et je jouis de cette douleur. Une salive âcre emplit ma bouche. Tant de ruptures déjà avec Lisa, d'incompréhension, mais celle-ci, peut-être, la dernière, celle qui me laissera seul, sans même l'espoir de l'apercevoir, d'entendre les bruits qui viennent de sa chambre, de pouvoir à nouveau tenter de la supplier, de l'apitoyer. Si elle était là, je capitulerais une nouvelle fois. J'accepterais toutes ses conditions. Ne parler que lorsqu'elle le voudra, ne l'aimer que si elle le demande. Ne rien exiger. Me soumettre à tout.

Je me soumets Lisa.

Je crie.

Le chat s'est avancé jusqu'au milieu de mon bureau où il ne vient jamais. Il s'immobilise. Je l'appelle et je m'approche mais il s'enfuit, vers la chambre de Lisa. Je le suis.

Elle a laissé la lampe du bureau allumée. Le magnétophone est toujours à la même place. J'appuie. La voix revient qui résonne dans cette chambre vide comme celle d'un oracle qui me condamne. Sur le lit, sa jupe, ses collants brodés, son tee-shirt blanc imprégné de sa sueur, de son parfum.

Fou que j'étais de ne pas m'être contenté de sa présence, de son indifférence, de son hostilité. C'était elle encore. Le chat se couche sur son tee-shirt, commence à ronronner. J'essaie de le caresser, il bondit et se glisse sous le lit. Je l'appelle, je me calme. Elle reviendra puisqu'il est là. Il faudra bien que quelqu'un le nourrisse. Je m'agenouille. Il est ma dernière chance. Je l'appelle. Je vois ses yeux, deux cercles verts hachurés de jaune. Je tends la main. Il recule. Je heurte une sacoche que je retire, que je reconnais. Je l'avais offerte à Lisa, au retour d'une réunion à Madrid, et elle l'avait longtemps portée. Le cuir fauve en était noirci.

Ne l'ouvre pas. Ne cherche pas à savoir. Laisse à l'autre son secret qui est sa liberté.

J'hésite. J'arrête le magnétophone. Silence insupportable souligné par le sifflement aigu qui tourne dans ma tête, se heurte à mes tempes, vient battre mes tympans.

Je tourne, je retourne cette sacoche.

Besoin d'agir pour que la rumeur des mots et des pensées m'envahisse. Il faut que Lisa parle en moi, je veux établir un lien avec elle, quel qu'il soit, afin de ne pas la perdre, de toucher ce qui lui appartient. La pénétrer dans ce qu'elle me cache et me refuse. Ouvrir son mystère, violer sa cachette.

Je fais jouer la serrure. Je secoue au-dessus du lit la sacoche. Un livre tombe, à couverture bistre, puis un carnet relié en cuir noir.

Le livre s'est ouvert à la page de garde. Lisa a écrit au crayon une phrase en italien que j'ai du mal à déchiffrer. Les lettres sont mal formées, elles se ressemblent comme s'il s'agissait de la répétition, à l'identique, des mêmes courbes. J'essaie de reconstituer les mots : « *Quando i miei occhi su di tè si son fermati sono stata felice.* »

Je ne comprends pas. Je devine. *Ses yeux, le bonheur, ses yeux qui voient quelqu'un et le bonheur qui l'envahit.*

J'ignore tout de l'auteur, Karl Graber. Dans ce qui doit être une notice biographique — en italique au dos de la couverture — une date, 1951, l'année de sa naissance sans doute, la même que celle de Lisa. La jaquette du livre est usée comme celle d'un ouvrage qu'on prend souvent dans la main, qu'on feuillette, qu'on relit. Les pages sont cornées. Un titre *Eros und Eva.* Lisa a tracé de fines lignes au crayon, le long de certaines pages. Mais je ne comprends pas l'allemand.

Je prends le carnet. Noir de mots, d'initiales en majuscules K.V.P. Je ne peux rien déchiffrer de ces phrases en italien où les mots sont abrégés et parfois accolés l'un à l'autre si bien qu'ils semblent former une ligne continue, ondulante.

Lisa se dérobe encore au moment où je croyais la saisir. Je n'ai rien découvert. Je n'ai pas percé ce qu'elle dissimulait. Je suis plus démuni encore. A peine un nom sans visage, un titre qui me blesse, une phrase dont je crains d'avoir deviné le sens, une date, des lettres majuscules. *K* peut-être Karl, *V* Vassos sûrement, *P,* moi ? Pascal Sergent ?

Je referme la sacoche, la glisse sous le lit. Coup de griffes du chat. J'ai trois sillons profonds et rouges sur ma main.

Je suis seul.

41

Quand mes yeux se sont posés sur toi

J'ai résisté quelques heures à ces cloisons qui lourdes de silence m'écrasaient. J'allais d'une pièce à l'autre, cherchant à leur échapper. Je prenais à nouveau la sacoche, je recopiais la phrase : « *Quando i miei occhi su di tè si son fermati sono stata felice.* » Je cherchai un dictionnaire. Ma vie dépendait de ce livre qu'il fallait que je trouve sous peine de mourir. Je fouillai dans toute la bibliothèque. Je me désespérais. J'allumai dans toutes les pièces. Je vidai les rayonnages. Et je savais, m'abandonnant pourtant à cette angoisse, ne pouvant m'interrompre, que je m'étais donné ce prétexte pour que le temps passe, sans entendre son battement. Je répétais à mi-voix : « Où est-il, mais où est-il ? » et cela m'empêchait de crier le nom de Lisa, de m'interroger, de l'attendre.

Enfin j'ai découvert ce petit volume vert à couverture souple, pris les mots un à un, reconstitué ce puzzle dont j'avais pressenti la signification : *Quand mes yeux se sont posés sur toi, j'ai été heureuse,* avait écrit Lisa.

Je regardais la phrase, au centre d'une page.

L'appartement était encore plus vide, plus menaçant d'être ainsi tout entier éclairé. J'éteignais pièce après pièce, je reculais jusqu'à mon bureau. Au centre de la lumière la phrase flamboyait. J'ai froissé la feuille, je l'ai jetée puis recherchée dans la corbeille. Je l'ai lissée, pliée, cachée. Et j'ai entendu le temps qui rongeait le silence.

Elle ne rentrerait pas cette nuit.

Le regard des femmes

J'ai composé le numéro de téléphone de Jagot, pour écouter le bruit d'une sonnerie, d'une voix familière à laquelle je ne répondais pas. Je raccrochais. J'ouvrais des dossiers. Puis je feuilletais l'annuaire et commençais à appeler les grands hôtels de Bruxelles. Je donnais son nom, j'éprouvais à le dire une sorte de jouissance, « madame Lisa Romano », « Romano-Guibert ». On me passait la réception. J'attendais. On me faisait répéter. J'espérais et me désespérais. Le temps filait.

A nouveau guetter les voitures, croire que l'une s'arrête devant l'immeuble. Se précipiter. Tenter de dormir. Se perdre dans ce labyrinthe, Hartman, mon père, Vassos, entendre les mots qu'il me lançait : « Livré, votre père, je vais écrire tout ça. » Et m'effrayer de mon indifférence.

Se lever.

Ce visage boursouflé, ces cheveux blancs en désordre, ce corps fait de replis — le tien Philippe. J'étais ça. Seulement ça.

Elle ne me tendait pas la main. Elle me laissait glisser dans le marécage. Elle avait cherché un prétexte.

J'allumais la télévision. Corps qui s'enlaçaient et dont aucun geste n'était masqué. Lèvres, sexes, voix rauques qui exigeaient le plaisir. Ce corps de l'autre qui donnait figure au monde, réalité à sa propre vie, qui rendait les choses humaines, qui prouvait qu'on n'était pas qu'un cauchemar, une illusion, mais bien une existence, ce corps, je ne le touchais plus, et j'étais un aveugle qui ne peut plus avancer, qui tend les mains et ne saisit rien.

Elle m'avait laissé les yeux crevés.

Je suis sorti.

Bruxelles est une ville où s'engouffre le vent et que raye la pluie. Les avenues y ressemblent à des fronts de mer, le long desquels je marchais, le visage fouetté par l'averse,

176

reprenant souffle à un carrefour, seul passant égaré entre les lointaines façades brillantes où se reflétaient les phares et les feux, signaux et traces qu'accompagnait le sillage bruyant de voitures.

— Taxi ?

Un visage s'offrait, une voix m'interpellait. Je m'engouffrai. Odeur de cuir et de tabac, de tissu mouillé. Qu'est-ce que je foutais là, trempé, moi, chargé de la culture, des médias et de la communication auprès de la Commission de Bruxelles, moi, Philippe Guibert, qui donnais des conférences de presse sur l'identité européenne à l'heure des satellites, moi qui me levais dans l'hémicycle du parlement de Strasbourg, pour répondre, au nom de la Commission, aux questions des députés, moi, le fils d'un homme trahi, moi, l'enfant qu'une mère accusait, moi, qui n'avais pas su vivre, moi, que la femme que j'aimais abandonnait, moi qui n'avais pas un corps à enlacer pour me prouver que j'étais encore vivant, moi, dont la jeunesse avait passé comme le vin qui coule d'un tonneau en perce, et ne restent qu'un son creux et une odeur aigre.

— Qu'est-ce qu'on fait, Monsieur ? Où on va ? On s'amuse ?

On s'amuse.

Je répétai, je ricanai. Le chauffeur, après une hésitation inquiète, riait. Qu'est-ce que je voulais ? Bruxelles c'était pas Paris, mais tout de même... Il avait la voix lente et grasseyante.

Qui de lui ou de moi a dit : bar, femmes ?

Je voulais qu'un corps m'étouffe, me redonne vie, me tue.

QUATRIÈME PARTIE

Le regard de Lisa

42

Devenir une personne

Philippe ne voulait rien savoir de moi et n'imaginait même pas ce que je ressentais. Il posait la main sur mon épaule, il se penchait sans se préoccuper de ce que je lisais. Les premières fois, j'ai essayé de lui montrer ces manuscrits, ces relations d'ambassadeurs vénitiens qui me fascinaient. Je le retenais, je traduisais. « Regarde, écoute. »

Je ne comprenais pas son indifférence, mais elle ne m'irritait pas. « Lisa, Lisa, murmurait-il, sortons. »

J'avais de la peine à m'arracher à mes livres, à quitter la bibliothèque avant l'heure de fermeture. Mais il insistait. « Il fait si beau », disait-il, alors que l'averse frappait les verrières et que la salle de lecture était plongée dans la pénombre, trouée seulement par le pointillé des abat-jour verts. Je cédais. Je rendais mes livres. Sa hâte et son désir me flattaient. J'étais jeune. Il avait déjà une longue vie qu'il me racontait par fragments, et j'étais curieuse, étonnée de ce qu'il était, français, proche du pouvoir. J'explorais une contrée inconnue.

Il me prenait par la taille quand nous traversions la cour de la Bibliothèque, la rue de Richelieu et le square Louvois. Il chuchotait qu'il avait retenu une chambre à l'hôtel qui faisait face à la bibliothèque, de l'autre côté du square.

Je n'avais pas envie de faire l'amour avec lui mais j'aimais son désir, et son plaisir me rassurait, comme la fougue juvénile — il avait à peine quarante ans alors — qu'il manifestait. Il ne se lassait pas d'admirer mon corps. Il me caressait, il m'embrassait avec avidité. J'étais passive. Je l'observais, je me voyais entre ses bras. La scène me surprenait mais je la jouais.

Il n'avait aucune des habiletés et des perspicacités de Vassos. Je ne basculais jamais dans le gouffre obscur et étroit où Vassos me précipitait sans que je puisse m'agripper, et cette chute lente, longue, m'angoissait, me terrorisait même. C'est cette peur qui m'avait fait quitter Vassos.

Avec Philippe jamais une nuit soudaine ne m'enveloppait. C'est lui qui s'enfonçait, qui criait. C'était moi, moi qui le réduisais à n'être qu'un corps couvert de sueur, haletant, épuisé. Je prenais avec lui ma revanche sur Vassos et je jouissais d'orgueil, j'étais fière de ne pas être soumise au désir, de ne pas le subir.

Les premiers temps avec lui, à ce moment-là de ma vie, cela me suffit.

Plus tard, j'en voulus à Philippe d'être dupe, de ne pas comprendre que je ne partageais rien de ce qu'il éprouvait, de ne pas savoir me contraindre à renoncer à mon rôle, à ma réserve, de ne pas sentir que les gestes, même les plus osés que je faisais, je les mimais sans vraiment les vivre. Je lui reprochais de ne pas avoir deviné que j'avais désormais d'autres exigences. Je ne craignais plus de me perdre. J'avais écrit, publié. J'étais reconnue. J'étais devenue moi. Et je connaissais Philippe trop bien. Mais il lui était commode de ne pas voir, de se contenter de m'utiliser alors que je voulais qu'il me poussât dans le gouffre, que je voulais à nouveau avoir le souffle coupé par l'anxiété et l'attente du plaisir. Et comme il s'obstinait à ne penser qu'à lui, et peut-être lui avais-je fait croire que cela me suffisait, je n'ai plus pu faire les gestes qu'il attendait de moi, que j'avais faits et auxquels je ne pouvais plus me contraindre.

Il s'approchait de moi, essayait de m'enlacer, de m'embrasser sur la bouche, et je me raidissais, je serrais les dents. Sa langue n'était qu'un morceau de chair chaud, gluant, humide, dont le contact me donnait envie de vomir. Comment aurais-je pu l'accepter en moi? Philippe ne comprenait pas. Il s'obstinait. Je ne cédais pas, je ne pouvais pas céder. Je ne décidais rien. Mon corps choisissait pour moi et j'en étais surprise.

Je me souvenais de moments de tendresse, presque de passion que j'avais partagés avec lui. A Venise, à la mort de mon père, son corps m'avait rassurée, son désir m'avait protégée du désespoir. Je les avais recherchés et c'est à ce moment-là que j'avais décidé de vivre avec lui, de l'épouser ce que, jusqu'alors, je n'avais même pas imaginé. Etait-ce ma faute si, sans que je le veuille, ce corps m'était devenu insupportable?

Je le sentais comme une présence hostile. Il me guettait. Il tentait de se saisir de moi. J'étais une proie dont il se repaissait. Moins j'acceptais de faire l'amour et plus Philippe me désirait, n'avait plus que cette obsession.

Parfois par lassitude, par une sorte de sentiment de justice aussi — je vivais avec lui, j'étais son épouse, je lui devais cela —, je le laissais m'aimer. Mais je me le reprochais. Je subissais ses caresses, je n'y répondais pas. Je voulais qu'il en finisse vite. Je me dissociais, je sortais de moi, je lui abandonnais ce bas du ventre et je me dégageais de lui, aussitôt, m'enfermant dans la salle de bains, et l'eau dont je m'inondais, rendait à mon corps son unité, son intégrité.

J'essayais d'analyser pourquoi nous étions parvenus à ce point, lui et moi insatisfaits. Je devinais ses reproches, j'affrontais sa colère. Et même après l'amour que je lui accordais, il m'en voulait. « Tu n'étais pas comme ça, disait-il. Ce n'est plus possible Lisa, plus possible. »

Je n'avais rien à lui répondre, sinon que je n'avais plus envie de participer à ce jeu, avec lui. Fallait-il que nous nous séparions, que nous divorcions ? Soit. S'il le voulait. Mais il se récriait. Il désirait encore, toujours, vivre avec moi. Il m'acceptait telle que j'étais. Il reconnaissait ma liberté. Il ne pouvait rien m'imposer. Il me demandait seulement de le comprendre. Il avait envie de moi. Un couple, n'était-ce pas d'abord le désir de l'un pour l'autre ? « Tu ne me désires plus », disait-il.

Pouvais-je lui répondre que je ne l'avais jamais désiré vraiment ? Qu'au moment de ma vie où il m'avait rencontrée cela avait peu d'importance pour moi. Je n'avais pas encore conscience de ce que j'étais. C'est comme si les limites de mon corps, de ma personne, n'avaient pas été clairement tracées. Le désir de Philippe m'avait aidée à les dessiner, à les faire surgir. Je m'étais reconnue peu à peu, grâce à lui, à l'amour qu'il portait à mon corps et qui me laissait la tête libre, les yeux ouverts.

Pouvais-je lui avouer qu'il avait été commode pour moi de ne pas le désirer dans cette période où j'avais tant de mal à devenir une personne, à vivre avec la maladie de mon père, à me forger une identité qui soit à moi ?

Je l'avais rencontré peu après mon arrivée à Paris. J'avais décidé de quitter Venise afin de rompre avec Vassos. Mon père l'avait compris. Je n'avais rien eu à lui expliquer. Nous nous étions promenés dans notre jardin de la Giudecca, en nous tenant par la main. Il marchait à pas si lents qu'il me fallait m'arrêter, me tourner vers lui, qui avait le souffle court et se caressait la poitrine de la main gauche comme s'il avait pu ainsi s'aider à respirer. J'avais répété, deux ou trois fois, à mi-voix : « Crois-moi, papa, il faut que je parte. Ici, pour moi... » et je secouais la tête. Il savait que je vivais avec Vassos, Riva degli Schiavoni. Je l'avais moi-même avoué, sûre que Paolo ou ma mère l'aurait appris. « S'il le faut, tu es jeune », avait-il dit.

C'est lui qui avait annoncé mon départ à ma mère.

Il avait tenu à m'accompagner jusqu'à l'aéroport et nous avions fait le trajet serrés l'un contre l'autre dans la vedette qui soulevait des gerbes d'écume grise, déchirait la mer et le brouillard. Il n'avait pas bougé quand nous avions accosté. « Reviens, si je meurs », avait-il dit, puis comme je pleurni-chais, petite fille, il m'avait d'un geste demandé de partir, de sauter sur le quai.

Je m'étais installée à la Cité universitaire et chaque jour je me rendais à la Bibliothèque nationale, arrivant parmi les premiers, quand la salle est encore vide et résonne comme une chambre d'écho, partant parmi les derniers dans le froissement des bavardages. Je ne m'accordais que quelques minutes de distraction, marchant sous les galeries du Palais-Royal ou déjeunant d'un sandwich, quand le temps était beau, assise près d'une fontaine, les yeux mi-clos, comme une convalescente, et je l'étais. Puis je fumais une cigarette avant de rentrer. Philippe, avec une obstination souriante, m'avait accompagnée plusieurs fois jusqu'à la Bibliothèque, m'attendant au Palais-Royal et, peu à peu, je cédais, échangeant quelques mots, acceptant de déjeuner avec lui, puis de dîner, le suivant dans son bureau du ministère des Finances, rue de Rivoli. Les huissiers se levaient, le saluaient d'une inclinaison de tête. « Je suis quelqu'un d'important », disait-il en riant. Le directeur de cabinet du ministre l'appelait au téléphone. « Vous m'attendez ? Je vais chez le ministre », murmurait-il.

Le décor d'une pièce inconnue se mettait en place et je pouvais y tenir un rôle. J'acceptais de passer un week-end avec Philippe, à Deauville. Mise en scène convenue, marées, vent, pluie, hôtel du bord de mer, lustres de cristal immenses et salle à manger d'un autre siècle. J'observais Philippe. C'était donc ainsi un haut fonctionnaire français. Il paraissait fort épris de moi. Je le vis chaque jour. Il ne me dérangeait pas. Je refusais encore de vivre avec lui, mais je m'habituais à cette idée. Et à la fin je cédais. C'était commode. Et je l'aimais bien.

Mon avenir ? Il essayait de le mêler au sien.

Quand on lui avait proposé d'entrer au cabinet de Delmas, le ministre des Affaires européennes, j'avais refusé de donner mon avis qu'il sollicitait pourtant. Et cela aurait dû l'alerter. Je n'étais pas avec lui comme il le souhaitait, comme il le croyait, faisant corps avec son corps, ma vie partie de la sienne.

Peut-être pensait-il cela parce que, sans duplicité, par facilité, je le lui donnais à croire quand il m'aimait. Je tenais un rôle, spontanée, inventais mes répliques. Sincère. Mais ce n'était pourtant qu'un jeu de scène. Philippe me restait extérieur, ce qui rendait ma vie possible avec lui et non avec Vassos qui avait pénétré, envahi, saccagé toute ma personne au moment même où j'essayais de la construire. Voilà pourquoi je l'avais fui.

Philippe n'avait pas compris, trop occupé de lui-même, si fanfaron. Il me serrait dans ses bras. Je le faisais jouir. Il imaginait donc que je jouissais comme lui, que j'avais avec son corps le même rapport qu'il avait avec le mien. Je ne le niais pas alors que j'étais simplement avec lui sur scène, lui donnant le change, disant mon rôle et réussissant, parce que je le savais par cœur, d'instinct, à penser à autre chose, à devenir, à côté de lui, une autre personne que celle qu'il avait rencontrée, qu'il imaginait posséder.

Il répétait souvent, cependant qu'il m'aimait : « Tu es à

moi, Lisa, à moi. » Je le laissais dire. Cela me faisait sourire, m'excitait même. Moi, à lui ? Son illusion renforçait ma détermination de rester hors de lui, de le tenir à distance. En s'imaginant que j'étais « sienne » — comme il disait ! — il m'aidait à être moi, à savoir qui j'étais, ce que je voulais.

S'il avait été capable, comme Vassos, de me bouleverser, de se servir de mon corps pour me dominer, alors peut-être eût-il réussi.

Mais je vivais précisément avec lui parce qu'il n'en était pas capable.

Et cela il ne le savait pas, il ne l'imaginait pas.

J'avais donc pouvoir sur lui et je croyais demeurer libre de mes décisions, capable, comme je l'avais été avec Vassos, de rompre en une phrase. J'oubliais les pièges de la lâcheté, du désarroi, du désespoir, de l'habitude. La peur de la solitude aussi. Je ne mesurais pas la blessure que représenterait pour moi la mort de mon père. Je vivais pourtant avec l'idée de sa disparition. Mais j'entendais sa voix, chaque jour. Je le voyais assis près du téléphone, attendant mon appel. Je lui téléphonais, tard, le soir, sachant qu'il ne dormait pas. Je lui parlais de mes recherches, de ce manuscrit de Francesco Dolfin dont j'avais découvert la trace, dont je lui lisais des passages. « Très bien, très bien », disait-il. Il me donnait une référence, une idée. « Tu vis comment, me demandait-il parfois, tu as une bonne voix. » Je répondais joyeusement. Philippe regardait la télévision dans la pièce voisine. Je fumais une cigarette. La fenêtre était ouverte et la rue Henri-Barbusse déserte à cette heure, aussi calme qu'une ruelle de Venise. « Envoie-moi tes premières pages, promets-le-moi et fais vite. »

Entre nous cette conversation était devenue un rite. Je me couchais, apaisée. Philippe me rejoignait, m'aimait et s'endormait. Je lisais encore. Je parcourais les fortifications de Byzance, je m'enfuyais avec le bateau des Vénitiens, je réussissais à franchir le blocus des navires turcs. Je reconsti-

187

tuais la vie de ce Francesco Dolfin. Je n'étais pas malheureuse.

Puis il est mort. Et je me suis retrouvée avec Philippe devant notre maison de la Giudecca, incapable d'y rentrer, de rencontrer ma mère, mon frère, de revoir les lieux où il avait été vivant. J'ai fui. J'ai eu besoin de Philippe, de sa voix, de son bras, de sa chaleur la nuit, de son désir, de son sexe en moi, pour me convaincre que je vivais, que je serais capable de survivre à mon père. J'ai eu peur de ne plus pouvoir continuer, ce vide devant moi. A quoi bon Dolfin, Venise, Florence, Constantinople, quel sens à tout cela ? Je sanglotais, je tremblais. Les livres me donnaient la nausée. Pourquoi m'étais-je séparée de lui ? Pourquoi n'avais-je pas passé toute ma vie à lui tenir la main, à parler avec lui, à l'écouter respirer, à l'aider à mourir, à le consoler de cette vie qu'il n'avait pas aimée, je le savais, des audaces qu'il n'avait pas eues, à chasser les regrets qui voilaient ses yeux. Mais il était mort, et ma mère, debout, vêtue de noir, gardait la maison.

Philippe n'avait guère osé jusque-là me parler de mariage, ni même du futur de nos relations. Chaque fois qu'il avait essayé je l'avais interrompu avec une violence qui me surprenait et l'étonnait. « Bien, bien, nous sommes ensemble, c'est ce qui compte pour moi », disait-il. Et l'eau se refermait, les rides s'effaçaient, mais je savais que l'idée même d'un avenir clairement dessiné avec Philippe me glaçait. Parfois je restais seule dans son appartement de la rue Henri-Barbusse. Je parcourais les autres petites pièces, je me heurtais aux meubles, puis je me réfugiais dans la cuisine. Je me préparais un café et je me calmais. Je pouvais quitter Philippe quand je le voulais. Cet appartement n'était pas une prison. Je n'y vivrai plus longtemps. La pensée que j'aurais dû demeurer là, avec lui, des années encore, m'écrasait comme une dalle de marbre qui ferme un tombeau.

Et c'est, maintenant je le comprends, parce que mon père était mort, que j'avais vu glisser sur son cercueil la pierre de notre caveau familial, que j'avais, moi, parlé à Philippe de notre mariage. Nous revenions du cimetière seuls dans une vedette. J'avais refusé de raccompagner ma mère et mon frère à l'île de la Giudecca. Je m'appuyais à Philippe, je lui tenais la main. Quand nous nous sommes retrouvés dans la chambre de l'hôtel — non loin de là j'avais vécu avec Vassos et peut-être aussi ce souvenir me troublait-il — j'ai sangloté. Philippe m'a serrée contre lui et j'ai aimé la force — la ferveur presque — avec laquelle il m'entourait, embrassant mes cheveux, mes yeux. Comment pouvais-je vivre encore maintenant qu'il était mort ? Que je ne l'entendrais plus ? Je n'avais plus rien à espérer, à vouloir. Il fallait que j'en finisse avec ma vie, avec mes désirs. J'ai dit à Philippe : « Epouse-moi, marions-nous vite. » Il me caressait, il s'agenouillait, il m'enlaçait. Il disait : « Je serai toujours là, je te protégerai Lisa, tu peux me faire confiance, me demander tout ce que tu veux, je suis là, je suis là. »

Quand je réentends sa voix, doucereuse, humble, j'ai la nausée. J'ai honte d'avoir suscité, accepté cette attitude, ce ton, de m'être effondrée, d'avoir recherché, tout de suite, à n'importe quel prix, à me rassurer. Je mêlais ainsi peur et volonté de sacrifice, lâcheté et désespoir. Je voulais vivre et je voulais mourir. Philippe était là, avec moi, et n'importe qui peut-être eût pu tenir ce rôle.

Nous sommes rentrés à Paris et je me suis enfermée rue Henri-Barbusse. Je ne pouvais plus me rendre à la Bibliothèque nationale. A quoi bon ? Je mesurais à quel point mon père avait été à l'origine de mes recherches. Il me questionnait, il m'orientait, il me demandait une référence. Il contestait mes analyses. A qui pouvais-je lire désormais ce que j'écrivais ? Avec qui parler dans ma langue de cette histoire de Venise et de Florence, de l'espion du doge auprès des Médicis, des supplices que les Turcs infligeaient à leurs captifs et de ce Francesco Dolfin, qui à cinq siècles de distance me fascinait ? La mort de mon père frappait d'inutilité mes efforts. Tout était donc précaire, vain, puisqu'il était mort. Oui, à quoi bon ?

Je restais allongée. Je regardais la télévision. J'étais accablée. Etait-ce le souvenir ou bien l'engagement qu'il me semblait avoir pris, de renoncer à la liberté, à tout projet, de vivre avec Philippe ?

Je l'attendais. Il faisait alors partie du cabinet de Delmas. Il rentrait tard, les bras chargés de dossiers. Cette attente m'humiliait mais elle était comme le sacrifice expiatoire que je faisais à mon père. Je devais souffrir, m'abêtir, me marier. J'étais comme ces femmes qui après un deuil se retirent du monde.

Philippe se précipitait dans la chambre : « Mon amour, mon amour, ma chérie, veux-tu dîner ? » Il me servait. Il s'allongeait près de moi. Il ouvrait ses dossiers, m'expliquait la rivalité qui opposait le Premier ministre à Delmas. Je hochais la tête. C'était donc ça un gouvernement. Je me méprisais de me taire, de faire mine de l'approuver, de m'intéresser à ces récits. Mais il était si sûr de lui depuis que j'avais accepté de l'épouser qu'il ne soupçonnait rien de ma duplicité. Je crois que cette période fut la plus heureuse de sa vie avec moi. J'étais diminuée, recluse volontaire, soumise, je ne le menaçais plus et il m'aimait avec une sorte de frénésie, de voracité, comme si mon immobilité accueillante l'excitait. « Je t'aime, je t'aime Lisa », répétait-il.

Je signais les papiers qu'il me présentait en vue de notre mariage. Je ne les lisais même pas. Que m'importait ? Je mourrais. Allais-je me soucier des détails de l'enterrement ?

La cérémonie, un samedi matin — le temps était éclatant, froid et ensoleillé —, fut brève. Les témoins, des amis de Philippe, Jeanne et Vincent, qui arrivaient de Vernes, un village proche de Montpellier, me regardaient avec cette bienveillance compatissante, insupportable, que les sages adultes ont pour les adolescents turbulents ou malades. Je ne disais rien pourtant, mais ils devinaient peut-être que je haïssais leur sourire, leur enthousiasme de commande. « C'est merveilleux, Philippe, disait Jeanne, quel temps superbe ! »

Sur la place du Panthéon devant la mairie, elle me prenait le bras. « Un signe de bonheur, Lisa, vous ne trouvez pas ? »

Je m'éloignais, marchant seule devant eux trois, me sentant, me voyant si différente, jeune, étrangère.

Philippe avait retenu une table dans un restaurant d'où l'on apercevait la façade de l'église Saint-Etienne-du-Mont et durant tout le déjeuner, les yeux fixés sur les motifs architecturaux, les sculptures, je me forçais à en décrypter le sens.

« Ça ne va pas », chuchotait Philippe. Je ne répondais pas. C'était comme si, le sacrifice ayant été accompli, je redevenais moi. J'avais été jusqu'au bout et je me découvrais vivante encore, hostile à ce couple vieillissant, dont l'entente tranquille, la complicité, le conformisme, leur suffisance de Français, me révoltaient.

Etait-ce cela mon avenir ? J'en aurais hurlé. Et cette colère me libérait, me rendait le goût de l'indépendance alors que je venais de signer les registres de la mairie.

— Demain, ai-je dit à Philippe comme nous sortions du restaurant, je retourne à la Bibliothèque nationale.

— Vous êtes médiéviste ? demanda Vincent.

Jeanne s'enquit du nom de mon patron de thèse, de mon sujet.

— Je travaille pour le plaisir, ai-je dit.

C'était faux. J'avais des projets universitaires précis. Mais je devais me prouver que j'étais à nouveau capable de me révolter.

Le soir, celui de mon mariage, j'ai refusé de faire l'amour avec Philippe.

Il ne comprenait pas. Il m'interrogeait avec anxiété et je lisais le désarroi dans ses yeux. Malgré moi, avec des remords, j'en éprouvais de la joie, je jubilais comme si je voulais lui faire payer ma longue soumission, me venger des illusions qu'il avait pu se faire durant plus de trois mois et je voulais reconquérir d'un seul coup, en quelques heures, ma liberté d'avant, et même aller au-delà.

Il s'approchait de moi : « Mais Lisa, qu'as-tu ? Qu'ai-je fait ? Explique-toi, vraiment... »

Je le dévisageais. Je le voyais comme je ne l'avais jamais vu. Le visage gras, la peau jaune, des rides autour des yeux, le cou empâté. Je me détournais : « Rien, rien », répondais-je excédée et je l'étais.

Je l'accusais de mon abdication et je me reprochais ma lâcheté, ce mariage que j'avais suggéré, accepté même. Il fallait que je me prouve, que je lui fasse découvrir que je n'étais en rien liée à lui, qu'à tout instant je pouvais rompre, partir.

Il s'asseyait sur le bord du lit, la tête baissée, le visage dans les mains. Il était accablé, désemparé. « Mais ce mariage, murmurait-il, quel est le sens de tout cela ? »

Il levait la tête vers moi, les yeux remplis de larmes, une grimace comme celle que font les enfants.

Tout à coup il me désespérait. Je me sentais coupable. Je m'étais servie de lui, de sa présence pour me rassurer, de ce mariage pour me punir et parce que la solitude m'effrayait, qu'après la mort de mon père j'avais eu besoin d'être liée à un homme. Et Philippe s'était trouvé là. Maintenant, la mauvaise passe franchie, je le rejetais. Je n'en avais pas le droit. On ne jouait pas ainsi avec les sentiments d'un être humain. Je ne voulais pas être ce monstre d'égoïsme dont ma mère parlait, nous accusant mon père et moi de ne pas la voir, de la rejeter, de rester entre nous avec nos ambitions, notre orgueil, notre passion commune pour l'histoire, notre mépris pour les autres, pour elle. « Toi et ton père, vous n'aimez personne », disait-elle.

Je prenais la tête de Philippe entre mes mains, je voulais qu'il devine mes raisons, le sens de mes comportements, je voulais qu'il m'aide, que je n'aie rien à lui avouer et qu'il se contente de ce que j'étais, une personne divisée, déchirée.

J'appuyais son visage contre mon ventre. « Philippe, Philippe, je t'en prie, pas de drame, tout va bien. » Je murmurais, je lui caressais les cheveux, sa calvitie m'émouvait. Il était un homme faible. J'étais la plus forte parce que la plus lucide. J'étais fière d'être une femme.

Il m'entourait les hanches de ses bras, il m'embrassait le sexe, il répétait : « Lisa, Lisa. » Il voulait que je me couche, bien sûr. Je cédais.

Quel ennui ! quelle misère ! quelle dérision ! Il lui fallait cela, mon corps sous le sien, son sexe dans le mien pour se rassurer, croire me dominer, retrouver son rôle et ma soumission. Pauvre Philippe, pauvre type.

Je ne sentais rien que son poids qui m'écrasait, sa bouche qui cherchait la mienne et je tournais la tête. J'entendais son cri et je repoussais son corps.

Il reprenait son souffle. « Lisa, Lisa, disait-il, je t'aime. »

Je préférais ne pas répondre. Je m'enfermais dans la salle de bains.

Allais-je vivre ainsi tout le reste de ma vie ?

Le regard des femmes

Je garde des jours qui ont suivi l'impression d'une longue attente.

J'étais assise dans la salle de lecture de la Bibliothèque nationale. Je ne lisais pas. J'avais posé mes mains à plat sur les livres ouverts, pour les sentir, me rassurer à leur contact. J'étais comme un voyageur qui s'est éloigné d'une ville et l'aperçoit d'une hauteur, dans toute son étendue, pour la première fois. J'avais cru durant tous ces mois d'absence, de désespoir, de renoncement, oublier ce que je voulais, perdre ce goût que j'avais pour ces hommes et ces femmes que je voyais surgir des manuscrits, des tableaux, des récits et qui peuplaient peu à peu une partie de ma vie, peut-être celle qui comptait le plus. Or, je découvrais que ma passion était entière, avivée même et que les connaissances que j'avais acquises s'étaient d'elles-mêmes mises en place. Tout ce qui était confus s'était ordonné. Je savais ce que je voulais écrire, quels axes je devais parcourir d'abord, quelles recherches entreprendre. J'étais sûre de moi. Je retrouvais le désir. J'irais jusqu'au bout. Pour mon père mort pour moi. C'était ma tâche. Je l'accomplirais.

Je ne lisais pas parce que je n'avais pas à me hâter. Je prenais la mesure de ce que j'avais à faire, des obstacles qu'il me faudrait franchir. Et je pensais donc à Philippe. Je démêlais les raisons obscures qui m'avaient fait accepter de vivre avec lui, de l'épouser. Il n'était pas, il n'avait jamais été, il ne pouvait pas être — et je ne voulais pas qu'il fût ou devienne — l'essentiel de ma vie. Je ne pouvais continuer de vivre avec lui que si je le cantonnais à son rôle de compagnon, de partenaire. Mais il fallait qu'il respecte ma liberté.

J'ai pensé cela moins clairement que je l'écris.

J'étais en fait, durant ces jours où je reprenais pied, partagée entre des envies contradictoires.

Je voulais quitter Philippe pour être sûre qu'il ne me gêne pas.

194

Je partis pour Venise sans le prévenir.

J'avais, dans l'avion, une sensation d'euphorie. Enfin seule, enfin je rentrais chez moi. Dans la vedette qui me conduisait à la Giudecca, mon exaltation tombait. Je n'étais plus chez moi ici. Mon père était ma patrie. Il était mort.

Ma mère pleurait en me voyant. Paolo et ma belle-sœur Béatrice occupaient le premier étage de notre maison.

Ils étaient chez eux. Où étais-je ?

J'appelai Philippe. Il restait, malgré tout, mon seul point de repère.

« Comment est ton mari, je voudrais le voir », disait Paolo. « Il est si vieux que ça, que tu n'oses pas nous le présenter ? Si emmerdant ce barbon ? »

J'avais envie de défendre Philippe. Je me sentais solidaire de lui. Il était une partie de moi et cette découverte me tourmentait et m'apaisait. Je n'étais pas seule.

Au téléphone, il était affolé et j'étais émue en entendant sa voix : « Lisa, Lisa, mais où es-tu, qu'est-ce qu'il y a ? »

Il me suppliait, s'emportait, raccrochait, me rappelait, redevenait humble, quémandait : « Il faut que tu rentres, répétait-il, que puis-je faire sans toi, ce n'est pas possible Lisa. »

Il m'ennuyait et je m'épanouissais en l'écoutant. Je prenais conscience de ma force. Je pouvais lui imposer sa manière de vivre alors même que je découvrais que je ne pouvais plus vivre ici, à Venise, dans la maison de mon père, qui était devenue celle de ma mère, de Paolo et de Béatrice.

Je n'étais plus Lisa Romano, mais Lisa Romano-Guibert, cela s'était fait non pas malgré moi mais sans que je mesure le chemin que je parcourais. J'étais autre et près de moi il y avait Philippe, mon mari.

Etrange.

Je suis rentrée à Paris le lendemain.

L'appartement de la rue Henri-Barbusse était plein de fleurs. C'était chez moi. Fallait-il éprouver de la passion pour vivre avec quelqu'un ?

J'ouvrais ma valise, je plaçais mon tailleur, mes chemisiers sur les cintres, je prenais un bain. J'allumais une cigarette. C'était cela vivre avec quelqu'un. Puisque c'était Philippe, pourquoi pas Philippe ?

Il claquait la porte d'entrée. Il criait : « Lisa, Lisa. » Je ne répondais pas. J'entendais ses pas. Il approchait. « Lisa ? »

Il était devant moi. Et — les choses devenaient moins simples que je les avais imaginées — son corps lourd encombrait la salle de bains. J'étouffais déjà. Il se penchait au-dessus de la baignoire, il cherchait à m'embrasser. « Je suis mouillée, Philippe, tu vois bien. »

J'exigeais qu'il sorte.

Il m'attendait dans la chambre, m'enlaçait, « Tu es là, tu es là », répétait-il.

L'ennui.

J'acceptais cependant. De la mort de mon père était née une personne adulte qui savait faire la part des choses.

43

Un acte de liberté

La mère de Philippe fut la seule à comprendre ce que j'éprouvais.

J'avais été attirée, dès notre première rencontre, par cette femme, grande, au visage fardé, aux cheveux teints, qui portait une robe aux couleurs vives — un tissu imprimé, fleurs rouges sur fond bleu roi ! —, des chaussures à talons hauts et refusait ainsi toutes les discrétions de la vieillesse, proclamant la liberté d'être comme bon lui semblait. Sa bouche aux lèvres larges dessinées par le maquillage, son regard brillant qui ne se dérobait pas m'avaient frappée. Cette femme était si différente de son fils, ma surprise si forte que je ne pus m'empêcher de lui faire part de mon étonnement dès que je lui parlai. « Vous ne ressemblez pas du tout à Philippe, commençai-je, vous êtes... »

Elle prit mon bras, m'entraîna hors de la maison, sur la terrasse. On apercevait la mer, les falaises de rochers rouges, ce paysage qui gardait, malgré les nombreuses constructions qui, comme des trous blancs, crevaient l'oliveraie, une force à la fois paisible et sauvage que rien ne semblait pouvoir entamer.

— C'est beau, n'est-ce pas ?

Elle me demandait de l'appeler Mireille. « Maman ou mamy, vous ne pourriez pas et moi non plus, alors... » — puis, penchée vers moi, elle murmura : « Je me demande si c'est mon fils et lui se demande si je suis vraiment sa mère... »

Je sentis le regard de Philippe. Il nous observait depuis la maison et, quand je me retournai, il s'effaça comme quelqu'un surpris alors qu'il espionne. Quelques minutes plus tard il vint nous rejoindre, apportant mon sac et ma veste. Nous devions partir, disait-il, rentrer à Saint-Véran.

Nous habitions un hôtel sur la place de ce petit port.

Nous ne vivions pas encore ensemble mais nous avions déjà pris l'habitude de quitter Paris souvent et nous nous installions pour deux ou trois jours dans des auberges de l'Ile-de-France ou de Normandie. Après quelques hésitations, j'avais accepté de séjourner près d'une semaine à Saint-Véran mais j'ignorais que ce port méditerranéen se trouvait à moins de cinquante kilomètres de Forgues, le village où habitait la mère de Philippe. Je l'avais découvert en feuilletant le guide, dans la chambre de l'hôtel. Forgues ? Je connaissais ce nom. Et Philippe, comme à regret, m'avouait que, en effet, sa maison familiale, sa mère n'étaient qu'à une heure de route.

« Tu me les caches ? » Je ne tenais pas à rencontrer sa mère mais par jeu je le provoquais et, peu à peu, ses refus piquaient ma curiosité. Je jouais les offensées. Il me dissimulait. Il avait honte. C'était un répertoire si classique que je le récitais sans l'avoir jamais appris, avec une conviction d'autant plus forte qu'elle était feinte.

A la fin — et à mon grand étonnement car la pièce avait été trop longue et son dénouement ne m'intéressait plus — Philippe céda. Il m'avertit : sa mère était agressive, jalouse, méchante même. Elle chercherait à me blesser. Elle parlerait de Charlotte et de Marie, qu'elle avait connues, qui avaient habité à Forgues. « Tant mieux, tant mieux, Philippe, je saurai qui tu es. » Son inquiétude m'amusait.

Puis je vis Mireille Guibert et nous devînmes, je crois, amies, si bien que j'insistai pour que nous habitions à Forgues chaque fois que nous séjournerions dans le sud de la France, ce que nous fîmes à plusieurs reprises.

Dès notre arrivée, j'abandonnais Philippe pour sa mère. J'aimais l'écouter. Je découvrais une vie de femme. Nous nous installions sous la tonnelle, devant la maison. Je préparais le café ou le thé. L'air était immobile. Les abeilles butinaient les gros massifs de lavande qui entouraient la terrasse et parfois l'une d'elles venait bourdonner autour de nous. « Ne bougez pas, disait Mireille, elle se lassera. »

Nous nous taisions, comme lorsque Philippe s'approchait, nous regardant l'une et l'autre.

« Vous en avez des choses à vous dire », murmurait-il, puis, comme nous ne répondions pas, il s'éloignait.

L'abeille aussi, après sa reconnaissance, rejoignait les lavandes.

« Vous voyez, disait Mireille, il suffit d'attendre. »

Elle prenait une cigarette avec un rire de gorge.

« Avec vous, je retrouve tous mes vices — elle hochait la tête — enfin, presque tous », ajoutait-elle.

Elle aspirait puis rejetait lentement la fumée, le visage levé, suivant des yeux les volutes avec une pose affectée, puis sans me regarder, elle m'interrogeait : « Est-ce que je vous ai déjà raconté... »

Avant même de savoir ce qu'allait être son récit, je répondais non. Je voulais qu'elle parle et les rares fois où elle reprit un épisode que j'avais déjà entendu, elle le fit de telle manière, ajoutant de nouveaux détails, que l'intérêt fut pour moi aussi grand.

Ma mère ne m'avait jamais rien dit de sa vie. J'avais dû inventer ma vie de femme, avec ces drôles d'expériences que sont les livres. J'avais lu Moravia, Beauvoir, Stendhal, Elsa Morante, tant d'autres romans, et j'avais découvert toutes ces existences enfouies, ces femmes oubliées qui avaient fait la grandeur, la beauté des villes italiennes du xve siècle. La bibliothèque de mon père envahissait toute la maison. Les livres couvraient peu à peu les murs de toutes les chambres et des couloirs. On en trouvait entassés sur les marches de l'escalier et ma mère menait contre eux un combat qu'elle ne put gagner qu'à la mort de mon père. Tant qu'il vécut, elle se contenta de les maudire. « Vos livres, vos livres... », lançait-elle contre lui et moi, et quand j'étais seule avec elle dans une pièce, elle m'accablait : « Toi et ton père... », commençait-elle toujours.

Je ne sais que cela d'elle, cette hargne contre mon père, contre moi qui avais pris son parti, choisi d'étudier l'histoire comme lui — et ma mère avait reçu ma décision comme une déclaration de guerre — peut-être pour être plus proche de lui encore. J'avais suivi ses cours, lu ses livres, décidé d'être moi aussi une spécialiste de l'histoire médiévale. Ma mère ricanait : « Pour une femme... », disait-elle. Qu'avais-je à faire dans la poussière des archives ? Encore aujourd'hui je ne veux pas imaginer les raisons de son attitude. Je suis partiale, mais je n'étais qu'une enfant, issue d'elle, et si elle n'a pas su faire de moi son alliée, suis-je coupable ?

Je la cherchais et je la trahissais en écoutant Mireille Guibert et celle-ci, à travers moi, tout en le dénonçant, essayait de parler à Philippe, avec qui, m'avouait-elle, elle n'avait jamais rien partagé.

« Si j'avais eu une fille, comme vous... », murmurait-elle parfois, puis elle haussait les épaules, souriait, « Qui sait ? » Elle semblait se souvenir : « Vous verrez, un accouchement, c'est une blessure, on déchire, tout le monde a mal ».

Elle me tentait.

C'était le temps où je dormais à côté de Philippe et où j'acceptais — j'aimais aussi — qu'il me fît l'amour, même si je n'étais qu'une spectatrice conviée à tenir un rôle secondaire, ce à quoi je me prêtais encore de bonne grâce.

200

Deux ou trois fois, pas plus pourtant, poussant les volets, découvrant ce paysage que le soleil, surgi de la brume, au-dessus de la mer, éblouissait, je dis, d'abord pour moi : « Un enfant ici, il serait heureux. » La lumière faisait exploser la vie. J'étais contrainte de fermer les yeux et même ainsi ce n'était pas la nuit, mais une chaude lueur rouge sombre. « Un enfant, oui, dans ce soleil... »

Mon sang battait au creux du ventre comme un second cœur. Philippe s'approchait, me prenait la taille. Avait-il entendu ? Il m'embrassait dans le cou. Peut-être n'avais-je même pas parlé à haute voix, mais à l'intérieur de moi.

Il me semblait qu'il aurait dû deviner, percevoir, dire lui aussi que ce soleil était un appel à la vie, incandescente, issue de la mer. Mais Philippe n'avait peut-être pas fini de naître lui-même et il se contentait de me caresser les seins, de vouloir à nouveau faire l'amour. Pour lui seulement, avec la certitude que rien ne naîtrait de cette étreinte, sinon le plaisir. Et j'en avais si peu.

Je l'entraînais, je quittais la chambre, nous entrions dans la cuisine où Mireille Guibert nous attendait et nous dévisageait, curieuse et perspicace.

Elle ne me posait aucune question au sujet de Philippe, comme si elle se désintéressait de lui, et je ne lui faisais aucune confidence. Mais je savais qu'elle devinait toujours l'état de nos relations.

Quand, après quelques années et alors que nous venions de nous marier, c'était le paradoxe, je décidai de faire chambre à part, je n'eus même pas à le lui expliquer. J'avais à peine commencé à lui dire que la chaleur, la nuit, était étouffante, qu'elle m'interrompait. « Vous pouvez dormir en bas, Lisa, disait-elle, la chambre est toujours fraîche et j'ai fait préparer le lit, si vous voulez... »

Le soir même je m'installais au rez-de-chaussée laissant

Le regard des femmes

Philippe seul, au dernier étage de la maison, l'obligeant quand il voulait me rejoindre à traverser le salon où, jusqu'à très tard la nuit, se tenait sa mère.

Souvent je restais avec elle, nous lisions côte à côte ou bien nous regardions un film à la télévision. Philippe, debout sur le seuil du salon, nous observait, tentait d'attirer mon attention. Sa mère d'une voix douce lui proposait une tasse de tisane. Il maugréait. Il lançait un « bonne nuit » plein de hargne. Nous répondions d'un ton tranquille, complices elle et moi. Il claquait la porte de sa chambre et, dans le silence de la campagne, c'était comme une détonation qui fendait la nuit, sèche et violente.

— Vous êtes bien en bas, me demandait Mireille ?

— Très bien.

C'était tout.

Elle se levait, fermait la porte du salon puis, après un long moment, elle commençait à me parler de Georges, le père de Philippe.

« Je vous ennuie, Lisa » disait-elle tout à coup, s'interrompant au milieu d'une phrase.

Je n'avais pas à répondre. Je secouais la tête, je la regardais. Je voulais savoir. Elle reprenait alors, racontant avec une passion contenue, d'une voix égale.

« Seule, disait-elle, avec Philippe, vous vous imaginez. »

Les perquisitions de la police, la fuite dans Paris, les voitures de la Gestapo devant l'immeuble où elle devait se réfugier. Mais elle ne se plaignait pas de cela. « Qu'est-ce que j'étais pour lui ? »

Elle se levait, m'embrassait. « Tout ça passe si vite, murmurait-elle, ne laissez rien échapper Lisa, rien, sinon... J'ai compris ça, heureusement, sinon, je serais folle maintenant, folle de fureur. Puisque vous le savez... »

Elle m'embrassait une deuxième fois.

Souvent, avant de nous séparer, nous traversions le parc, bras dessus bras dessous, pour rejoindre la route du bord de mer. Elle était déserte. Le ressac battait en contrebas et quelquefois — rarement, car le vent tombait avec la nuit — les embruns nous fouettaient le visage. Nous allions jusqu'à un tournant qui, comme un petit cap, s'avançait surplombant des récifs. Nous nous accoudions à la rambarde et nous pouvions rester là, longtemps, nous touchant de l'épaule, à regarder le jeu des vagues avec la lune.

C'est là, un soir de vent, en février, et la mer frappait sourdement les rochers, envoyant haut, presque jusqu'à nous des paquets d'écume, que Mireille, sans bouger, m'a dit : « Vous savez Lisa, plusieurs fois, j'ai souhaité qu'on l'arrête, que les Allemands le tuent. Les gens mouraient si facilement dans cette guerre, pourquoi pas lui ? Après, quand j'ai appris que la Gestapo recevait chaque jour des centaines de lettres de dénonciation, ça ne m'a pas surpris, il y a tant de haine entre les gens qui vivent ensemble, on n'ose pas, mais si on pouvait. Oui, j'ai espéré qu'on le prenne, afin que le destin me sépare de lui. Je l'ai voulu, encore plus fort quand j'ai aimé Charles. Si on avait arrêté Charles, j'aurais accepté n'importe quel marché pour le faire libérer. J'aurais livré Georges sans hésiter. Je vous scandalise ? — moi aussi je restais immobile, m'arc-boutant comme elle contre le vent. Je n'ai même pas eu de remords quand ils l'ont pris, continuait-elle. Parfois je me dis que mon désir avait été si fort qu'il avait organisé le piège dans lequel Georges avait dû tomber. Peut-être, tout est si mystérieux. Il avait accepté ce risque, n'est-ce pas ? Alors ? Il était si égoïste, Lisa, ses actes de courage, pour lui, seulement pour lui et sa carrière. Moi, Philippe, quelle importance ? La seule fois où il a vu Philippe, il a pleuré, mais... — elle frissonnait — trop tard, je ne le croyais plus. Il m'avait trompée si souvent. Vous comprenez pourquoi je n'ai pas voulu porter ce nom de

Gaspard, après la guerre ? Charles m'a traînée aux remises de décorations, je devais, disait-il. Quelle imposture, la sienne, la mienne. »

Elle serrait ma main. « Vous qui étudiez l'histoire, vous savez tout ça. Peut-être. Mais ce que je vous raconte, c'est ce qu'on ne dit pas, ce qu'on cache. Pourtant ça existe, vous voyez. »

Nous sommes rentrées à pas rapides, poursuivies par le déferlement de la mer. Le vent nous poussait et dans le parc il s'engouffrait, tourbillonnant dans les allées, courbant les cyprès, mêlant dans une rumeur confuse les branches de palmiers.

Nous nous sommes précipitées dans la maison au moment où l'averse commençait. Philippe, bras croisés, les mèches ébouriffées, nous attendait.

« Vous êtes folles, hurla-t-il en nous voyant. Les fenêtres étaient ouvertes, les volets claquaient. Folles. »

— Tu as fermé ? demanda Mireille. Parfait.

— Folles, cria une nouvelle fois Philippe avant de quitter la pièce.

Sa mère m'embrassa : « Bonne nuit, Lisa », chuchota-t-elle.

Je la serrai contre moi.

Cette nuit-là, Philippe me rejoignit.

J'achevais de me déshabiller dans la petite salle de bains attenante à la chambre quand il surgit dans l'encadrement de la porte et je lui en voulus aussitôt. Il m'avait surprise. Il entrait par effraction dans mes pensées, alors que j'imaginais une passion aussi forte que celle qui avait poussé Mireille Guibert à souhaiter la mort de son mari, à l'avouer des années plus tard, sans regret, comme si cela allait de soi, et j'étais sa complice et je trouvais normal, moi aussi, son attitude. Et tout à coup, Philippe, avec sa violence, cette chose qui lui échappait, qui se précipitait vers moi, que je découvrais, qui m'effrayait parce que ni lui ni moi ne pouvions maîtriser ces mots qu'il lançait, ses mains qu'il brandissait devant mon visage. Il avait les yeux exorbités, les mâchoires serrées, et je le regardais fascinée, j'avançais les doigts vers cette chose comme une enfant qui veut toucher le feu.

Tout était en désordre dans ce qu'il disait. « Tu ne veux plus faire l'amour, bon, mais tu ne vois pas son jeu, elle veut tout détruire, te détruire, me détruire, nous séparer, c'est une garce, et toi au lieu d'être avec moi, tu es avec elle, comme ça. » Je me souviens qu'il croisait ses doigts, serrait mes mains, qu'il hurlait : « Mais qu'est-ce que vous avez les bonnes femmes, toutes dingues. »

Il me saisissait aux épaules : « Regarde où on en est, on couchait ensemble et maintenant, toi ici, moi là-haut, ah ! elle est contente, la salope, contente, elle jubile, tu veux des types toi aussi, comme elle en avait, pourquoi pas, écoute-la, demande-lui des conseils. »

Il me secouait et qu'il touchât ainsi mon corps, qu'il me fît trembler, que j'eusse peur de lui me devint insupportable, un viol, je hurlais, je me dégageais, je lui portais un coup au visage, je criais : « Plus jamais, ne me touche plus jamais, tu entends, ne porte plus jamais la main sur moi. »

Je l'avais frappé de mon poing fermé sur les lèvres. Il les effleurait du bout des doigts, découvrait du sang, ce qui le dégrisait. La chose, cette fureur, rentrait en lui. Ses bras tombaient le long de son corps, ses yeux se remplissaient de larmes.

« Lisa, Lisa », sa voix était redevenue humble.

Je le poussais hors de la salle de bains et de la chambre : « Va-t'en, va-t'en. »

Je fermais la porte à clé, puis je me jetai sur le lit et je me mis à sangloter.

J'ai pleuré de rage et de honte.

Mon père me jugeait. « Lisa ? Lisa, est-ce possible, c'est toi qui subis cela, qui fais cela ? », répétait-il, et cette voix si désespérée, je l'entendais.

Jamais je n'avais vu mon père perdre son sang-froid. Il posait ses mains longues et blanches sur son bureau noir qu'il tapotait de ses doigts fins. Ma mère l'accablait de reproches. Il hochait un peu la tête, il continuait de lire et parfois il répondait d'un ton calme : « Maria, voyons, nous ne sommes pas des sauvages, expliquons-nous comme des humains civilisés, tu veux bien. »

Elle quittait son bureau en claquant la porte, en criant : « Cet homme, il me fera mourir. »

Lorsque j'étais le témoin de ces disputes, mon père s'approchait de moi, me caressait les cheveux : « Excuse-nous Lisa, murmurait-il, ce sont les jeux des grandes personnes, pas plus Lisa, pas plus. »

Heureusement mon père était mort. Et d'être contrainte de me féliciter de ce malheur m'accablait.

Un homme que j'avais épousé m'avait secouée, me serrant aux épaules à me faire mal, ma tête en tremblait encore, mon corps, émietté, ne s'était pas remis en ordre. Philippe ne m'avait pas battue, mais c'était comme s'il m'avait rouée de coups. Moi, je m'étais avilie avec lui, j'avais pataugé dans cette boue, j'avais grimacé, la violence m'avait dénudée aussi, je l'avais frappé. Je n'avais pas su rester digne.

J'avais été comme ma mère.

Cette nuit-là, j'ai été incapable de dormir.

Je somnolais quelques instants mais je revivais cette scène comme un cauchemar. Je m'éveillais. J'avais vécu cela. Je fermais les yeux mais un bruit m'inquiétait. J'imaginais que Philippe revenait, qu'il se couchait sur moi et je tentais vainement de le repousser. Il me pénétrait. Il me semblait qu'il m'avait toujours menacée, toujours violée. Je ne pourrais plus le laisser s'approcher de moi, sans le craindre.

J'ouvrais les fenêtres. L'averse avait cessé, mais la rumeur de la mer venait battre la façade, courbait encore les cimes des palmiers.

Qu'avions-nous fait ? Qu'étions-nous devenus pour que cette bourrasque nous engloutisse ? Moi, j'avais désormais des frontières auxquelles Philippe se heurtait. J'enseignais. Mon projet de recherches avait été accepté. On me sollicitait à Cambridge, à Bologne, à Princeton. Je déjeunais avec Pascal Sergent et nous parlions de Francesco Dolfin. « Je peux vous tutoyer ? », me demandait-il, puis, alors que j'avais dit oui d'un mouvement de tête, il ajoutait, les yeux baissés : « Vous êtes très belle quand vous évoquez ce Dolfin, je suis jaloux de ce vieux Vénitien mort depuis cinq siècles, de cet espion, jaloux Lisa. » Je riais. Il retrouvait le ton de la conversation entre collègues : « Tu ne crois pas qu'il faudrait voir du côté de Rome, les archives pontificales n'ont pas été systématiquement explorées. »

Nous nous retrouvions, une ou deux fois par mois, dans un restaurant de la place des Vosges. Nous partagions l'addition, nous faisions plusieurs fois le tour de la place avant de retourner aux Archives. Philippe ne connaissait pas Pascal Sergent bien que je lui en eusse souvent parlé mais il n'avait plus le temps de m'écouter.

Depuis qu'il était entré au cabinet de Delmas, le monde semblait s'être réduit aux décisions que son ministre prenait. Philippe les préparait, travaillant tard à ses dossiers cependant que je lisais. Il s'emportait contre les commentaires du journal télévisé « Quels cons ! quels salopards ! ». Il était devenu un homme de pouvoir qui savait, comme il me disait avec condescendance, agir contre ses sentiments, si cela était nécessaire. « Tu es historienne, tu connais ces exigences, xve siècle ou xxe siècle, les contraintes ne changent pas. »

Je le laissais dire. Où donc avait disparu l'homme qui me guettait, m'attendait dans les jardins du Palais-Royal, me raccompagnait à la Bibliothèque nationale ? Ce Philippe-là était dur, autoritaire, il m'imposait ses choix, mais je m'accommodais de ce qui était instinct, égoïsme presque enfantin. Il s'en excusait. Il se moquait de lui-même. Maintenant, il était pesant, cynique, raisonneur, sûr de son bon droit. Con. Vieux.

De penser cela me blessait. J'en voulais à Philippe de me contraindre à le voir ainsi. C'était aussi un portrait de moi qu'il me renvoyait.

Je me souvins d'un propos de mon père. Je venais de lui faire lire l'un de mes premiers articles publiés, consacré à la diplomatie de Laurent de Médicis, à ses intentions face à Venise. Il m'avait félicitée puis, me rendant la revue, se levant, il m'avait dit : « Les hommes qui font, qui agissent, ceux qui ont le pouvoir, qui construisent, comme ils disent, comme ils le croient, transforment tous les autres en matériaux. C'est ça gouverner. Et en eux-mêmes, ils coulent du ciment, ils durcissent avec. Tu comprends — il m'embrassait — pourquoi j'ai préféré ça... » Il me montrait ses livres, ses manuscrits. « Toi aussi, j'imagine. »

J'avais décidé de quitter Forgues le lendemain matin, mais Philippe m'avait devancée. Mireille Guibert était seule dans la cuisine, évitant de me regarder, penchée sur la casserole puis sur le grille-pain, lançant vers moi de petits mots qu'il me fallait saisir. Oui, je voulais du thé, une tranche de citron, du beurre, oui, je prenais mon petit déjeuner sur la terrasse, oui il faisait beau. Toujours le souffle rauque du ressac et le martèlement sourd des paquets de mer contre les blocs qui protégeaient la route, mais le ciel était décapé, l'atmosphère apaisée, presque alanguie. Je buvais lentement, les yeux fermés, me laissant caresser par le soleil et il me semblait que je sortais d'une longue maladie, épurée, amaigrie, mais plus saine, peut-être définitivement guérie.

Mireille était assise près de moi et, après un long moment, elle serra mon poignet, une pression douce, tendre. Je ne bougeais pas et elle ne dit rien, laissant sa main, et nous restâmes ainsi, une partie de la matinée. J'ai sans doute dormi, elle aussi. Quand j'ai ouvert les yeux, un petit chat était assis sur la table. « Il est là depuis hier », dit Mireille. « Vous le voulez ? Je ne sais pas d'où il vient. » Je le pris contre moi et il se mit à ronronner étendant ses pattes entre mes seins. Il était chaud, il allongeait son cou, frottait sa tête avec une lenteur langoureuse.

— Tout cela n'a pas beaucoup d'importance, vous savez, commença Mireille. J'ai pensé plusieurs fois quitter Georges, avant la guerre bien sûr, et puis, pourquoi ? Est-ce que si j'avais vécu avec Charles, comme une épouse, tous les jours, je n'aurais pas découvert un homme que je ne pouvais plus aimer ? Si vous décidez de partir, Lisa, vivez seule, croyez-moi. Mais c'est difficile et pourquoi souffrir encore d'une autre façon ? On peut réussir à être seule avec un mari, et il est là, cependant, c'est comme — elle tendait les bras vers les falaises rouges — quand une montagne ferme une partie de l'horizon, cela rassure. Si l'horizon reste ouvert — elle balayait du bras la mer — ouvert, bien sûr.

Elle se levait, revenait, me donnait une enveloppe. Il avait laissé « ça » disait-elle. Je la posais sur la table, sans l'ouvrir. J'imaginais. Excuses. Pardon. Réquisitoire contre sa mère.

— Restez avec Philippe et prenez le chat.

Elle riait, me proposait de déjeuner au bord de la mer, « toutes les deux, libres », chuchotait-elle. Elle m'embrassait, me tirait hors du fauteuil « allons, allons », disait-elle, puis quand je fus debout contre elle, elle murmura : « Prenez le chat et des amants. »

Elle frappait dans ses mains : « On y va, on y va Lisa. »

Je suis rentrée à Paris quelques jours plus tard avec le petit chat.

Philippe m'avait téléphoné à plusieurs reprises se contentant d'abord de répéter mon nom d'un ton suppliant. Je le trouvais ridicule. J'attendais qu'il change de voix, qu'il me parle de cette nomination à la Commission européenne de Bruxelles que Delmas avait suggérée. J'entendais alors un autre Philippe exalté et fébrile. Je devais me rendre compte, disait-il, du caractère exceptionnel de cette proposition. Barre avait été commissaire à Bruxelles, Raymond Barre, est-ce que je comprenais ? Le président de la République choisissait personnellement le représentant français, un homme politique le plus souvent ou bien un expert, comme Barre, promis à un avenir politique éminent. « Delmas a avancé mon nom comme cela, pour contrer le candidat du Premier ministre, favoriser un troisième homme, et — Philippe se rengorgeait, riait — le piège a fonctionné en ma faveur, le Président a rayé les deux noms et souligné le mien, personne n'a encore compris. » Delmas imaginait que le père de Philippe avait connu le Président pendant la Résistance. « Mon père ! s'exclamait Philippe. Pourquoi pas ma mère ! » Il s'interrompait conscient tout à coup qu'il m'appelait à Forgues, que sa mère était à l'origine de notre dispute.

Sa voix s'affaiblissait : « Qu'en penses-tu, Lisa, dois-je accepter, nous habiterons Bruxelles, mais si tu n'es pas d'accord... » Comme s'il avait eu besoin de mon approbation. Je méprisais son hypocrisie, sa duplicité ou son aveuglement. J'ai dit sèchement : « Ton choix, Philippe, toi seul, si Bruxelles ne me tente pas, je reste à Paris, ou je rentre à Venise, c'est simple, non ? »

210

Il se taisait puis reprenait une nouvelle fois « Lisa, Lisa... » et je me reprochais d'être entrée dans son jeu. Il était habile. Il pouvait faire semblant de croire que la violence n'avait laissé aucune trace. Il riait. Delmas l'avait même questionné à mon propos. Etais-je une amie du président de la République ou de son épouse ? « Je ne l'ai pas détrompé. »

Son commérage me blessait. « Ta mère m'a donné un chat, ai-je dit. Je rentre avec lui. »

Le chat s'était déjà habitué à notre appartement de la rue Henri-Barbusse quand j'ai trompé Philippe. Je n'ai pas eu à prendre de décision, à me souvenir des conseils de Mireille Guibert. Cela s'est produit comme un acte de liberté, naturel et nécessaire, simple et légitime.

Nous avions tacitement décidé de ne plus parler de notre affrontement de Forgues. Et peut-être Philippe avait-il oublié. J'avais accepté ce compromis puisque par sagesse ou renoncement je ne divorçais pas. Mais je n'avais plus avec lui que des rapports rares et brefs, qui restaient, c'est ainsi, presque extérieurs à moi. Je ne désirais plus faire l'amour avec Philippe, mais l'avais-je jamais souhaité ? Je lui cédais par lassitude, conformisme, lâcheté aussi, pitié. Il suppliait. Il enrageait. Quand enfin je lui disais « viens », j'éprouvais une sorte de joie malsaine. Je souffrais d'avoir accepté, et pourtant il allait m'en vouloir, d'être frustré, de m'aimer si vite, d'être aussitôt repoussé, de n'avoir pu embrasser ma bouche. Mais cette étreinte — était-ce une étreinte ? — me convenait. Elle ne m'engageait pas. Je ne me sentais pas liée à Philippe. Je ne dormais plus à ses côtés. Mon corps ne partageait rien avec le sien. J'étais libre. Je n'acceptais aucune complicité intime, celle des sueurs et des peaux que j'avais connues avec Vassos. Je n'appartenais qu'à moi.

Philippe avait dû s'absenter quelques jours pour organi-

211

ser son installation à Bruxelles où il avait été nommé. J'étais donc restée seule mais en fait, depuis près de quinze jours, Philippe m'ignorait. Il rentrait tard, s'installait au téléphone, partait tôt avant même que je sois levée. Il m'expliquait distraitement qu'il devait prendre des contacts, faire le tour des problèmes. Il avait eu, jadis, de l'humour. Il l'avait perdu. Je disais : « Fais le tour, fais le tour, mon cher. » Il ne saisissait même pas mon ironie.

Pascal Sergent m'avait appelée un soir et sans le laisser s'expliquer je lui disais que j'étais seule. J'entendais son silence, son hésitation. Il me vouvoyait à nouveau, m'invitait à dîner. Je n'ai rien imaginé, je l'ai attendu en lisant et en prenant des notes. Philippe a appelé. Il avait trouvé un appartement à Bruxelles, près de la Porte Louise. Je l'écoutais, je l'approuvais. J'ai dit : « Je dîne avec Pascal Sergent. » « Très bien, très bien », répétait-il comme s'il n'avait pas entendu, poursuivant qu'il avait déjà rencontré la plupart de ses collègues de la Commission, Vittorio Finci, l'Italien, Paxonous, le Grec, Solas... Pascal sonnait.

« Très bien, très bien », murmurait-il mais sa voix était moins assurée.

Le lendemain je me suis réveillée tard, apaisée, comme si pour la première fois de ma vie mon corps et mon esprit s'étaient enfin accordés dans l'amour. J'avais caressé le torse, les cuisses, le sexe de Pascal, j'avais enfoui ma main dans ses cheveux, j'avais embrassé ses yeux. Je n'avais eu aucune hâte, aucune gêne, aucune inquiétude. Je voulais connaître à nouveau cette chute, je savais que j'y parviendrais et je ne le craignais pas. Nous étions amis et amants. Nous pouvions avant et après l'amour parler de ce qui nous intéressait en fumant une cigarette, assis, nus, de part et d'autre de mon bureau. « Tu as lu », et je pouvais pousser vers Pascal un numéro de revue, lui montrer du bout de mon ongle une référence au manuscrit de Francesco Dolfin.

Il se levait, il posait ses mains sur mes seins, il s'agenouillait, il me forçait à écarter mes cuisses, il m'embrassait, il me portait jusqu'au lit. Il m'aimait une nouvelle fois, puis il s'habillait lentement, et je le regardais en fumant une nouvelle cigarette : « J'ai promis à Florence de rentrer avant son départ », disait-il. Il me proposait de passer avec eux le week-end, dans leur maison de campagne, proche de Fontainebleau, je pouvais venir avec Philippe, bien sûr. Je l'accompagnais jusqu'à la porte. Nous ne nous engagions à rien. Sa veste de laine un peu rêche piquait ma poitrine cependant que je lui passais les bras autour du cou et que — j'avais oublié ce plaisir — je glissais ma langue dans sa bouche.

— Dors bien, disait-il, appelle-moi.

Je l'avais aimé, dans mon lit, chez moi, à quelques mètres de la chambre de Philippe, dans ce lit où Philippe venait et, à ce souvenir, mon corps se raidissait. Puis je pensais à cette soirée, si simple. Pascal qui m'attendait dans sa voiture, sa femme Florence assise sur la banquette arrière. Elle gardait ma main dans la sienne. « J'étais si curieuse de vous voir », disait-elle. Elle avait une voix légèrement grasseyante, les cheveux coupés court sur un visage rond, des seins que je devinais plantureux sous un chemisier de soie noire transparente. Je n'étais ni surprise ni déçue de la voir. Je n'avais rien prémédité. Je me laissais glisser au fil des heures, calme.

Elle a parlé presque seule, tout au long du dîner. Me questionnant parfois mais si peu attentive à mes réponses que je les faisais de plus en plus brèves, sûre qu'elles étaient sans importance. Pascal souriait, entre nous. De temps à autre, il enlevait ses lunettes, passait la main dans ses cheveux, paraissait rêver en me regardant avec insistance et Florence lui touchait la main en riant. Il avait le temps, disait-elle, de me voir. N'était-il pas plus souvent avec moi — les Archives, les séminaires, les colloques — qu'avec elle ? Elle parcourait le monde. Elle ne pouvait établir un catalogue de vacances précis, auquel les clients de son agence puissent se fier, qu'en se rendant sur les lieux, en visitant les hôtels, les restaurants — « C'est pour cela que je suis si grosse », disait-elle, et elle riait encore — les plages. Elle partait demain matin, ses bagages à faire encore, elle se levait. Pascal devait la déposer d'abord puis il me raccompagnerait.

Dans la voiture, nous fûmes silencieux. Devant chez elle — rue de Seine — elle m'embrassa : « Entre Pascal et moi, chuchotait-elle, c'est une règle de vie, l'indépendance, vous comprenez Lisa ? »

Elle souhaitait me revoir bientôt, ajoutait-elle en descendant. Elle revenait dans deux jours. « Montrez-nous votre mari », disait-elle.

Pascal avait pu garer la voiture rue Henri-Barbusse.

« Je voudrais vous aimer », avait-il dit en posant sa main sur mes reins.

Je n'ai pas répondu.

44

Un souvenir intime

Je me suis interrogée sur ce qu'il me faudrait dire à Philippe. Je suis restée toute la matinée couchée, le chat allongé contre moi, et je le serrais comme s'il avait été un petit enfant que je devais protéger. Philippe ne l'aimait pas, le chassant de son bureau, le menaçant, le frappant quelquefois de la pointe du pied, et le chat courait se réfugier près de moi ou sous mon lit. Il fallait que je protège cette relation qui naissait entre Pascal et moi, elle m'appartenait à moi seule. Elle faisait partie de moi comme mes souvenirs les plus intimes. Je n'avais jamais parlé de mes rapports avec mon père à Philippe. Je ne lui avais jamais rien dit de Vassos. J'avais défendu ce cœur de moi contre son invasion. C'était ma liberté.

Je pensais à Florence Sergent, à ce qu'elle m'avait dit, à sa complaisance ou à sa compréhension. La convention qu'elle avait établie avec Pascal ne me concernait pas. Je savais que Philippe n'aurait pas la même attitude. Il saccagerait. Il souffrirait et se vengerait sur moi de sa douleur. A qui, à quoi cela pouvait-il servir ?

Je travaillais alors sur des passages du manuscrit de Francesco Dolfin. Ce que je devinais de l'homme à travers ces fragments de *journal* me fascinait. Il était depuis l'adolescence un espion de Venise, d'abord installé à Byzance, puis, réussissant à échapper aux Turcs, se réfugiait à Florence. Il continuait de servir le Doge, lui expédiant durant toute sa vie avec une ponctualité effrayante des rapports nombreux dont j'avais pris connaissance. Et cependant il était l'ami de Laurent de Médicis, il aimait une cousine du maître de Florence, Anna de Monteverdi. Sa duplicité et sa sincérité étaient si mêlées qu'à la fin je ne savais plus qui il trompait, du Doge ou de Laurent. Il se servait d'Anna et il éprouvait pour elle une passion qu'il exprimait si maladroitement dans son *journal* qu'elle devait être vraie. J'avais eu du mal à comprendre son comportement, cette dualité, sa sincérité et cette constance dans le mensonge, ce jeu à multiples facettes qu'il menait.

Je m'étais imaginé être une femme simple et droite, qui avait le goût des solutions claires et chez qui la trahison déclenchait fureur et dégoût. Depuis l'enfance je vivais avec cette idée de moi. Ma mère, tout en calculs, me répugnait. Elle tendait des pièges aux femmes de ménage, pour les prendre en flagrant délit de paresse ou de vol. Elle les cajolait pour les mettre en confiance et mieux les berner. Elle mentait à tout instant à mon père, je le savais, je le sentais. Elle mentait à ma tante, à mon frère Paolo, à moi. Je m'étais juré d'être différente. L'étais-je ?

Quand Philippe est rentré de Bruxelles au milieu de la nuit, et le bruit des clés, de la porte qu'il fermait avec précaution me faisaient sursauter, j'éteignais aussitôt la lampe de chevet, je m'enfonçais sous les couvertures, mais j'entendais son pas, dans le couloir, sa voix qui chuchotait : « Lisa, Lisa, tu dors, il n'est pas si tard. » Il s'allongeait près de moi, il embrassait mes cheveux, il cherchait mes lèvres. Je soupirais, je feignais de sortir du sommeil, je murmurais : « N'allume pas, j'ai mal aux yeux. » J'éprouvais à le duper ainsi une sorte de petite joie, mêlée de remords, de mépris pour lui et pour moi.

Il me découvrait et je le laissais soulever ma chemise de

nuit, m'enlacer, me pénétrer. Je n'éprouvais rien, ni plaisir ni honte. J'avais simulé le sommeil et il me protégeait, j'étais passive sans être consentante et je me livrais parce que, ainsi, Philippe repoussait loin, au fond de moi, ce qui s'était passé dans ce même lit, il y a quelques heures avec Pascal. Il ne l'effaçait pas, au contraire, il en faisait vraiment ma mémoire, mon souvenir que je ne pourrais plus, l'aurais-je voulu, partager avec lui.

Après je me levais, traversant la chambre dans l'obscurité, m'enfermant dans la salle de bains, fumant une cigarette assise sur le rebord de la baignoire.

Je vivais donc ainsi. J'avais un mari et un amant. Cette femme, épouse adultère, cette femme dont le comportement m'étonnait, incroyable de tranquillité, d'évidente duplicité, comme celle de Francesco Dolfin, plus menteuse encore que ma mère, qui n'avait jamais osé, j'en étais sûre, prendre un amant, c'était moi, moi Lisa qui avait rompu avec son amie la plus proche, Emilia, parce qu'elle soupçonnait celle-ci de ne pas tout lui dire aussitôt, et telle était la règle de vie que cette Lisa s'était donnée, à quinze ans.

— Lisa ?

Je n'ouvrais pas la porte. « Ça va ? » interrogeait Philippe. Je maugréais. « Excuse-moi », disait-il. Puis il commençait à me faire le récit de son séjour à Bruxelles à décrire l'appartement qu'il venait de louer, où nous nous installerions dans un mois. Ce mois où il serait là-bas et moi ici, libre de recevoir Pascal comme je l'entendais.

C'était à moi, à moi seule ce plaisir, cette relation, la preuve que j'étais libre, maîtresse de mes choix. J'éteignais la lumière dans la salle de bains, je pouvais ainsi rentrer sans être vue dans la chambre cependant que Philippe continuait de parler. Il me faisait penser à ces enfants qui jouent cependant que leur sœur ou leur mère rêve à autre chose et répond distraitement « oui, oui, c'est bien ». J'avais ainsi gardé mon frère Paolo. Philippe semblait heureux. Le président de la Commission lui confiait la culture, les médias, la communication : « stratégique », disait-il, « fondamental » pour la construction européenne.

Je m'étais allongée et il allait et venait dans la chambre, pérorant. Wilkinson, l'Anglais, était son adversaire déclaré. Solas, un allié. Les noms passaient et repassaient. J'ai dit tout en bâillant :

— J'ai dîné avec Pascal Sergent et sa femme, Florence. Elle souhaite te connaître. Une femme dynamique, dans les affaires, agence de voyages, intéressante. Il approuvait. « Très bien, très bien », disait-il.

Je lui demandais de me laisser dormir. Je me recroquevillais. Le chat se glissait sous les couvertures.

J'étais aussi habile, aussi perfide peut-être que ma mère ou que Francesco Dolfin.

45

Francesco Dolfin

J'ai vécu plus d'un mois seule à Paris. Philippe me téléphonait chaque soir de Bruxelles. Je laissais la sonnerie retentir plusieurs fois et le répondeur se mettre en route. Je m'approchais lentement de l'appareil, m'asseyant au bureau de Philippe, ne répondant qu'après l'avoir entendu lancer d'une voix inquiète : « Lisa, Lisa, tu n'es pas là ? »

Je n'arrivais pas à croire que j'étais l'actrice principale de cette comédie. Pascal m'attendait couché dans mon lit, dans cette chambre située au bout du couloir, et cette situation que j'avais toujours crue grotesque, sordide. impossible, je la vivais comme l'expression d'un ordre naturel.

J'allumais une cigarette. Je savais que Philippe allait parler longuement et qu'il me faudrait prendre patience et c'était là mon mensonge. Je décrochais et il était aussitôt rassuré. « Tu es là ? » Où voulait-il que je sois ? Il s'excusait. Il devait séjourner à Bruxelles, les travaux de la Commission commençaient, le Président l'avait chargé d'un premier rapport, l'appartement n'était pas encore prêt. Je pardonnais. Qu'il fasse ce qui était nécessaire. J'acceptais. « Ça va, vraiment ? » interrogeait-il. « Tout à fait. » « Tu es sûre ? Tu ne peux pas me rejoindre à Bruxelles ? » Je m'indignais. Il n'était pas seul à avoir des obligations. Mes recherches aussi étaient importantes, à mes yeux en tout cas. Il ne le contestait pas. « Bien sûr », répétait-il. Il me donnait raison.

« Je t'embrasse. » Je raccrochais, j'écrasais lentement le mégot dans le cendrier. Nous vivions désormais dans deux univers si différents que le mot même de mensonge n'avait plus de sens.

Je rejoignais Pascal. Il s'était rhabillé, jouait avec le chat qui bondissait sur ses genoux, s'y blottissait comme pour le retenir. « Demain ? » demandait Pascal. Je répondais oui, d'un hochement de tête. Il partait sans ajouter un mot.

Nous ne parlions jamais de Philippe ou de Florence. Parfois, alors que je me déshabillais, Pascal murmurait : « Tu es belle », et je savais qu'il me comparait malgré lui à sa femme, qu'il était honteux du jugement qu'il portait, qu'il avait à ce seul instant l'impression de la trahir sans qu'elle pût se défendre. Je le serrais contre moi, je devenais sa complice, je commettais le même crime. « Tu me plais Pascal, tu me plais beaucoup », lui disais-je. Et il devait comprendre que je lui avouais ainsi que le corps de Philippe ne m'attirait plus, qu'il était devenu massif, disgracieux, comme si ce que Philippe avait acquis en autorité, en pouvoir, s'était inscrit dans son corps, transformant et alourdissant son apparence.

Je voyais Pascal chaque jour. Nous ne nous l'avouions pas, mais nous savions que ce mois de liberté était exceptionnel, une grâce qui nous était donnée, qui était par elle-même la preuve que notre relation devait exister. Je pensais — et je crois encore — qu'entre un homme et une femme il faut toujours un miracle des circonstances pour qu'ils se rencontrent. Il n'y a qu'une brèche dans le mur du temps, et il faut s'y engouffrer vite sinon elle se referme.

Nous l'avions franchie.

Nous nous retrouvions dès neuf heures à la Bibliothèque

nationale ou aux Archives. Nous déjeunions dans l'un des restaurants qui donnent sur le square Louvois ou bien sous les arcades de la place des Vosges. Nous ne nous autorisions aucun de ces petits gestes de tendresse, des mains qui se nouent, des pieds qui se frôlent, ou ces regards et ces chuchotements qui dévoilent l'intimité. Nous n'avions pas eu besoin de nous entendre pour maintenir cette distance amicale. Nous ne voulions pas mêler, confondre les moments, superposer les situations.

Nous passions donc des heures austères sans échanger un regard, captivés par nos lectures, d'autant plus tranquilles que nous savions pouvoir nous retrouver au bout de la journée.

Dans le brouhaha du restaurant nous parlions du manuscrit de Francesco Dolfin. Je ne pouvais plus me détacher de ce texte. L'ambiguïté de cet espion me fascinait. Il était retors et ambigu, traître et fidèle. Il maniait le mensonge comme s'il s'était agi d'un art de la vérité. Sa duplicité me confondait. Il venait d'assurer Laurent de Médicis de son dévouement et, à quelques mètres de lui, il ourdissait un complot pour le faire assassiner, tout en se préparant à prévenir les proches de Laurent de la menace. Ses relations avec Anna de Monteverdi me paraissaient tout aussi troubles. Il lui écrivait des poèmes passionnés et expliquait, dans ses rapports au Doge, qu'elle ne lui servait qu'à approcher Laurent, à mieux le surveiller et il suggérait au Florentin qu'elle était au service de Venise, manière pour lui de se protéger tout en la désignant aux assassins qui par le poignard ou le poison servaient Laurent de Médicis.

Pascal m'écoutait mais quand je le regardais il baissait les yeux comme s'il avait craint de trahir sa pensée. C'était notre mensonge, notre duplicité que je recherchais dans ce texte.

Je n'étais pas dupe. Le manuscrit de Dolfin était comme un miroir. Il avait habité comme moi Riva degli Schiavoni. Il écrivait : *J'ai vécu dans la maison de la Riva degli Schiavoni, chez mon ancêtre Nicola Dolfin, jusqu'à ma seizième année, puisqu'il mourut le septième jour du mois de février 1449, or je suis né en avril, le 4, de l'an de grâce 1433.*

Cette *Cà Dolfin*, je la connaissais. Nous nous étions souvent arrêtés avec Vassos devant ces façades rongées, ces sculptures usées au point de ne plus être que des boursouflures de la pierre, ces escaliers creusés qui s'enfonçaient sous les eaux du canal.

Lorsque je rêvais à cette maison, le désir de retourner à Venise, de parcourir ces pièces que Francesco Dolfin décrivait et d'abord celle où le vieux Nicola Dolfin lui avait enseigné tout son savoir, était si fort que mon cœur m'en faisait mal, comme à l'instant où l'on s'agenouille, le rideau tiré, pour commencer sa confession. Mais qui m'entendrait ? Mon père était mort. Je ne croyais plus en l'Eglise et si peu en Dieu. J'aurais aimé pouvoir tout dire à un ami. Pascal ? Je n'étais pas sûre qu'il ne se confie pas à Florence et je ne désirais pas qu'elle connaisse tout de moi.

J'étais seule. Je reprenais ma lecture, je m'y engloutissais.

Quand, quittant la Bibliothèque ou les Archives, nous retrouvions la rue, je mettais plusieurs minutes à m'accoutumer aux bruits, à ces façades rivées à la terre. Je cherchais l'eau, la lagune. J'étais avec Dolfin, du côté de l'Arsenal là où le souffle est vif. Il était *assis sur une borne à regarder les charpentiers et les calfats qui s'affairaient autour de la carène d'un navire en construction. L'odeur âcre du goudron brûlant m'enivrait,* écrivait-il. *Le grincement des longues scies me faisait frissonner, mais surtout je ne pouvais détacher mes yeux des navires qui, bord à bord, étaient ancrés à quelques encablures des quais. Des embarcations sillonnaient la lagune et parfois j'obtenais qu'on m'accepte à bord de l'une d'elles. Et ce furent là mes premiers voyages, ma découverte de l'espace qui se creuse dès que l'on a quitté terre et que l'on est entre le ciel et l'eau avec le vent pour maître impérieux qu'il faut séduire et avec qui l'on doit ruser.*

Il avait rusé toute sa vie, avec les Turcs, les envoyés du pape, les mercenaires grecs de Byzance, trompant ceux qui croyaient en lui et écrivant, paisiblement, en cette année 1493 — celle de sa mort — dans sa maison de Venise, *Dieu nous observe, Dieu nous entend, nous convoque et nous juge.*

Il était mort au même âge que mon père, soixante ans, et quelquefois, était-ce illusion, désir si fort de redonner vie à mon père, il me semblait que Francesco Dolfin annonçait ce que j'avais entendu, chez moi, assise en face de mon père, alors qu'il terminait son dernier livre. « Je veux vivre jusqu'au bout de celui-là », disait-il. « Après... » Je me précipitais, je l'embrassais. « Mais non, c'est assez, murmurait-il, j'ai vu, compris, cela peut paraître prétentieux, mais je sais Lisa, je sais le sens de ce que j'ai vécu... »

Et Francesco Dolfin, le traître, l'espion, disait qu'il avait découvert l'origine et le destin des choses et qu'il pouvait donc quitter leur monde. *Les temps glorieux de Venise et de l'Italie prenaient fin,* écrivait-il. La lagune, la Méditerranée devenaient des culs-de-sac. En un demi-siècle il avait vu l'Europe tourner son visage vers une autre mer ; cet Océan, ces mondes neufs que le pape partageait en 1493 entre l'Espagne et le Portugal.

J'ai assisté, écrivait Dolfin, *à la chute de la Rome nouvelle sous la multitude infidèle. En une vie, si brève, nos Républiques, nos cités, auront perdu leur prééminence. D'autres temps commencent, plus tumultueux encore, dans lesquels je ne veux pas entrer ayant vécu mon époque du commencement à sa fin.*

Mon père parlait ainsi du xxe siècle et il était mort de

l'épuisement de son temps. Mais peut-être était-ce un effet de la vie même, tout homme quand son existence s'achevait imaginait qu'une époque finissait, alors que ce n'était que sa courte trajectoire qui s'interrompait.

L'un des passages du manuscrit de Dolfin qui m'avait le plus marqué était celui où il racontait la mort de l'un de ses plus proches amis, un Vénitien qui, comme lui, se trouvait dans l'île de Kotios, proche de Byzance. Dolfin avait réussi à fuir avant l'arrivée des Turcs, mais des pêcheurs, plus tard, lui avaient décrit toute la scène. Les défenseurs de Kotios s'étaient rendus après avoir obtenu la promesse de garder leur tête. Les Turcs avaient accepté le marché. Quand les portes s'étaient ouvertes, ils s'étaient rués dans la forteresse comme des bêtes sauvages, éventrant les femmes après les avoir violées, crevant les yeux des enfants ou les lançant comme des balles jusqu'à ce qu'ils s'embrochent sur les lances. Les vieux avaient été jetés du haut des murailles et ils avaient agonisé plusieurs jours dans les fossés. Quant aux défenseurs, les Turcs les avaient rassemblés sans les malmener, les traitant avec considération et respect, jurant qu'ils allaient s'en tenir scrupuleusement aux termes de l'accord. Des esclaves avaient apporté de longues planches. Les Turcs riaient, tout en s'inclinant devant les chrétiens. « Un serment est un serment, répétaient-ils. Le prophète veut que les croyants soient hommes de foi et de parole, nous sommes croyants. »
Quand les planches furent rassemblées, les Turcs attachèrent chaque survivant — ils n'étaient qu'une vingtaine, des Grecs, des Génois et des Vénitiens — entre deux d'entre elles. « Votre tête ne sera pas séparée de votre corps », juraient-ils. Et ils se mirent à scier par le long les corps ainsi maintenus serrés entre les planches. Cela dura tout le jour et les pêcheurs expliquaient que, s'ils n'avaient pas été serrés

224

ainsi entre le bois, les prisonniers se seraient débattus et qu'il eût été impossible de les tailler lentement, par le milieu.

Un seul d'entre eux, l'ami de Francesco Dolfin, au moment où on l'attachait avait réussi à se jeter la tête contre un mur et à perdre connaissance.

Dieu a été généreux avec lui, écrivait Dolfin, *mais notre monde a été scié par le mitan, comme ces chrétiens martyrs, et la générosité de Dieu ne nous épargne ni la mort ni la souffrance de la défaite.*

Et Dolfin pourtant avait survécu, confident et ami de Laurent de Médicis, lucide et cynique comme si le fait d'avoir échappé si jeune — il avait à peine vingt ans en 1453, au moment de la chute de Constantinople — l'avait si profondément brûlé qu'il en avait perdu tout repère. Il était au service du Doge par intérêt, peut-être par habitude, non par conviction. Et il agissait de telle manière à être toujours parmi ceux qui échappaient à la mort, attendant comme il le notait *qu'elle vienne en soi, par le décret du corps autant que par celui de la Providence et qu'aucun diable humain ne la donne, imposant à Dieu même une heure trop matinale.*

Vie étrange qui me laissait perplexe où je tentais de démêler ce qui appartenait à Dolfin, à l'époque, et où le plus souvent j'avais le sentiment de reconnaître notre époque, comme dans ces films historiques où tout, le vocabulaire, les comportements, à l'exception du costume, est le reflet de ce que nous vivons maintenant.

Mais peut-être était-ce cela la vérité de l'histoire : les hommes ne changeaient pas. Conclusion morose et banale et contre laquelle je me révoltais.

Nous sortions de la Bibliothèque nationale. Pascal achetait *Le Monde,* au vendeur qui se tenait chaque soir sous le porche. Les titres dramatiques barraient la une. L'Europe tremblait comme autrefois, il y a cinq siècles, et tel Dolfin qui rentrait chez lui, Riva degli Schiavoni, sa vie terminée, nous rentrions rue Henri-Barbusse.

Pascal me déposait devant chez moi, se garait et venait me rejoindre. J'avais appuyé sur l'interphone et je l'attendais. C'était une mesure de prudence, car je ne voulais pas être surprise par Philippe bien qu'il ne revînt de Bruxelles que le samedi en fin d'après-midi.

Je disais, en ramassant le courrier : « Tu connais le chemin. » Pascal s'engageait dans le long couloir qui conduisait à ma chambre. Le chat le suivait, se frottant à ses mollets.

Je les retrouvais, Pascal assis au bord du lit, le chat couché sur sa veste. C'est moi qui tirais les rideaux et un autre temps commençait. Nous faisions l'amour en complices, en égaux et, j'hésite à écrire cela qui paraît peut-être terne, en amis, cherchant l'un et l'autre à donner du plaisir et acceptant d'en recevoir.

Nous étions libres, maîtres de l'instant, parce que nous ne cherchions pas à nous tracer un avenir.

Puis, allongés, nous tenant à distance, nous parlions et notre dialogue durait plus longtemps que l'amour.

Je me levais, je lisais des passages de ce que j'écrivais ou bien des fragments du manuscrit de Francesco Dolfin.

Pascal cherchait ses lunettes qu'il rangeait sous le lit. Le chat ronronnait. Le téléphone sonnait.

Je tendais à Pascal les feuilles, puis je partais répondre à Philippe dont j'entendais la voix s'inscrire sur la bande du répondeur : « Lisa, Lisa ? Tu n'es pas là, Lisa ? »

J'étais là.

46

La vie doit être légère

Un jour, à la fin de l'après-midi, au moment où Pascal achetait *Le Monde* sous le porche de la Bibliothèque nationale, et j'attendais qu'on lui rende la monnaie, tout en lisant par-dessus son bras les titres du journal — et il y était question, une fois de plus de l'Europe — *La Commission élabore son projet de marché unique*, disait-on, un bus passa lentement, puis s'immobilisa bloqué dans les embouteillages de la rue Richelieu. Il pleuvait, comme à Venise, sans violence mais avec obstination et l'humidité était palpable alors même que les gouttes étaient insaisissables, se déposant pourtant sur le sol, les mains, mouillant ce journal parce que le vent s'engouffrait sous le porche, portant la pluie. Le bus avait avancé de quelques mètres, vers l'arrêt qui se trouvait plus bas dans la rue. Et tout à coup je m'élançais, criant à Pascal : « Je prends le bus, à demain si tu veux. » Je me faufilais entre les voitures, passant devant le bus, la pluie qui m'avait semblé si légère cinglait maintenant mon visage, elle coulait le long de mon cou, et je frissonnais comme lorsqu'on s'éveille, qu'on rejette les couvertures, qu'on s'asperge le visage d'eau froide. Je bondis dans le bus, je gagnai les dernières places, au fond et je vis Pascal, toujours sous le porche, le journal qui pendait au bout de son bras. Il regardait le bus, il tentait de m'apercevoir. Nous démarrions, nous réussissions à franchir le carrefour et derrière nous la cohue se refermait comme une banquise, un instant ouverte.

Le regard des femmes

Ainsi entre Pascal et moi, sans un mot de colère, sans une explication, et presque sans raisons, finit l'état de grâce, la brèche s'était refermée. Nous marchions désormais de part et d'autre d'un mur.

J'avais agi par instinct. Une feuille ou un fruit doivent ainsi tomber de l'arbre, quand le moment vient. Nous avions durant ce mois usé de nous avec désir, tendresse, liberté. Chaque jour nos corps s'étaient unis, longuement, lentement. Nous étions l'eau et la terre. Et le bus n'avait roulé qu'une centaine de mètres n'ayant même pas atteint la place du Palais-Royal, qu'il me semblait déjà que la période que je venais de vivre appartenait à un passé si lointain, qu'il me fallait faire effort pour en garder le souvenir. Je savais que je retrouverais Pascal, demain, dans la salle de lecture, que nous serions assis côte à côte, qu'il me demanderait peut-être une cartouche d'encre, me ferait lire un paragraphe du texte qu'il traduisait et moi je glisserais vers lui quelques lignes du manuscrit de Dolfin, peut-être celles où il parle de son amour pour Anna de Monteverdi : *Ce jour où je la vis s'avancer dans le cortège de Laurent,* écrit-il, *tout mon corps se trouva enveloppé par une flamme ardente et je m'approchai d'elle sans lui parler ni lui faire signe, sachant qu'elle verrait cette lueur dont elle était la cause.*

Au moment où nous nous quitterions sous le porche, nous ne serions que deux chercheurs qui travaillent sur le même sujet, un homme et une femme qui avaient été ensemble au bout de l'amitié. Seulement de l'amitié.

Et quand je lisais les phrases de Francesco Dolfin, la passion qu'elles exprimaient, la trahison qu'elles préparaient — *Anna de Monteverdi,* écrivait-il au Doge, *est désormais soumise à ma loi, et par elle, par le pouvoir que mon cœur exerce sur le sien, je peux connaître ce qui se prépare ici à la seigneurie. Les sentiments permettent d'ouvrir les coffres les plus secrets* — je pensais que la sagesse, la limpidité de nos relations entre Pascal et moi, expliquaient qu'elles se terminent ainsi, sans presque laisser de traces, sinon quelques gestes de tendresse, un mouvement de sa main vers ma nuque, comme l'aveu d'une amitié profonde, fraternelle.

J'étais seule dans l'appartement et j'y étais si bien. Je changeais les draps de mon lit. J'ouvrais les fenêtres et je laissais entrer ce souffle humide qui me rappelait la lagune. Le chat m'observait, se tenant à l'écart comme s'il avait désapprouvé mon agitation, craint ce froid qui se répandait dans l'appartement et me rendait joyeuse.

Quand le téléphone sonna, que j'entendis la voix de Philippe, je fus prise d'un sentiment de colère, je claquai la porte afin de ne pas écouter et je ne répondis pas, parlant au chat en italien, des mots que j'employais si rarement qu'il me semblait parfois que je les oubliais et, si je mettais tant de passion à déchiffrer le manuscrit de Dolfin, c'était aussi parce qu'il évoquait mon pays dans la langue qui était la mienne mais qu'il me fallait conquérir, parce qu'elle était à son origine, secrète et rude, presque étrangère. Et qu'étais-je moi-même devenue sinon une étrangère à mon pays, à ma cité, sans pour autant avoir acquis une autre patrie ? Seulement moi-même réduite à mes pensées, à mes désirs, libre parce que déracinée.

Tard, ce soir-là, j'ai téléphoné à Mireille Guibert.

J'imaginais la maison de Forgues, le vent qui peut-être courbait les palmiers et les cyprès, la mer qu'on devait apercevoir ou deviner aux coups de boutoir des lames contre les rochers rouges.

Si la sonnerie avait retenti plus d'une fois, j'aurais sans doute raccroché, m'interrogeant sur les raisons que j'avais de parler à Mireille, ce besoin, un peu lâche, parce que je me sentais déracinée, libre de chercher aussitôt un lieu, une voix, comme des repères fixes. Mais Mireille Guibert décrochait avant même la fin du premier grelot.

« Lisa, quelle joie ! », disait-elle.

Moi aussi j'étais heureuse de l'entendre et il me semblait pourtant que je n'avais rien à lui dire, que je ne pouvais — que je ne devais — rien lui avouer.

Elle ne posait d'ailleurs aucune question. Elle me parlait d'une bourrasque qui avait déraciné un olivier. « Tout le monde croit, disait-elle, que jamais le vent ne vient à bout d'un olivier et, cependant, ce vent-là l'a brisé. Il y a toutes sortes de vents, Lisa, vous verrez. »

Moi je lui racontais les caprices de son chat, ses espiègleries et sa tendresse, le plaisir que je prenais à l'avoir avec moi, toujours, comment il couchait dans mon lit, chaque nuit, me réveillait quand il avait faim.

— Je savais qu'il vous fallait un chat, ce chat-là, disait Mireille en riant. Il vous convenait bien, indépendant, un peu sauvage, mais tendre, si tendre.

— Voilà, ai-je dit.

— Très bien, Lisa, très bien, je vous embrasse.

Nous ne raccrochions pourtant pas.

— Je vais m'installer à Bruxelles, avec Philippe, ai-je ajouté.

Peut-être était-ce pour m'annoncer cela, à moi, à haute voix, que je lui avais téléphoné.

— Prenez la vie avec légèreté, Lisa, légèreté, a simplement dit Mireille Guibert.

47

La lucidité et l'ennui

J'ai donc vécu à nouveau avec Philippe et peut-être les premières semaines a-t-il cru que je n'avais pas changé.

Le soir même de mon arrivée, dans la voiture qui nous ramenait de la gare du Midi, il avait posé sa main sur mon genou, puis caressé ma cuisse, dans un geste de possession qui me révoltait mais que j'acceptais plus par curiosité que par lâcheté ou indifférence. Cela m'intéressait de savoir comment j'allais vivre ces retrouvailles, auxquelles je m'étais décidée puisque, après tout, cela n'avait pas tellement d'importance, que je pouvais m'arranger de Philippe — c'était une expression que je m'étais forgée — lui donner une petite part de ma vie et vivre ailleurs de mes pensées, de mes recherches et peut-être, je le savais depuis ce mois passé avec Pascal, de mes saisons amoureuses.

Nous arrivions. Il me montrait avec emphase la maison, ouvrait la porte. L'appartement était vaste, blanc. « Tu as bien sûr ta chambre, ton bureau », disait-il. La pièce était aussi, dans cet appartement-là, au bout d'un couloir, comme à Paris, mais beaucoup plus long.

Il m'enlaçait. Il chuchotait dans mon oreille. « On l'inaugure, Lisa ? On baptise cette nouvelle vie ? » Il me pliait — nous nous allongions sur le tapis. Il m'embrassait avec cette violence que je détestais. Comment pouvait-il croire que la virilité devait être rude ? L'imbécile. Il m'aimait à sa manière, brutale, brève, avec ce souffle rauque qui se terminait par un cri sourd, un mouvement instinctif des reins, comme un coup sur mes hanches, dans mon ventre, à chaque fois une blessure.

Il se levait, fier de lui, debout les jambes écartées, et moi encore couchée sur le sol, vainqueur qui domine sa victime.

Je haïssais ce gladiateur d'opérette qui ne voyait rien. Mais ma passivité lui suffisait.

Déjà — et ce fut ainsi chaque soir, chaque matin — il m'accablait de récits, de commentaires, de questions. Il faisait l'histoire, n'est-ce pas? Je devais m'intéresser à son œuvre puisque j'étais historienne, de l'Europe précisément, et lui bâtissait l'Europe. 1492-1992, cinq siècles pour la faire naître, et grâce à lui j'étais au cœur des choses, à Bruxelles, proche donc de la Commission, là où tout se jouait. Solas, Finci, Paxonous, Magriet Hankert, Wilkinson, Mahlberg, Carlsten — j'en oublie, puisqu'ils étaient douze — il y avait encore Fleschen, Arroye, Coimbra, Gawyck : les voilà, tous les commissaires, membres de la Commission et, régnant sur eux, le Président, tous ces noms que Philippe déversait sur moi, alors que je prenais dans la cuisine ma première tasse de café, le chat couché sur la table et je le caressais. Je répondais à Philippe par monosyllabes. La directive sur les quotas? Mon avis? Je grognais. « Tu crois? » demandait-il comme si je lui avais donné une indication. Il se dépêchait, sa voiture devait déjà l'attendre.

Quand j'entendais la porte se refermer il me semblait que mes muscles comme après un effort — ou même une crampe douloureuse — se relâchaient, j'étendais mes jambes, je m'étirais, le chat sautait sur mes cuisses, j'allumais une cigarette, je prenais un livre et je pouvais rester ainsi, ne me levant que pour refaire du café, toute la matinée jusqu'à l'arrivée de la femme de ménage.

L'après-midi j'explorais la ville, je prenais contact avec mes collègues de l'université, je téléphonais à Pascal et quelquefois je partais pour Paris, par le train de 17 heures. Je couchais — seule — rue Henri-Barbusse et je retrouvais mes habitudes à la Bibliothèque nationale ou aux Archives.

Cette vie d'abord ne m'a pas déplu. J'éprouvais à me soumettre à Philippe une sorte de jouissance malsaine presque morbide mais excitante aussi. Je le méprisais de se satisfaire de si peu, de ne pas comprendre que, même quand il me faisait l'amour, je n'étais pas avec lui, de ne pas sentir que je le trompais dans l'instant même où il m'étreignait et que, durant un mois, chaque soir, j'avais serré dans mes bras le corps d'un autre. Je m'étonnais de ce que tout cela soit possible, sans éclat, et que je vive aussi facilement cette situation. Je découvrais que Philippe était un port d'attache, d'autant plus utile qu'il me gênait de moins en moins car je mesurais à quel point, en un mois, je m'étais transformée. J'étais libre à l'égard de Philippe et de Pascal. Et j'éprouvais un sentiment d'exaltation à en prendre conscience. J'étais cynique aussi. Souveraine : c'est eux, les autres — Philippe, Pascal —, que je possédais alors que je leur échappais.

Surtout, je ne craignais plus Philippe. J'étais avec lui parce que je l'avais décidé et je pouvais, dans l'heure, si bon me semblait, le quitter.

Il comprit cela peu à peu comme on découvre la gravité d'une maladie. Il s'efforçait de ne pas voir et je ne faisais rien pour qu'il sache. J'agissais simplement à ma guise, lui annonçant que je passais la fin de la semaine à Paris ou bien que je partais pour Bruges où je commençais à enseigner, à l'Institut universitaire européen. Ses yeux le plus souvent mobiles me fixaient. C'était comme si une douleur inattendue, un symptôme, lui annonçait ce mal qui le rongeait.

Je le rassurais. Je ne voulais pas qu'il cède à la panique. Je connaissais sa violence, la contagion des gestes, des mots, des cris, cette folie qui l'avait saisi à Forgues, celle d'un noyé qui s'agrippe, et j'avais hurlé avec lui, emportée dans le même tourbillon. Je disais, sans lever la tête, continuant à lire ou à écrire : « Je t'appellerai, Philippe, bien sûr, et tu peux me téléphoner. »

Il hésitait à me répondre. Je le sentais prêt à basculer dans la colère. Je le regardais. Dans ce visage qui s'était transformé si vite, les plis de la peau alourdissant les mâchoires, cachant le menton, le cou, je retrouvais avec étonnement et presque de l'émotion, la grimace de déception et de désarroi d'un petit garçon, celle qu'avait eue si souvent mon frère Paolo, quand je refusais de lui céder. Il se tournait vers ma mère, il l'implorait les bras tendus, les mains ouvertes, se mettait à pleurer, il me dénonçait, il m'accusait : « Lisa, maman, Lisa, maman... », il suffoquait.

Philippe, pareil à Paolo, peut-être semblable à tous les hommes en face d'une femme qui refuse de les traiter comme un fils bien-aimé, admiratrice soumise et servante.

Cette idée même me révulsait. Je retrouvais ma hargne d'enfant qui s'indignait des préférences de ma mère pour le fils et me condamnait quoi qu'il ait fait.

Je me remettais à lire. J'avais à tracer ma route. C'était ainsi. Tant pis pour Philippe. Le temps m'était compté bien plus qu'à lui. Dix ans nous séparaient, qu'il avait déjà parcourus — et parfois je pensais qu'il me volait ces années-là.

Une femme vieillit si vite.

Je ne voulais pas me laisser prendre par cette angoisse, mais mon visage changeait, mes traits se creusaient, et je massais chaque matin ces rides qui cernaient ma bouche, celles qui entouraient mes yeux. Parfois, à la Bibliothèque, j'avais en face de moi une femme dont tout à coup, comme par mégarde, je découvrais qu'elle était plus jeune que moi, et j'étais distraite par sa peau lisse, ses cheveux brillants, son sourire aussi quand un homme se penchait par-dessus son épaule et qu'elle levait la tête pour lui répondre.

Philippe, comme s'il me tendait un miroir de sorcière, me donnait une image de moi, de mon futur, qui me désespérait. Il fallait que je me raidisse, que je ne le voie pas. J'avais encore des années à vivre dont je ne voulais pas connaître le terme. Il était ce terme.

— Donc, tu t'en vas, disait-il.

Il pleurnichait encore. Je répétais avec irritation mes obligations. J'utilisais des arguments qu'il ne pouvait réfuter. Recherches, archives, enseignement, séminaires : j'étais cela et il le savait bien, n'est-ce pas ?

Il venait s'appuyer à ma chaise, il lisait ce que j'écrivais. « Toujours ce Dolfin », murmurait-il.

Il était ironique. Comment pouvait-on se consacrer à ce qui avait eu lieu, était clos, noué, alors que l'histoire était à faire, qu'elle était chaude, vibrante, incertaine ?

Il reprenait pied. Pourquoi n'essaierais-je pas d'entrer dans les services de la Communauté ? Il pouvait m'y aider. Etais-je sûre de préférer le xve siècle au xxe ? Ça ne m'empêcherait pas de visiter les musées, de lire les ouvrages d'histoire mais écrits par d'autres, Pascal Sergent par exemple. Avais-je peur de l'action ? Il était si facile de juger après coup. Mais lâche aussi n'est-ce pas ?

Je le laissais parler. Si sa paix était à ce prix, soit. Je répondais : question de caractère et d'habitude. Je le décevais un peu, disait-il. Il voulait être sûr que je ne le regretterais pas. J'avais encore le temps, mais peu de temps, car les années passaient aussi pour moi.

Dans cette guerre ouverte que nous menions, il n'y avait pas de règles. Chacun frappait dans tous les sens, comme il pouvait.

— Je sais Philippe, le temps passe, et je suis bien décidée à en profiter.

J'utilisais ce mot que je n'aimais pas. Profiter ? Il me

semblait surprendre ma mère lorsque, juste avant que mon père ne se lève pour fermer la porte de son bureau, je l'entendais hurler : « Mais qu'est-ce que la vie avec toi ? Tes livres, tes livres, qu'est-ce que j'ai eu moi ? Est-ce que j'ai profité de la vie ? Toutes les autres profitent, toutes... »

J'étais debout sur le palier. Mon père me souriait avant de pousser la porte. J'avais honte pour ma mère.

J'ai honte de ce petit mot sordide que j'emploie à mon tour, mais il fallait bien que je me défende.

Philippe s'affolait. Il n'avait plus prise sur moi. Ses pièges se refermaient sur ses doigts. Je lui échappais.

Il me comprenait, disait-il. La politique n'était que compromis, compromissions. La boue quoi. Moi, j'avais choisi d'être spectatrice, de démêler l'écheveau sans y prendre part. Mais pourquoi pas le journalisme ? Il voulait m'arracher à la poussière du passé, insistait-il. Il m'invitait à l'énergie, au courage. Il partait pour une tournée des capitales des douze pays de la Communauté — il ne pourrait pas m'appeler, je ne pourrais pas le joindre, sinon en téléphonant à Costes, sa secrétaire, qui saurait heure par heure où le toucher. « Moi, moi je », il gonflait la voix comme un enfant qui fait le matamore — pourquoi ne l'accompagnerais-je pas ?

Poussière du passé ? Energie ? Courage ? Action ?

Je retenais mes sarcasmes et ma colère. Je quittais la chambre sans répondre à Philippe. Il me suivait dans le couloir puis dans la cuisine.

Je devais, expliquait-il, épouser mon temps.

Quel con !

Je devais cesser d'être une sorte de collectionneuse des événements passés.

Le café sifflait, la vapeur giclait et j'essayais de ne pas l'écouter cependant qu'il parlait de Pascal Sergent, de ces intellectuels qui laissaient se faire l'histoire et prétendaient l'analyser. Historien ? Un passe-temps de vieux, quand on ne peut plus maîtriser les choses, agir dans l'aventure de son temps.

Je ricanais. Il avait le sens des formules, celles qu'on lit dans les magazines.

Il tentait de m'enlacer. « Viens avec moi », murmurait-il.

Je hurlais, je venais de me brûler.

Il ne comprenait pas ma hargne, la violence avec laquelle je le repoussais et refusais son invitation. Il aurait fallu qu'il ressente comme moi le ridicule de ces dîners officiels, auxquels durant les premiers mois de mon séjour à Bruxelles, par curiosité, j'avais assisté avec lui. J'étais sagement assise entre Solas et Paxonous. Ils me posaient quelques questions polies, puis ils parlaient entre eux, directives, subventions, votes. Et je me tenais droite, appuyée au dossier de la chaise afin de ne pas les gêner alors qu'ils lançaient leurs mots l'un vers l'autre.

Lors des réceptions, debout dans les salons du palais de la Commission, je voyais ces marionnettes qui avaient toutes les mêmes gestes, grimaçaient les mêmes sourires, échangeaient les mêmes phrases.

L'ennui et la rage d'être là, parmi eux, me gagnaient. Jagot, le directeur de cabinet de Philippe, essayait de me distraire puisqu'il avait reçu de Philippe cette mission. « Voyez Wilkinson, il évite Gawyck, anglais irlandais, vous imaginez la sympathie, tenez voici Magriet Hankert, élégante batave. »

Il me salissait avec ces propos stupides, ce persiflage convenu.

Moi, c'était moi qui participais à ce spectacle, engluée dans cette foule, parcourue de petits désirs mesquins, tenaillée de dérisoires inquiétudes. « Mahlberg m'a ignoré, me confiait Philippe au retour. Tu n'as pas remarqué ? Il ne me pardonne pas d'avoir fait intervenir l'Elysée auprès du Chancelier. Il se vengera, je le connais. Il sabotera mon projet... »

Je rêvais de ces haines violentes, de cette démesure, de ces trahisons, de ces vrais complots, de ces grandes passions que Francesco Dolfin racontait.

Poussière du passé ? Un seul fragment du manuscrit de Dolfin valait plus que toutes les pensées accumulées par ces diplomates, ces hauts fonctionnaires, ces hommes politiques qui chuchotaient entre eux, qui croyaient agir et qui m'apparaissaient comme de mauvais acteurs, s'imaginant interpréter une pièce dont le sens et les péripéties leur échappaient.

Energie ? Courage ? Il en fallait mais pour ne pas être dupe de cette mise en scène. Et Philippe comme tous les autres était aveugle.

Je l'observais qui allait d'un groupe à l'autre, souriait, se penchait pour écouter une confidence, appelait d'un signe de doigt Jagot qui se précipitait, puis revenait vers moi, me chuchotait que les négociations continuaient, même ici, « de manière informelle, la plus efficace, bien sûr ». Philippe passait près de moi, « Ça va ? » murmurait-il. Il s'excusait. Il devait absolument dire un mot à Arroye : « Les Belges peuvent faire l'appoint et me permettre de passer en force. »

Pour aller où ?

Philippe ne se posait même plus la question. L'engrenage tournait. Il était la matière qu'on modelait et le rouage. Il bourdonnait avec les autres, les prenait par l'épaule : « Mon cher Finci... » Parfois je saisissais un mot, un début de phrase et j'avais comme un éblouissement. Cet homme bedonnant, presque chauve, au visage empâté, au torse carré dans un costume gris croisé, je connaissais sa voix : c'était bien celle de Philippe. C'était bien avec lui que je vivais, lui dont je portais le nom accolé à celui de mon père : Lisa

Romano-Guibert. Et j'avais honte pour mon père que j'associais à ce saltimbanque, mon père qui, toute sa vie, avait été rigueur, modestie, discrétion, refusant les postes qu'on lui offrait après la guerre. Je n'étais pas encore née, mais je l'avais appris par les reproches que ma mère lui adressait, l'amertume qu'elle exprimait. « Quand ils ont voulu te nommer à l'ambassade à Paris puis encore Londres, tu les as découragés, après on a oublié M. le professeur. » J'avais reconstitué cette biographie paternelle, apparemment paisible, et qui avait été celle d'un étudiant antifasciste, qui s'évadait, échappait aux nazis, entrait en libérateur dans Venise, puis s'enfermait dans les bibliothèques, s'éloignant à tout jamais de la vie publique, ne cherchant qu'à faire avancer de quelques pas la connaissance, historien, professeur dont j'avais suivi les cours. « Mesdemoiselles, messieurs, chaque mot compte, disait-il en ouvrant l'année universitaire, évitez les éclats, les rodomontades, soyez comme des maçons, une brique après l'autre, construisez votre savoir sur des bases solides... »

Passe-temps de vieux, avait dit Philippe.

Je l'ai méprisé. Le spectacle que j'avais sous les yeux me paraissait celui de la dissipation, une sorte de pantomime où chacun se reniait, se vidait de tout ce qui avait fait sa valeur, pour ne plus être qu'apparence, corps gonflés ne vivant que des regards. Et ces longs conciliabules, ces réunions, ces dossiers que je voyais s'entasser sur le bureau de Philippe, qu'il portait sous le bras en quittant l'appartement chaque matin, n'étaient que mots, commentaires, actions inutiles.

Que changeaient-ils ?

Les premières fois — mais j'y ai vite renoncé — j'avais tenté au retour de ces réceptions d'expliquer à Philippe ce que j'éprouvais. Que faisaient-ils, vraiment ? Que pouvaient-ils ? Ils ne produisaient rien. Des textes ! Ces directives dont

Le regard des femmes

Philippe était si fier. Ils ne décidaient rien. Les gouvernements, les marchands, les financiers marquaient de leur empreinte le monde. Ils n'étaient rien que des phraseurs.

Philippe tassé dans l'un des fauteuils du salon écoutait avec ironie le début de ma harangue. Je tournais autour de lui, je le harcelais. Il essayait de me prendre par le poignet : « Lisa, Lisa », disait-il en riant. Mais sa bonne humeur, sa condescendance m'exaspéraient. Je me dégageais d'un mouvement brusque. Il voulait aussi ridiculiser ma révolte. Je parlais plus fort, je persiflais avec plus de hargne encore. La rage que j'avais accumulée en souriant à Solas ou à Finci, l'humiliation que j'avais ressentie d'être reléguée dans le camp des épouses, explosaient. Pour qui me prenait-il ? L'aventure de notre temps ? Une réunion de bureaucrates qui prospéraient comme des parasites et dont les seules aventures étaient des discussions prolongées sous une horloge dont on immobilisait les aiguilles. « Et tu es fier de cela ? » Il se taisait encore, hochant la tête avec commisération. « Passer sa vie à ça, quelle impuissance ! »

Ce mot, il s'échappait malgré moi, et je savais que Philippe ne pouvait l'accepter.

Je reculais, je quittais le salon mais c'est lui qui me poursuivait, qui hurlait. Je cherchais à le détruire, lançait-il, méchante, salope, salope, je poursuivais mon travail de sape contre lui.

J'essayais de ne pas entendre. Je ne répondais pas. J'avais ouvert les hostilités. Il m'insultait encore. Et tout à coup, il parlait de Pascal Sergent, s'en prenait à lui en même temps qu'à moi comme si la colère lui faisait deviner quels avaient été nos liens. « Intellectuels ? pauvres connards. » Nous avions l'orgueil de la lâcheté.

Puis le silence sur ces décombres, ce gâchis.

Nous nous évitions durant plusieurs jours, mais, peu à

peu, les apparences se reconstituaient. Philippe semblait même oublier la scène qui nous avait opposés. Il m'accablait à nouveau du récit de ses petites guerres. Finci, Wilkinson, Mahlberg, Coimbra : les noms des commissaires tournaient comme au manège. Et il pouvait même me proposer de l'accompagner dans sa tournée européenne, ou m'inviter à devenir, à ses côtés, fonctionnaire de la Communauté européenne. Quel bel avenir ! Et je recommençais à ricaner en refusant de l'accompagner où que ce soit. Chacun nos vies. Chacun pour soi.

Lors de ces réceptions grises, étirées, au cours desquelles mon corps s'alourdissait, pesant sur mes reins, tirant sur mes épaules comme s'il s'affaissait et je m'appuyais aux croisées de fenêtres, je buvais, je grignotais pour tromper l'ennui des canapés multicolores au même goût douceâtre, je n'avais été distraite, intéressée même, que par le Président de la Commission.

J'avais remarqué cet homme au visage parcouru de rides si profondes qu'elles semblaient des cicatrices ou des tatouages. De petits groupes se formaient autour de lui. Il n'était pas le plus grand, au contraire, mais par un effet étrange il paraissait dominer ses interlocuteurs, comme si ceux-ci s'étaient courbés de façon à lui laisser cette prééminence. Il les écoutait sans les regarder, les yeux dissimulés par des lunettes à grosse monture, les mains derrière le dos, plus comme un confesseur, un moine franciscain, qu'un souverain. Il avait tourné sa tête vers moi à plusieurs reprises mais sans que je puisse savoir s'il me voyait. Jagot me chuchotait qu'il s'agissait du Président de la Commission, « Il va marquer la fin du siècle, un homme d'Etat », murmurait-il. « Philippe ne vous a pas présentée ? » Je ne répondais pas à un Jagot. Tout à coup le Président avait quitté ceux qui l'entouraient et il était venu vers moi, arrêté par des convives

241

qui tentaient de le retenir mais il les éloignait d'un mot, la tête un peu penchée.

Jagot s'écartait de moi avec respect, puisque le Président m'avait enfin rejointe et qu'il me tendait la main. « Madame Guibert, n'est-ce pas, vous vous ennuyez, je le reconnais, nous sommes sinistres. » Il me prenait par le bras, « Je n'ai pas pu me tromper, on m'a dit que Philippe avait une remarquable épouse... » Il s'interrompit, riait. « Je mens, je vous ai vue arriver avec lui. »

Il se plaçait devant moi comme pour me dissimuler à la salle à laquelle il tournait le dos. « Qu'est-ce que vous faites, à part ça... ? »

Il était le seul homme de cette soirée dont émanait autre chose que de l'ennui. Rien ne semblait le distinguer, ni la taille, ni le costume sombre, à peine la voix un peu trop aiguë, presque éraillée et cependant ma curiosité était éveillée, je ne sentais plus ma fatigue, j'oubliais l'atmosphère sèche et bleutée et derrière les voix le bourdonnement diffus des climatiseurs. Ce personnage-là aurait pu être l'un de ceux que croisait Francesco Dolfin à Florence ou à Venise. Je le devinais ambitieux jusqu'à en perdre la raison, dissimulé, et il me suffisait de chercher son regard, qu'on ne saisissait jamais pour m'en persuader, perspicace aussi.

« Vous me méprisez un peu, j'en suis sûr — il tapotait mon poignet —, tout cela n'est pas exaltant vous semble-t-il. Vous vous trompez, c'est ici, avec ces gens-là, que se joue le destin de l'Europe, mais si, mais si. »

Il m'observait, faisait un pas en arrière : « Enfin, je ne veux pas vous convaincre, disons que cela m'arrange de le croire, ou de faire semblant de le croire. »

On n'osait pas l'interrompre pendant qu'il me parlait. Philippe lui-même était passé près de nous, me clignant de l'œil comme un entremetteur qui invite la femme à se montrer docile, et cette petite complicité qu'il essayait d'établir m'avait dégoûtée. Qu'espérait-il ? Que je parle de lui au Président, que je fasse son éloge, que j'obtienne par mes bonnes grâces un soutien politique ? J'exagérais sans doute, mais le Président avait deviné mon irritation. « Vous ne devez pas être commode », murmurait-il. « J'aime trop les femmes, ajoutait-il, pour vivre avec elles. Enfin, ... de manière régulière. »

Il plissait son visage, accentuant comme par défi les creux de ses rides, prenant une expression gourmande, presque avide. Il était le premier des hommes que je côtoyais dans ces réceptions qui me parut avoir une sexualité. Les autres, enveloppés dans leur costume gris, cachaient leur corps et ils avaient rendu leur visage si lisse qu'il était impossible d'y deviner une émotion. L'ennui pour moi dans ces réceptions venait aussi de cela — peut-être d'abord de cela —, ces hommes et ces femmes, je les sentais mutilés comme des figurines en trompe l'œil qui n'ont pas d'épaisseur, pas d'humeur, pas de sexe.

Le Président était différent. Laid, retors, et se servant de son ambiguïté, de son hypocrisie, de son intelligence pour attirer et séduire.

« Téléphonez-moi, un jour, disait-il en me prenant la main, ou bien, voyons-nous à Bruges, à l'Institut puisque vous y enseignez. Je sais beaucoup de choses vous voyez. »

Je détestais l'assurance de ce type d'homme, mais au moins il existait. Les autres ? Prisonniers de leur fonction, de l'image qu'ils devaient donner, capables seulement — comme Philippe et j'en ressentais du dépit, du mépris et de l'amertume — de faire l'amour par hygiène, parce qu'il faut, comme on court le matin ou bien comme on joue au golf le samedi — on doit — ou bien alors prêt à s'asseoir en voyeur, au premier rang, à acheter du plaisir pour exercer encore leur pouvoir, jambes ouvertes, attendant qu'une femme payée vienne s'agenouiller devant eux, entre leurs cuisses. Hommes divisés, impuissants et brutaux.

Le regard des femmes

Je préférais les trahisons et les passions de Francesco Dolfin.

Avais-je à cause de cela, et presque malgré moi, manifesté trop d'intérêt pour le président de la Commission ? S'était-il mépris sur mes sentiments et avait-il cru que ma curiosité était une invite ?

A trois ou quatre reprises, au cours de ces réceptions, j'avais ri de bon cœur en l'écoutant. Je l'avais laissé me prendre le bras, se pencher vers moi. J'avais été complice de ses sarcasmes. J'avais partagé son cynisme, et peut-être m'étais-je montrée flattée de l'intérêt qu'il me témoignait. J'étais surprise aussi de l'attitude de Philippe, de la déférence angoissée avec laquelle il m'interrogeait. Il tournait autour de moi, dans la chambre, cependant que je me déshabillais. « Mais que t'a-t-il dit, vous avez parlé ensemble toute la soirée, Finci m'a même fait une remarque ironique, et tout le monde a pu entendre ton rire, on ne rit pas comme ça, que t'a-t-il dit, Lisa ? Enfin... »

Il n'osait me toucher. Il m'observait comme si je portais sur moi les signes d'une distinction. Le Président avait partagé avec moi une intimité à laquelle Philippe n'accéderait jamais. « Des bêtises, voyons. » Et je ne pouvais même pas me souvenir de nos propos. Peut-être s'était-il moqué de Wilkinson, ou avait-il raconté d'une manière cocasse une séance de la Commission. Mais Philippe ne quittait pas ma chambre. Il me regardait avec une attention soupçonneuse et presque effrayée. Qu'étais-je donc ? Je l'ai rassuré. Le Président ne m'avait rien confié à son sujet, rien. Philippe n'était pas satisfait, m'expliquant combien le rôle du Président était décisif dans les mécanismes de décision, combien il était habile à susciter des rivalités entre les commissaires pour mieux imposer son point de vue. « C'est un salaud, murmurait Philippe, mais... — il me fixait — je crois qu'il

244

m'aime bien. » Il semblait attendre une confirmation ou chercher une preuve de l'amitié que le Président lui témoignait, dans l'attention qu'il me portait. « Je crois », ai-je seulement répondu en commençant à lire.

Philippe s'allongeait sur le lit. « Tu crois ? demandait-il. Que t'a-t-il dit ? »

Ce soir-là, je l'avoue, j'ai joué avec lui. Il me dévoilait, malgré lui, la réalité de ses relations avec le Président, combien il était tenu, servile, dépendant. Il vivait, quoi qu'il prétende, dans la peur d'une condamnation. Déjà ce coup d'œil qu'il m'avait fait au cours de la soirée, comme pour m'inciter à l'amabilité, maintenant l'insistance avec laquelle il voulait me soutirer des confidences comme une part qui lui revenait de droit. Entremetteur, souteneur. J'exagérais mais je décelais le germe, j'imaginais aussi comment, si l'on n'y prend garde, les relations se pervertissent, comment le glissement est facile. Et je pensais à Mireille Guibert, à ses rapports avec Charles Hartman, à ce qu'elle m'avait dit de son désir de voir son mari disparaître. Il y avait dans ce jeu subtil et dangereux, un goût âcre, qui venait du plaisir que l'on peut prendre à découvrir la veulerie d'un homme, sa faiblesse, sa lâcheté, et combien il peut être excitant de lui faire mal, de le fouailler, comme ils tentent eux, les hommes, de le faire avec leur sexe, leur langue entrant en nous.

Philippe m'avait saisie aux épaules, il m'embrassait dans le cou, tentait de saisir mes lèvres, je résistais mais je ne l'ai pas repoussé, je l'ai laissé m'aimer avec sa brutalité, plus rageuse encore cette nuit-là. Il m'insultait d'une voix sourde : « Mais tu es une salope, répétait-il, une putain. » Et je ne me révoltais pas, j'éprouvais même à l'entendre une jouissance, un début de plaisir, qui cessait vite, parce qu'il n'était jamais capable de me donner ce que j'attendais, qu'il haletait, poussait un cri, retombait sur le côté en répétant d'une voix éplorée : « Lisa, Lisa », et je me levais, ne retournant dans la chambre qu'après qu'il l'eut quittée.

245

Le lendemain matin, Philippe essayait avec une fausse désinvolture de me questionner à nouveau : « Tu ne m'as rien dit sur ce que le Président t'a raconté », commençait-il. Je le fixais et il n'osait pas poursuivre, tout à coup honteux, honteux, comme s'il prenait conscience de cette sorte de marchandage sordide qu'il tentait d'instaurer entre nous. Il me quittait gêné. Je l'avais vaincu et je n'en étais pas fière. Je l'avais un peu plus démasqué et donc détruit à mes yeux.

Et parce que j'ai eu peur de le contraindre à me révéler tout ce qu'il était prêt à accepter, je ne lui ai pas raconté mes rencontres avec le président de la Commission.

Je ne m'étais pas trompée sur cet homme. Il était de ceux qui se soucient peu du sentiment des femmes dès lors qu'elles leur plaisent et qui mettent à bousculer leur résistance une énergie, une obstination dont peu d'hommes sont capables, surtout quand la vie sociale les captive. Avant le Président je n'avais connu que Vassos prêt à autant de persévérance et obsédé à ce point par la conquête des femmes. C'est aussi pour cela que je l'avais quitté.

Bien sûr, je n'avais pas téléphoné au Président comme il me l'avait demandé. Mais je l'avais donc rencontré quelquefois et dans le glauque ennui qui m'accablait lors de ces soirées, je l'avais vu venir vers moi avec joie. Il me reprochait de ne pas l'avoir appelé, mais chuchotait-il : « Je prendrai des initiatives, c'est dans mon rôle, mes fonctions... »

Je l'ai laissé dire et peut-être croire que j'attendais — que j'espérais, qui sait ? Les hommes comme lui ont une telle assurance qu'ils n'imaginent pas qu'on puisse ne pas les accepter ou même les désirer — qu'il me ménage une occasion de lui céder.

246

Je n'ai pas été surprise quand je l'ai vu entrer dans le petit amphithéâtre de l'Institut universitaire de Bruges. Je venais de commencer mon cours et le directeur qui l'accompagnait s'excusait, mais le Président de la Commission avait souhaité me rencontrer aussitôt. « Nous nous connaissons un peu », ai-je dit avec ironie. Le Président souriait, ses yeux plus dissimulés encore qu'à l'habitude, deux traits légèrement inclinés, dans un visage plissé. Il connaissait seulement madame Guibert, répondait-il, mais il ignorait tout du professeur Lisa Romano. Pouvait-il m'écouter quelques minutes sans troubler mon cours et, de la même voix officielle, mais plus sourde, il ajoutait alors que le directeur gagnait le premier rang des bancs : « Sans vous troubler Lisa, j'espère. Me donnerez-vous ensuite une leçon particulière ? »

Peu m'importait qu'il fût là. Je repris la parole. Je parlais alors des comptoirs commerciaux que les Vénitiens avaient établis depuis des dizaines d'années dans la mer de Marmara. Francesco Dolfin, qui servait de guide à cette histoire du xve siècle dont je brossais à grands traits les tendances, avait séjourné dans l'un de ces comptoirs, celui de l'île de Khereni. « Les habitants de l'île, expliquai-je, prétendaient que c'étaient les compagnons d'Ulysse qui, en revenant de la guerre de Troie, avaient donné à leur patrie le nom de Khereni, celui d'une femme de l'île qui s'était changée en mouette quand l'un des Grecs avait voulu l'enlacer et, depuis, l'île était le refuge de milliers d'oiseaux. A chaque saison, ils faisaient halte pour quelques jours dans les rochers avant de reprendre leur vol vers les péninsules du sud ou les terres démesurées du nord et de l'est. Cette légende, Francesco Dolfin la rapporte dans le manuscrit dont je vous ai parlé... »

Le Président avait posé les mains à plat sur la tablette et il était immobile, le visage figé, cependant que le directeur de l'Institut ne cessait de tourner la tête, surveillant la trentaine d'étudiants qui continuaient paisiblement à prendre des notes.

A la fin de mon cours, le Président vint vers moi, « Nous déjeunons ensemble, bien sûr, j'ai organisé ça », puis se tournant vers le directeur qui nous rejoignait, il lui tendit la main et, après quelques amabilités, il prit mon bras et m'entraîna.

Nous étions au mois de mars et nous longions les canaux où se reflétaient les façades médiévales et le ciel changeant que bousculait le vent. Le Président serrait mon bras et quand j'avais voulu le retirer il avait résisté, continuant comme si de rien n'était à commenter mon cours, et j'avais renoncé, l'écoutant me parler du xve siècle, ce basculement de l'Europe dans les quarante années qui avaient suivi la chute de Byzance. Il voulait rendre au vieux continent toute sa place : « La première, Lisa. » L'Amérique du xxe siècle, martelait-il, c'était ici dans ce polygone magique que bordaient la Méditerranée, l'Atlantique, la mer du Nord, qu'elle se trouvait. « Je suis le Christophe Colomb de ces temps à venir », disait-il en riant comme pour effacer sa prétention. Il s'arrêtait : « Si rares sont les femmes comme vous Lisa », murmurait-il.

Je dégageais mon bras tout en lui faisant face. Je le dévisageais. Imaginait-il que j'allais succomber à sa gloire ? Je voyais ses rides, ses cheveux gris soigneusement coiffés. Un homme sans âge, disait souvent de lui Philippe, mais j'avais devant moi un vieux qui tentait de séduire en utilisant toutes les ressources de son pouvoir. Il me proposait de devenir l'une des conseillères en communication de la Commission. Il avait besoin, précisait-il, de perspectives historiques pour étayer ses discours et ses réflexions. Il avait lu Braudel, naturellement, il m'en parlait tout en posant sa main sur mes épaules pour me guider vers le restaurant qu'il avait choisi.

Boiseries, cuivres, rideaux de velours, peinture fla- mande et pénombre : il était assis contre moi. « Racontez- moi, chuchotait-il, vous êtes qui vraiment ? Vénitienne m'a- t-on dit, mais c'est un mot. Energique, décidée et sensible je devine cela, mais qu'attendez-vous de la vie, vous êtes si jeune encore ? »

Il s'interrompait pour choisir les vins et tout en me consultant il plaçait sa cuisse contre la mienne. Peut-être l'avais-je suivi pour être surprise, étonnée — comme je l'avais été dans ces salons où il était le seul homme singulier, supérieur à tous, et bien sûr à Philippe ce qui me vexait —, mais dans ce tête-à-tête qu'il essayait de rendre équivoque, hésitant à dire ce qu'il attendait de moi, il n'était que convenu, banal, vieux séducteur utilisant les mots les plus attendus, les recettes les plus communes.

Là où n'était pas la passion ; seule la violence brutale et sans masque du cynisme pouvait m'attirer.

Et il n'avait qu'une audace calculée qui me décevait. Je m'ennuyais. Je m'écartais de lui autant que je le pouvais car la banquette était étroite et sans doute l'avait-il choisie pour cela. Il se tournait vers moi, et il me semblait que je voyais pour la première fois ses yeux, gris, inexpressifs. Il me fixait. Croyait-il que j'allais trembler d'émotion ou de frayeur, baisser la tête comme une proie qui, paralysée, succombe sans se défendre ? J'avais envie de rire, de me moquer de ce vieux bonhomme ridé, qui m'imaginait fascinée par sa puissance politique, son rôle historique, cette mission qu'il prétendait incarner et qu'il évoquait entre deux pressions de sa jambe, un mouvement de son pied, puis de son bras qu'il plaçait, familier, derrière mes épaules. Mais dès qu'on servait un plat, il dévorait avec la hâte d'un homme vulgaire et violent, énergique et volontaire aussi, et je l'oservais tout en chipotant alors qu'il semblait avoir oublié ma présence, soucieux seulement de vider son assiette, ne paraissant se souvenir de moi qu'au moment où il demandait au sommelier de nous verser le vin blanc qu'il avait choisi.

« Vous ne mangez pas, disait-il, buvez alors. Je ne bois que lorsque je suis avec une femme, il faut savoir ouvrir des espaces de plaisir, savez-vous Lisa ? »

Maintenant il prenait ma main que je retirais, et sa voix changeait aussitôt, plus nasillarde, indifférente : « Dessert et café ? ou seulement café ? » demandait-il.

Nous n'échangions plus un seul mot en buvant nos cafés. Je fumais distraitement une cigarette et lui lentement un cigare, comme s'il avait été seul.

Puis il se levait. « Vous ne savez pas ce que vous voulez Lisa, disait-il en s'inclinant, moi si. Et je suis têtu, à la fin j'obtiens ce que je désire. »

Il restait devant moi, ses yeux à nouveau cachés.

J'avais souri et je l'avais remercié pour cet excellent déjeuner, « un investissement en pure perte, monsieur le Président ».

Il secouait la tête, affirmait qu'il ne se trompait jamais. Tout à coup j'avais envie de le gifler, son assurance teintée de mépris me révoltait. Il me montrait sa voiture qui l'attendait, le chauffeur debout, ouvrant la portière. Mais je refusais de me laisser raccompagner. Et ce n'est qu'en marchant seule au bord des canaux que j'ai peu à peu retrouvé mon calme.

Durant des mois le Président me harcela. Dès que Philippe quittait Bruxelles je savais qu'il allait recommencer la traque. J'attendais son coup de téléphone avec une impatience mêlée d'angoisse et de révolte. Mais ce jour-là, il me guettait au volant de sa voiture, à la sortie de l'Institut de Bruges. Il ouvrait la portière, il se penchait : « Vous avez peur ? Vous craignez de succomber ? »

Je montais, par défi, par curiosité, pour savoir jusqu'où il irait, sûre de moi et cependant inquiète, troublée par cet homme que je comprenais mal. Il était obsédé par son pouvoir et Philippe le décrivait attentif à contrôler chaque décision, s'appropriant toutes les idées, créant des conflits entre les commissaires pour rester maître du jeu, prêt à toutes les concessions et à toutes les alliances pour conserver son poste, défendre et élargir ses prérogatives. Il tenait aussi à sa réputation, à son rôle historique — comme il disait — et cependant il était là, aux aguets, comme un don Juan vieilli qui ne renonce pas, prenant le risque d'être surpris par un journaliste, gaspillant à m'attendre un temps dont il devait manquer. Et je ne réussissais pas à faire coïncider ces deux aspects de l'homme. Cette incertitude m'attirait. J'acceptais — trois fois en tout — de me rendre à l'un de ses rendez-vous, des déjeuners toujours, dans des auberges de la banlieue bruxelloise où nous étions seuls, et où — il me le disait — il avait retenu une chambre. Il m'en faisait la confidence, sans insister, n'y revenant plus tout au long du déjeuner, se contentant de dire au moment de quitter l'auberge : « Nous partons ? Vous en êtes sûre », et il posait sa main sur ma hanche.

Je jouais avec lui et avec moi et il prenait plaisir à cette chasse infructueuse comme si poser des pièges l'intéressait plus que le gibier qui s'y laissait prendre.

Il avait commencé à me parler de Philippe avec un sans-gêne et une brutalité qui me choquaient. « Intelligent votre Philippe, habile, ambitieux. »

J'aurais dû me lever, partir, ne pas le laisser dire : « Mais il ne vous ressemble pas, qu'est-ce que vous faites avec un bonhomme comme lui ? S'il était tolérant, mais je le crois possessif, jaloux, alors ? Vous méritez les premiers rôles, Lisa, et il ne les jouera jamais. Pusillanime, déchiré, peut-être à cause de vous, non ? Est-ce que vous lui donnez confiance ? Est-ce qu'il a le sentiment de vous satisfaire ? Est-ce que vous le lui faites croire ? Ou au contraire... Tout est là, Lisa. »

Je ne me confiais pas. Je tournais la tête, j'allumais une cigarette comme pour ne plus l'entendre, mais je restais assise, et il poursuivait de sa voix aiguë, racontant des séances de la Commission dont Philippe m'avait fait le récit. C'était malsain et coupable. J'avais conscience de trahir Philippe mais j'avais, en acceptant de me rendre à ces rendez-vous, conclu avec le Président ce pacte du secret qui était la première félonie.

Le Président d'ailleurs ne s'y était pas trompé, posant sa main sur la mienne : « Tout ceci entre nous, seulement entre nous, n'est-ce pas ? Nous nous faisons confiance, totalement. »

J'avais acquiescé. J'étais sa complice. Il m'ouvrait la porte de ce monde politique dont Philippe prétendait connaître les mystères, dont il me croyait exclue alors que je passais des heures en tête à tête avec ce Président qu'il craignait. Et j'écoutais le verdict qui l'accablait. « Guibert n'ira jamais au sommet, c'est dommage, mais il est empêtré dans ses problèmes personnels, vous, Lisa. Il ne vous a pas domptée — il riait — je sais bien, on ne le peut pas, mais on peut devenir votre ami, votre allié et il n'est pas cela. Je me trompe ? Je ne veux pas l'accabler, mais je vous comprends, Lisa, vous êtes... »

J'imaginais Mireille Guibert. Elle avait écouté Charles Hartman. Elle avait — comme moi — cherché la condamnation d'un homme qu'elle n'aimait plus. Puis elle avait souhaité qu'il disparaisse, et peut-être l'avait-elle dénoncé elle-même, ou bien avait-elle incité Hartman à le faire.

Le Président se faisait pressant. Ses genoux touchaient les miens, il tentait d'emprisonner mes jambes comme par mégarde, en s'excusant. Je me levais. C'était notre troisième rendez-vous. L'auberge était située sur une hauteur d'où l'on dominait une plaine vallonnée coupée de rangées d'arbres, sans doute des pommiers. Je suis sortie dans le jardin. Le gravier blanc crissait sous mes pas. Il faisait beau. Je respirais comme si je venais de rester trop longuement la tête enfouie, le souffle commençant à me manquer. Et j'avais les joues en feu, peut-être le vin et la chaleur de la salle.

Pouvais-je continuer ainsi ? Je commençais à me mépriser. « Tu es ton seul juge », avait coutume de répéter mon père après que ma mère m'eut accablée de reproches. « Je ne te dis rien, ajoutait-il. Tu sais ce que tu fais. » Puis, parfois, quelques jours après, il me faisait asseoir près de lui et il parlait de ce que nous aimions, ces villes du passé, la vie fantasque, hérétique et les ambitions démesurées des hommes d'alors, princes ou architectes.

Il s'interrompait brusquement, me prenait aux épaules : « Sois fière, Lisa, murmurait-il, fière de toi, refuse ce qui est mesquin, petit. On meurt des petitesses. Sois superbe, ce qui est beau est souvent juste. Méfie-toi de la laideur. »

Ces paroles me revenaient alors que le Président m'avait rejointe, qu'il s'étonnait de mon absence, murmurait qu'il avait devant lui deux heures de liberté, encore.

Petit, mesquin.

Quelle politique un homme pareil, calculateur, vaniteux, pour qui tout était proie, rançon, profit, pouvait-il faire ?

Depuis Francesco Dolfin, depuis cinq siècles, la laideur et la mesquinerie me paraissaient tout à coup avoir envahi le monde.

— Je rentre en taxi, ai-je dit.

Il paraissait d'abord interloqué, puis il souriait, murmurait : « Comme il vous plaira » et commençait à se diriger vers sa voiture, puis revenait vers moi et, de la même voix posée, maîtrisée : « Dommage, disait-il, vous m'intéressiez. Nous pouvions jouer une petite partie ensemble. Pour notre profit mutuel. Dommage. Vous le regretterez. »

Il me tournait le dos.

Et il a démarré vite faisant gicler les graviers.

Je suis restée une bonne partie de l'après-midi dans l'auberge. J'ai téléphoné à Philippe. J'avais envie comme autrefois d'entendre sa voix, mais sa secrétaire m'annonçait qu'il était en réunion de Commission. Le Président venait d'arriver. On ne pouvait déranger monsieur Guibert.

Deux heures de liberté, avait dit le Président.

J'ai raccroché.

J'allais quitter Bruxelles pour quelques jours.

47

L'éclat passager du jour

J'ai beaucoup voyagé durant près de deux années. La vie quotidienne en tête à tête avec Philippe m'était insupportable. Et, lâcheté, sagesse ou cynisme, habitude, je ne réussissais pas à rompre ce lien conjugal qui m'étouffait. Toujours les mêmes propos. La Commission, l'Elysée, Wilkinson, Mahlberg, etc. L'ambition et l'inquiétude dévoraient Philippe. Il ne restait de lui qu'un corps flasque qui transpirait d'angoisse. « Tu crois que le Président me soutiendra ? » me demandait-il. Parfois je prenais plaisir à le torturer. Je lui décrivais, telles que je les imaginais, les manœuvres sournoises du Président, sa duplicité. « Essaie de saisir son regard », disais-je à Philippe. « Un homme dont on ne voit pas les yeux est perfide. » Je craignais que Philippe ne devine que j'avais une expérience personnelle du Président. Mais il était trop préoccupé de ce qu'il appelait « sa stratégie » pour se demander comment je pouvais connaître aussi bien l'homme qu'il redoutait.

Je l'observais. C'était cela un homme puissant, ce mélange de faiblesse et d'orgueil, de peur et d'autorité, de petitesse et d'ambition. Pitoyable.

Lorsque je séjournais plusieurs semaines à Bruxelles, que je devais donc côtoyer Philippe chaque jour, je me persuadais qu'il me fallait le quitter au plus vite. Il ne m'apportait rien. Il pesait sur moi. Je subissais ses récits et ses étreintes, les uns trop longs, les autres si brèves. J'avais honte de ma lâcheté. Mais, quoi d'autre ? La solitude ? Je la craignais. Je téléphonais souvent à Mireille Guibert. J'avais pris cette habitude et je sentais qu'elle attendait mes appels comme une main qu'on tend. Je ne voulais pas vieillir ainsi. Il me fallait un lieu, avec une présence. Et mon chat ne suffisait pas. J'enviais celles qui préféraient la solitude à l'imperfection ou à la compromission. Je n'avais pas leur courage.

Je revoyais souvent Pascal Sergent. Il venait à Bruxelles accompagné quelquefois de Florence. Nous nous embrassions avec une tendresse fraternelle. J'étais heureuse de sentir sa main sur ma nuque, sous mes cheveux. Mais il n'y avait plus entre nous que cette amitié tendre comme un feu qui chauffe encore mais ne flambe plus. J'avais envie d'autre chose que d'une nouvelle liaison.

Les hommes devaient sentir mon insatisfaction car jamais je n'avais autant reçu de signes d'intérêt. Dans les avions on s'asseyait près de moi, on me donnait sa carte, on m'invitait à dîner. Je refusais, j'acceptais. C'était selon mais je m'interdisais de faire l'amour. Je n'éprouvais aucun élan. Je m'ennuyais si vite que cela me désespérait. A Oxford, à Bruges ou à Florence — où j'assumais un enseignement à l'Institut européen — les collègues et même certains étudiants tentaient aussi de me séduire. La répétition des mêmes gestes, des mêmes propos, m'accablait. A quoi bon ? Je connaissais le scénario. Un film déjà vu, quelconque et médiocre.

Je voyageais donc et je travaillais, associant ainsi distraction et utilité. Mes premiers articles avaient attiré l'attention. J'étais entrée, grâce à eux et à la notoriété de mon père, et aussi avec le soutien de Pascal Sergent, dans le petit groupe des historiens qui vont d'une université à l'autre. Et je ne me plaignais pas de cette organisation de ma vie.

Un chauffeur de l'Institut européen m'attendait à l'aéroport de Pise. Chaque fois je lui demandais de suivre les routes des crêtes qui de colline en colline traversent la Toscane. J'étais éblouie par les couleurs ocre de la terre, la morgue de ces villages perchés. J'étais chez moi. Je parlais ma langue. Ce pays était à la fois humain et fier. Je m'arrêtais dans des *trattorie* de village où la nourriture était humble et succulente. J'invitais le chauffeur à partager mon déjeuner et j'aimais ses prévenances sans servilité.

Francesco Dolfin avait, il y a cinq siècles, parcouru ces routes. Il avait séjourné à Ormetto, un village que dominait un château, lorsque Laurent avait fui Florence craignant un complot dont Dolfin connaissait tous les secrets. Il trahissait Laurent mais l'avertissait aussi de la menace, fidèle au Doge et aux Médicis, jouant son propre jeu, sauvant sa vie, prudent et téméraire.

J'aimais mon pays, sa violence et sa faiblesse, son histoire pleine de suc, de *signorilità,* que je revivais et j'avais le sentiment de la chute quand, de retour à Bruxelles, Philippe, le visage inquiet, m'annonçait que le Président contre toute attente ne l'avait pas soutenu mais s'était allié à la position de Mahlberg. Est-ce que je mesurais son hypocrisie ? Philippe songeait à alerter l'Elysée, car grondait-il, le président de la Commission jouait un jeu personnel, et lui Philippe pensait d'abord aux intérêts français, même s'il était commissaire européen.

Je bâillais. Les mois passaient, les séances de la Commission se succédaient, et le même jeu recommençait. Ce pouvoir n'était qu'un manège d'apparences et de rivalités. Petit. Mesquin. Comédie de bureaucrates. J'avais besoin de grand vent.

257

J'avais pris l'habitude de retourner à Venise. On m'y avait invitée pour participer à l'inauguration d'une bibliothèque qui portait le nom de mon père. J'avais hésité longuement avant d'accepter. Le Palazzo Piggi — qui devenait la Biblioteca Carlo Romano — était situé, le long d'un canal étroit — le Marbello —, à quelques centaines de mètres à peine de la Piazza San Marco, mais l'entrée du Palazzo donnait dans une ruelle où je retrouvais avec émotion ce bruit de pas et de voix, cette sorte de froissement de l'air par la foule des passants qui ne s'entend qu'à Venise. Sur le seuil du Palazzo se tenait mon frère, que je n'avais plus vu depuis la mort de ma mère. Nous nous sommes étreints. J'avais renoué avec ma ville et mon enfance.

Je vins à Venise une ou deux fois par mois. J'avais découvert aux Archives plusieurs dossiers qui contenaient des lettres de Francesco Dolfin. Les dépouiller me demanderait plusieurs mois de transcription et d'interprétation. Mais j'aimais ce travail austère. Mon père avait fréquenté chaque jour, durant plus de quarante ans, la salle de lecture où je me trouvais. Les conservateurs, les chercheurs s'approchaient de moi et comme de vieux amis me chuchotaient qu'ils avaient connu le professeur Romano ou lu ses livres.

J'habitais notre maison de la Giudecca qu'occupaient désormais mon frère Paolo et sa femme Béatrice. C'était comme si la mort de ma mère m'avait apaisée. Je pouvais rentrer dans mon enfance. La guerre que ma mère avait conduite contre mon père et moi, et que je lui avais d'autant moins pardonnée qu'elle avait survécu à mon père, était close. Nous pouvions avec mon frère évoquer les affrontements de nos parents, sans nous déchirer, émus l'un et l'autre, partageant nos souvenirs communs.

J'avais même, un été, commis l'imprudence d'accepter que Philippe vienne séjourner quelques jours à Venise.

A le voir dans mon jardin, puis sur la plage aux côtés de Paolo et de Béatrice, j'avais été humiliée. Il me paraissait ridicule, d'abord avec son costume gris, sa chemise rayée bleu et blanc, ses souliers noirs, puis en short flottant autour de ses cuisses blanches, son estomac proéminent qu'il tentait de cacher en croisant les bras. Paolo, près de lui, les jambes tendues, gonflant ses muscles comme un adolescent, incarnait la jeunesse vigoureuse et virile, et il me semblait que Philippe m'entraînait dans la vieillesse, trop tôt et c'était injuste.

Je tentais de ne pas le regarder. Je me sermonnais. Je lisais puis je fermais les yeux, mais j'entendais les rires de Béatrice, les cris de Paolo qui courait sur le sable avant de se précipiter dans les vagues.

Philippe s'asseyait près de moi : « Tu ne te baignes pas ? » demandait-il.

Il était morose. Il trouvait la chaleur accablante. « Repars », avais-je lancé à voix basse. Il suivait la course de Paolo dans l'écume. « Ton frère est en grande forme », murmurait-il.

Le lendemain son corps était couvert de coups de soleil et il ne nous accompagna pas au Lido, préférant étudier ses dossiers dans le jardin et je l'abandonnais, soulagée.

Sa présence que j'avais souhaitée me désespérait. Je ne pouvais plus être associée à lui. J'avais honte de son corps, de ses maladresses quand il tentait de renvoyer un ballon à Paolo, et je préférais encore partir avec lui pour Torcello, au milieu de la foule de touristes avec lesquels il se confondait.

Quand Béatrice nous photographiait, je m'écartais, je plaçais ma main devant mes yeux, je criais : « Non, non, pas moi. »

Il avait tenté une ou deux fois de me saisir par la taille

afin que nous ayons, disait-il, un souvenir. Je m'étais dégagée vivement. Je ne voulais pas de souvenir.

Sur le bateau qui nous conduisait à Torcello il avait essayé de me photographier par surprise mais j'avais masqué mon visage. Il me semblait qu'il voulait s'emparer de moi afin de me posséder. Et je n'avais qu'un désir, celui de m'éloigner de lui même si je n'osais pas rompre.

Heureusement, Jagot l'a appelé de Bruxelles pour une réunion extraordinaire de la Commission. Il revêtait son uniforme de haut fonctionnaire, nouait sa cravate. Je crois qu'il était heureux de cacher son corps, de partir afin de rejoindre les autres commissaires, le Président, qui avaient comme lui troqué leur apparence — leur corps — contre le pouvoir et les mots. Peut-être était-ce un marché de vieux, d'habiles qui prennent ainsi des garanties contre le temps qui de toute manière détruit la beauté. Mais j'étais jeune encore. Et le pouvoir pour moi n'était rien.

J'ai accompagné Philippe jusqu'à l'aéroport et, durant tout le trajet, nous sommes restés assis l'un en face de l'autre à l'arrière du canot, sans nous regarder. Une brume blanche masquait la lagune, la mer et les pilotis de bois au sommet desquels se tenaient des pélicans aux becs noirs.

Horreur de cet espace glacé entre nous.

A l'arrivée je n'ai pas quitté la vedette.

« Je crois que je ne sais plus être en vacances », a-t-il dit en sautant du canot.

Avait-il jamais su ?

Il est resté sur l'embarcadère, cependant que la vedette s'éloignait, et nous ne nous sommes fait aucun signe.

Quand j'ai retrouvé Paolo, il m'a simplement dit : « Sympathique ton mari. Il devrait faire du sport. »

J'ai mis plusieurs jours à oublier ce malaise. Chaque fois que je voyais Paolo, la beauté de son corps m'angoissait. Je détournais les yeux, mais j'étais comme aimantée et je ne me lassais pas de le regarder. J'étais surtout sensible à ses bras et à son torse dont la musculature saillait sous une peau très brune, dont Béatrice disait qu'elle était semblable à la mienne. Elle entraînait Paolo vers moi, elle nous forçait à nous mettre l'un contre l'autre, « voilà le frère et la sœur, même peau, même corps ».

Je m'écartais vite, gênée de l'envie que j'éprouvais de caresser Paolo, et le soir dans la tiédeur vaporeuse qui recouvrait l'île de la Guidecca, je glissais mes doigts tendus entre mes cuisses, je m'enfonçais dans un plaisir désespéré et aigu où le corps de mon frère était la seule image d'homme qui venait à moi.

Quand le matin nous nous retrouvions pour le petit déjeuner, dans le jardin, que Paolo et Béatrice arrivaient ensemble, à demi nus, provocants, j'avais de la peine à étouffer cette mauvaise humeur, cette jalousie, ce sentiment de perte, d'injustice aussi, qui m'envahissaient et m'assombrissaient. Je renonçais à me rendre à la plage, je décidais de travailler aux archives toute la journée. Mon frère se moquait de ma folie, de cet acharnement que je mettais en plein été à poursuivre ce Francesco Dolfin dont parfois, quand mon angoisse était trop forte, ma nervosité si difficile à masquer, je leur parlais avec un enthousiasme d'abord de commande puis qui, peu à peu, s'emparait réellement de moi.

Mais dans la salle de lecture désertée, où un ou deux étudiants étrangers seulement feuilletaient comme moi des manuscrits que la chaleur rendait poisseux, j'avais un sentiment de révolte et d'accablement.

Les fenêtres du bâtiment des archives étaient étroites et longues, fermées par des barreaux épais. Elles donnaient sur une façade écaillée, rose, que le soleil frappait et, quand il heurtait une vitre, il entrait par ricochet pour quelques minutes dans la salle de lecture, creusant un sillon de lumière grise, tant la poussière était épaisse.

Cet éclat passager du jour, si bref, puis la pénombre s'étendait à nouveau, m'affolait. J'avais mal, ma poitrine serrée. Je devais mordre mon doigt parce que, si je ne l'avais pas fait, je crois que j'aurais hurlé d'effroi. Ma vie m'échappait. Je n'avais rien connu. Je ne retenais rien. Le moment où je serais laide, sans désir, était proche. Je voyais, devant moi, cette façade qui était le terme de la vie créatrice, celle où vibrent les passions. Et j'étais folle, folle d'accepter d'être si raisonnable, Philippe m'avait avec une habilité perfide entravée. Il me volait des années de vie. Il m'étouffait de récriminations. Son âge m'avait contaminée comme une gangrène. Les compromis que je croyais décider c'est à lui qu'ils profitaient d'abord. Je croyais être libre. J'étais vaincue puisque aucun ouragan ne m'emportait, que je n'avais été capable que de ces petites audaces raisonnables, qui avaient le visage de Pascal Sergent et celui d'un universitaire irlandais David Galway — avec qui j'avais partagé deux nuits — ou de ces jeux équivoques auxquels je m'étais prêtée avec le Président.

Rien. Aucun souffle. Petit. Mesquin.

Et la façade était là, dévorée par la lèpre qui avait fait tomber de larges pans de plâtre, laissant voir le mur à vif, plongée elle aussi dans l'obscurité.

Je n'ai plus pu me débarrasser de cette plaie. Elle rongeait, insidieuse. Je voyageais pourtant. J'écrivais. Je publiais. A Londres, j'ai retrouvé pour deux autres nuits David Galway. Mais il s'agissait toujours de gestes, d'un jeu que nous interprétions l'un et l'autre avec talent et sincérité, tout en sachant qu'il ne durerait pas, que le rideau allait tomber. Je repartais pour Bruxelles et David pour Dublin. C'était une rasade fraîche, bienvenue, partagée mais sans cette ivresse qui fait tourner la vie, qui est la vie.

Ma blessure a été avivée, ces mois-là, par ma rencontre

avec Vassos que je n'avais plus revu depuis près de vingt ans. Il se heurtait à moi, Riva degli Schiavoni, sur le dernier pont, dans un brouillard si dense qu'à chaque instant l'on se croyait seul, avec pour unique repère les sirènes des *vaporetti* qui se croisaient et quelques lueurs jaunes aux contours indistincts. Nous surgissions du brouillard l'un et l'autre, tout à coup face à face, avec cette étoupe qui nous enveloppait, noyait le passé et le présent, nous plaçait en un lieu et en un temps indéfinis.

Vassos avait peu changé, maigri, la peau tannée, les cheveux rejetés en arrière, élargissant le front, longs et gris. Il prenait mon visage à deux mains, et c'est comme si vingt années étaient abolies d'un seul coup, fondaient dans ce brouillard. « Lisa, Lisa. » La même voix soyeuse et le souvenir de la passion que j'avais éprouvée pour lui, dans laquelle j'avais sombré, effrayée et courageuse, voulant la vivre jusqu'au bout, puis m'échappant parce que Vassos ne tombait pas avec moi, se contentant de me précipiter dans le vide, prenant son plaisir à me regarder dégringoler, hurler de plaisir et de peur. Il m'entraînait vers le Londra Palazzo, sur ce même quai, là où nous avions passé nos premières nuits avant de nous installer dans une maison du quai, au-delà du musée de la Marine.

J'entrais dans le salon de l'hôtel comme si j'avais encore été l'étudiante décidée qui allait s'asseoir sur le canapé, non loin du piano, attendant que Vassos revienne de la réception où il se présentait comme un touriste grec accompagné de sa jeune épouse. Je reconnaissais les tableaux et les bibelots et je reconnaissais ma jeunesse. Vassos, assis près de moi, mimait notre passé, me serrant la main, me caressant les cheveux, et je le laissais faire, répéter qu'il n'avait jamais été épris que d'une seule femme, moi. C'était un film sentimental dont les images se succédaient et j'étais émue, mais il fallait bien sortir de la salle et Vassos me demandait ce que j'avais fait de ma vie. Je disais quelques mots, mes recherches, mon enseignement, Bruxelles, Philippe. Il s'exclamait, il s'éloignait comme pour mieux me regarder, puis il me prenait les poignets. Mais il n'était plus celui qui rejouait la scène d'autrefois, même si dans ce qu'il disait je retrouvais des mots, son goût pour les sentences, l'emphase. Les dieux, oui les dieux, ne se désintéressaient jamais de ceux qui s'étaient aimés, disait-il, leurs vies restaient tressées l'une avec l'autre, « Toi, moi, Lisa, quoique nous fussions », et nous étions parvenus à ce moment où les destins à nouveau se nouent. Il commandait une deuxième coupe de champagne, puis, tout en m'observant, il murmurait qu'il avait rencontré Philippe Guibert, qu'il l'avait sur les conseils du président de la Commission interviewé à plusieurs reprises.

Je l'écoutais. J'essayais de penser que Vassos ne m'avait pas tendu un guet-apens, que cette rencontre il ne l'avait pas préparée. Je me répétais que le hasard seul nous avait tout à coup fait surgir du brouillard. Il m'expliquait qu'il travaillait à une série d'articles à propos de l'Europe pour Magliano de l'Agence méditerranéenne d'information et qu'il préparait un livre que l'éditeur Luigi Veltri publierait. Plus il parlait et plus il m'inquiétait. Je n'aimais pas qu'il revienne ainsi croiser ma vie, que le Président qui n'était pas homme à pardonner un refus l'ait dirigé vers Philippe m'intriguait. Tout pouvait apparaître normal. Pourquoi dans une enquête sur l'Europe ne pas rencontrer l'un des membres de la Commission, chargé des affaires culturelles ? Et cependant je ne réussissais pas à me convaincre de la bonne foi de Vassos.

« Guibert, répétait-il, tu es l'épouse de Guibert. » Il voulait me montrer son étonnement, sa surprise pleine de compassion et, quand il disait : « Toi, toi, mariée à Guibert », je me sentais démasquée, livrée.

Il tenait à nouveau ma main. Le film sentimental recommençait. Il était prêt, disait-il, à renverser sa vie, à la reprendre à l'instant où nous nous étions quittés, n'était-ce pas facile, il suffisait qu'il aille jusqu'à la réception, qu'il loue une chambre si j'en étais d'accord — je retirais ma main —, lui pouvait se séparer sur un coup de téléphone de la jeune française, Hélène, avec qui il vivait. « Plus jeune que toi », murmurait-il, cependant que je me levais. Il inclinait la tête comme pour s'excuser mais il me provoquait du regard et j'étais sûre qu'il n'avait pas oublié l'affront d'il y a vingt ans, quand je l'avais quitté, en quelques mots, le laissant seul, un matin, après une nuit comme toutes celles que nous avions vécues, et qu'il était resté pétrifié, ne comprenant pas, répétant mon nom, et c'était un jour de brouillard aussi et je n'avais pas eu à me retourner, la maison au bout de quelques pas disparue et la voix de Vassos qui m'appelait, étouffée.

Mais je craignais, j'étais persuadée que, comme le Président, il veuille, malgré le temps passé, prendre sa revanche.

Je l'ai revu plusieurs fois à Bruxelles. Lorsqu'il s'asseyait à côté de Philippe, ou bien qu'il plaisantait avec Pascal et Florence, que j'avais invités avec lui, j'éprouvais un sentiment de plénitude et d'inquiétude. Hélène m'aidait à la cuisine, j'entendais la voix de Vassos, le rire de Paolo et celui de Béatrice. C'était mon anniversaire, j'avais rassemblé tous les fils de ma vie. « C'est amusant, étrange, n'est-ce pas que nous soyons là, que Vassos vous ait retrouvée, disait Hélène. Il m'avait tant parlé de vous. Je n'aurais jamais cru que Philippe soit votre mari. Serge non plus, il vous imaginait mariée à un artiste, un peintre ou un musicien. »

Je ne répondais pas à Hélène. Je l'observais, belle, jeune, et je sentais monter l'inquiétude. Le temps allait me manquer sans que je sache à quoi je devais l'employer. Je souriais, apparemment paisible. « Vous êtes rayonnante Lisa », me disait Florence et, tournée vers Philippe, ironique, elle ajoutait : « Je suis jalouse, Pascal vous dévore des yeux, je me méfie de lui et de vous. »

Pascal appuyait sa main sur ma nuque. J'aimais le sentir si tendre, si fraternel, mais le regard de Vassos me troublait. Il devinait. Il savait. Et j'avais tout à coup le sentiment que, en l'invitant chez moi, j'avais provoqué les dieux, défié le destin.

Philippe m'avait interrogée au sujet de Vassos. « Un vieil ami », avais-je dit. « Je ne l'aime pas », répondait-il. « Paxonous qui l'a connu en Grèce se méfie de lui. » « Personne ne te demande de l'aimer. C'est un de mes amis. J'ai mon passé. Tu as le tien. »

Il n'avait pas osé poursuivre mais il était soupçonneux, jaloux. Il m'épiait et je ne supportais pas ce regard à la fois menaçant et implorant. Il cherchait à m'enfermer, et je n'avais qu'une seule envie alors, m'opposer à lui, me révolter, l'humilier, fuir.

Je l'ignorais, mais il me suffisait d'un coup d'œil pour savoir qu'il était aux aguets, essayant de saisir ce que je disais à Pascal ou à Vassos, et je baissais la voix, je prenais Pascal par l'épaule, je l'entraînais ainsi que Vassos dans un coin du salon. Il tentait de nous interrompre, nous proposant de danser, ridicule, grotesque même, et je refusais, irritée par le regard ironique que me lançait Vassos, perspicace et perfide.

Il n'avait cessé tout au long de la soirée de m'observer avec une suffisance amicale et bienveillante qui ne me trompait pas. Je ne croyais ni à son détachement ni à sa complicité. Que voulait-il ? Il se dérobait. « Tu verras, murmurait-il, j'ai quelques pistes. » J'interrogeais Hélène mais son bavardage prétentieux sur l'Europe, la Commission, m'irritait. Elle ne savait rien. Vassos d'ailleurs ne la laissait jamais longtemps en tête à tête avec moi, il nous rejoignait, nous prenait par la taille. « Tu t'inquiètes pour Philippe », me disait-il. Il cessait de sourire serrant les lèvres, une expression de dureté et de méchanceté même déformant ses traits, un instant seulement, mais cela suffisait pour que je mesure sa duplicité, sa rancune. « Tu as tort Lisa, je ne lui ferai pas plus de mal que tu ne lui en fais. »

Je me dégageais sans brusquerie. Je voyais Philippe qui, attentif, suivait chacun de mes mouvements cependant que Florence lui parlait.

Qu'ils partent tous. J'étouffais.

Quelques semaines plus tard, j'ai cru que Vassos s'était découvert. « Voilà ton vieil ami, lis », m'avait dit Philippe en lançant sur mon bureau les articles que Vassos avait publiés dans *Repubblica* sur les détournements de fonds européens par la Mafia. Il accusait les commissaires d'incompétence tout en rendant hommage à leur intégrité. J'étais rassurée. Enquête banale. Philippe s'emportait pourtant, s'étonnait de mon indifférence. Il était mis en cause. Je n'étais pas solidaire, jamais, disait-il. Je restais spectatrice et même, je prenais le parti de ses ennemis. Etait-ce cela un couple ? Comment lui dire que j'avais craint le pire ? J'avais pu, lorsque je vivais avec Vassos à Venise, mesurer son habileté, la hargne avec laquelle il s'accrochait à une personnalité pour la démasquer. Allongé sur le lit, les mains sous la nuque, il paraissait rêvasser, puis il se mettait à téléphoner, tour à tour menaçant, persuasif, flatteur. Il se tournait vers moi : « Celui-là, Lisa, je le tiens, je ne le lâche plus. »

Quand Philippe deux jours après m'a raconté que Vassos continuait de le harceler, exigeant un rendez-vous, qu'il se recommandait une nouvelle fois du président de la Commission, et de moi, « de toi, Lisa, tu as vu ? Qu'est-ce qu'il me veut ton vieil ami ? ». J'ai refusé de répondre, inquiète, anxieuse même, m'attendant au pire. Et ce que je craignais le plus sans oser me l'avouer s'est produit.

Vassos m'a téléphoné. Il était amical, tendre, amoureux même, disait-il. « Tu es plus belle encore, Lisa », il soupirait. J'étais brutale. Que voulait-il vraiment ? Il riait. Je le connaissais bien, n'est-ce pas ? Nous avions été si proches l'un de l'autre, sans secret, unis, oui, unis. Il changeait tout à coup de ton, haletant. Est-ce que je connaissais Charles Hartman, l'amant de Mireille Guibert ? Il venait de mourir. Je le savais, n'est-ce pas ? Est-ce que Philippe m'avait parlé des conditions de l'arrestation de son père, Georges Gaspard, « un héros national non ? Tu sais combien les Français respectent leur passé, la gloire, je regarde ça de près — il riait — ça m'intéresse ».

J'essayais de me moquer. L'histoire le passionnait donc. Il répondait d'une voix douce, me posait, disait-il, une dernière question : « Karl Graber, tu es proche de lui, non ? On m'a dit ça. Tu sais les dieux ont de ces facéties, parfois, organisent de curieuses rencontres, tu ne trouves pas, nous, par exemple, et maintenant Graber... »

Je me taisais. J'écartais le téléphone de mon oreille, pour ne pas entendre. Mais Vassos poursuivait : « Graber, on me dit que tu le vois, à Bruges, ailleurs. » Il riait : « Je ne suis pas jaloux, ou plus, de quel droit, mais Philippe... »

— C'est tout ? ai-je réussi à murmurer.

Il riait encore. Ce qu'il avait découvert, ce n'était rien, j'allais m'en rendre compte. Puis il changeait de ton. Il voulait me protéger, il m'avertirait. « Donc tu es, disons, proche de Graber ? Il faut que je te parle de lui. »

Je voulais, je devais garder mon calme. Mais que quelqu'un, autre que moi, Vassos surtout, puisse prononcer le nom de Karl, m'affolait.

J'ai raccroché.

J'avais envie de pleurer. J'étais une petite fille allongée sur son lit et qui attendait que son père vienne, lui caresse les cheveux, lui chuchote dans l'oreille ces mots qui la rassuraient : « Tu es mon amour, disait-il, le soleil de ma vie, je ne veux pas que les nuages le cachent, je ne veux pas que mon soleil fasse la grimace, j'ai besoin de lui, j'ai froid, petit soleil. »

Il me soulevait, il me berçait, je me pelotonnais, je sanglotais, je riais. J'étais sa petite fille.

Mais j'étais seule sur mon lit de femme.

J'ai pris dans la sacoche que j'avais cachée sous le lit le livre que Karl m'avait donné et j'ai commencé à lire ces poèmes, pour qu'une voix me parle.

49

Le souffle majeur

J'avais écrit — c'était il y a quelques mois — sur la page de garde du livre de Karl : *Quando i miei occhi su di tè si son fermati sono stata felice.*

Ces mots je les avais tracés dans le train qui de Bruges me conduisait à Bruxelles, osant à peine feuilleter ce livre que Karl m'avait tendu quelques heures auparavant. « Pour vous », avait-il dit, et j'avais hésité avant de le saisir, de le glisser dans mon sac, puis j'avais eu hâte de me retrouver seule, comme si le message que Karl venait de me confier je devais le déchiffrer hors de sa présence. Je commençais à lui expliquer que je devais rentrer, qu'il me restait un article à terminer pour le lendemain, mais il avait fait une moue : « Pas encore, pas encore, je vous en prie, c'était si difficile de vous parler, ce sera si difficile demain, à nouveau, alors restez un peu, marchons, il ne fait pas froid. »

Je marchais près de lui et nos pas me semblaient accordés, un même mouvement de tout notre corps. Parfois nous nous frôlions, parfois nous nous regardions et aussitôt nous nous écartions comme si nous avions peur de ce qui pouvait et devait se produire, une étreinte, là, sous les ormes, et nous n'aurions plus pu nous séparer, nous jurant d'être à jamais ensemble, quels que soient nos passés, ce dans quoi nos vies s'étaient engagées. Nous nous penchions sur cet abîme, la passion qui nous poussait l'un vers l'autre et nous avions si peur, nous savions si bien qu'il serait impossible d'y échapper une fois la chute commencée, que nous reculions d'un pas, ensemble, et que nous continuions pourtant de le longer, avec le désir de nous précipiter, vite, dans cette obscurité sans limites, afin de nous y perdre, loin de tous et d'abord de nous-mêmes, de ce que nous étions jusqu'à ce moment qui nous avait fait naître différents, celui de notre rencontre.

Pourtant nous nous connaissions depuis longtemps ou, plutôt, nous étions comme deux pierres lancées dans le même espace et dont les trajectoires se côtoient sans qu'on sache si elles vont se croiser et si les pierres vont se heurter.

Karl Graber enseignait comme moi à l'Institut universitaire européen de Bruges, j'avais lu son nom sur le programme des cours : *Karl Graber, professeur de littérature médiévale européenne, à l'université de Munich,* et j'avais retenu ce nom que les étudiants prononçaient parfois devant moi. « Monsieur Graber », commençaient-ils et je les observais cependant qu'ils parlaient, je me répétais qu'il me faudrait rencontrer ce collègue dont l'enseignement complétait le mien, mais j'étais saisie — je m'en rends compte maintenant — d'une sorte de passivité, comme si j'attendais qu'un événement se produise, me forçant à cette rencontre que je ne voulais pas susciter pour qu'une force extérieure à moi en soit à l'origine, comme une volonté supérieure, un destin qui nous obligerait enfin à nous trouver face à face. Il me semblait — c'est tout au moins ainsi que je reconstitue ces mois d'avant notre rencontre — que de toute part on me poussait vers lui. Le directeur de l'Institut s'étonnait : « J'étais sûr que vous vous connaissiez, il me parle souvent de vous, de vos articles, de vos livres. » Il voulait organiser un déjeuner ou un dîner, mais je prétextais mon départ pour Bruxelles. Plus tard, plus tard. Je gagnais ainsi un mois.

A la fin de mon cours, le mois suivant précisément, les

étudiants m'expliquaient que Graber avait fait une analyse de la littérature vénitienne du xve siècle et qu'il avait à plusieurs reprises cité mes travaux sur Francesco Dolfin. Il s'était, me dit-on, longuement attardé sur un article que j'avais écrit à propos de la passion de Dolfin pour Anna de Monteverdi, et les ambiguïtés du sentiment amoureux.

J'écoutais. Une émotion dont j'avais un souvenir lointain, comme une rumeur confuse dont je cherchais à percevoir le sens, m'envahissait peu à peu. Je me sentais comme avant une épreuve dont on va triompher, pleine de vie à l'idée que Karl Graber ait parlé de moi, de Dolfin, d'Anna de Monteverdi. J'étais impatiente de connaître ce qu'il avait dit. Et pourtant j'empêchais les étudiants de poursuivre leur récit. « Très bien, très bien », disais-je d'un ton ironique. Je me dispenserai donc de parler de Venise et de Dolfin puisqu'un professeur le faisait à ma place. Ils se récriaient, me priaient de continuer mon cours sur la République, et ils me parlaient encore de Graber dont le sujet était différent. Ils sortaient leurs notes, ils me montraient les textes que Graber leur distribuait et je reconnaissais ce passage d'une lettre de Francesco Dolfin à Anna de Monteverdi qui m'avait tant touchée quand je l'avais découverte.

Lorsque vous m'avez regardé hier dans le jardin du Castelletto d'Orbea, écrivait Dolfin, j'ai été si durement blessé qu'il m'a semblé que mon corps était percé de part en part, et vous m'avez laissé sur ce champ de bataille et vous êtes passée victorieuse. S'il me fallait croire que jamais je ne vous reverrais, je me livrerais aux infidèles, j'appellerais leur supplice et je sais leur cruauté, mais peu m'importe. Si vous ne me regardez plus je veux que ma chair souffre au plus intime, au plus profond d'elle-même pour que mon corps s'accorde à la douleur de mon âme.

Je feuilletais les notes des étudiants avec une feinte indifférence, cherchant à savoir ce que Graber avait dit de ces lettres d'amour, mais je tournais si rapidement les pages que je ne saisissais qu'un mot ici et là et que, à la fin, je rendais les feuillets me contentant de hocher la tête, rappelant avec ironie que Dolfin se servait d'Anna de Monteverdi, à son insu, écrivant au Doge que les *sentiments permettent d'ouvrir les coffres les plus secrets*. Mais là où je voyais duplicité et cynisme de Dolfin, Graber ne trouvait que l'excuse que se donnait Dolfin, pour s'autoriser une passion — que sa raison condamnait. Je demeurais sceptique. « Très bien, très bien, monsieur Graber est un poète. » Je fermais ma sacoche, je levais les yeux et je le voyais, au sommet de l'amphithéâtre, les cheveux blonds bouclés, le visage anguleux avec une forte mâchoire, un pull-over ample aux grosses mailles bleues, un pantalon de velours et une écharpe d'un jaune vif, longue. Les étudiants s'éloignaient cependant qu'il descendait les gradins, les mains dans les poches, la tête un peu penchée, et je ne réussissais pas à le quitter des yeux, la joie si forte, l'émotion si chaude en moi, dans ma gorge, et j'avais envie de rire, et je me répétais tu es folle, et je m'affolais réellement, ouvrant et fermant ma sacoche, et une phrase naissante que je murmurais, étonnée du tutoiement qui me venait naturellement.

Quando i miei occhi su di tè si son fermati sono stata felice.

Quand mes yeux se sont posés sur toi j'ai été heureuse. Il était devant moi et nous étions seuls, les étudiants quittant l'amphithéâtre en se retournant vers nous, et il me semblait qu'ils nous regardaient avec affection, comme s'ils avaient veillé sur nous, provoqué cette rencontre entre Karl et moi et qu'ils en connaissaient déjà l'issue. « Voilà, murmurait-il en italien, je suis Karl Graber et... »

Il se taisait et nous nous regardions longuement sans bouger, l'un près de l'autre, lui, plus bas, moi sur l'estrade, et il levait la tête vers moi si bien que son visage m'apparaissait — c'est ainsi que je me souviens de lui — comme celui d'une figure de proue, et qu'il me semblait qu'il avançait vers moi, venant de loin, d'une mémoire que nous ne connaissions pas encore mais qui nous était commune, et qu'enfin nous allions pouvoir la reconnaître, puisque Karl surgissait, après une si longue attente, de ce brouillard qui enveloppait nos vies.

Je ne savais rien de la sienne et pourtant je le devinais comme moi, insatisfait, attendant l'événement qui viendrait enfin dissiper cette grisaille qui peu à peu nous recouvrait. Et cependant je reculais et quand il me tendit un petit livre à couverture bistre, dont je lisais le titre *Eros und Eva,* poèmes de Karl Graber, et qu'il murmurait : « Pour vous, pour vous », je ne pensais qu'à partir, qu'à me débattre comme si un piège venait de m'emprisonner et je voulais déjà être seule, pour entendre ce que Karl disait, mais seule et il me priait de faire quelques pas avec lui : « C'était si difficile de vous parler, ce sera si difficile demain, à nouveau » et il ajoutait — il chuchotait — que depuis des mois il me guettait, qu'il n'osait pas, qu'il avait écrit une partie de ces poèmes pour moi, pour me dire... Il s'interrompait et me regardait, et j'avais envie de l'embrasser légèrement sur les lèvres, sur le front, les lèvres encore, et je me penchais vers lui en effet, puis tout à coup, je frissonnais, je prenais ma sacoche et je montais les gradins cependant qu'il me suivait, qu'il me disait dans l'entrée de l'Institut : « Allons par là, je vous en prie, venez avec moi. » Et je marchais à ses côtés dans les allées, sous les ormes, comme si nous nous étions toujours connus et ne devions jamais nous séparer.

J'avais peur de ce qu'il allait dire et faire, et j'attendais pourtant qu'il m'enlace, m'entraîne, me dise « recommençons, recommençons toutes nos vies, qu'importe, partons ». Et je l'aurais suivi, comme je le suivais sous ces arbres, au bord des canaux, dans le silence et la brume d'une ville assoupie.

Mais il prenait garde à ne pas me toucher, et si nos épaules se frôlaient, il s'écartait, et je faisais de même, évitant toute parole qui eût pu nous faire basculer lui et moi, hors de nos vies, et nous savions — je savais, mais lui aussi j'en étais sûre — que nous ne pourrions plus revenir, que notre rencontre aurait alors un caractère irrémédiable, et sans doute étions-nous lâches encore, effrayés de ce qui nous arrivait et que nous ne comprenions pas.

Je dis « nous », prêtant à Karl ce que je ressentais.

Alors nous avancions à petits pas, lui les mains derrière le dos, la tête penchée, moi plus droite, serrant ma sacoche contre ma poitrine, et nous n'étions pour ceux qui nous rencontraient que deux universitaires qui bavardent en attendant de reprendre leurs cours.

« Ce que vous dites de Francesco Dolfin, commençait-il, cette passion qu'il éprouve pour Anna de Monteverdi, c'est l'annonce d'une révolution dans la sensibilité, dans la littérature amoureuse, vous... »

Il avait une voix sourde et il mêlait l'italien et le français. Puis il me demanda si je parlais allemand. « Je le lis », ai-je répondu.

Il me regarda, puis comme pour affaiblir encore ce qu'il allait me dire, il s'éloigna et je l'entendis à peine me parler de ce livre de poèmes, qu'il m'avait donné, certains de ces vers, écrits pour moi, à partir de moi, il devait me l'avouer.

Tout à coup je m'irritais. Nous arrivions au bout de l'allée et il la reprenait, dans l'autre sens, comme si nous allions ainsi marcher, pas après pas, jusqu'à ce que la nuit tombe, que la fatigue et le froid nous chassent. Et je n'avais pas envie que nous nous quittions ainsi mais je n'osais pas lui prendre la main, m'appuyer contre lui. Alors je serrais de nouveau ma sacoche contre moi, enfonçant mes talons dans le gravier, tremblante de froid, d'émotion, de colère et d'anxiété. Car nous allions nous séparer.

« Je vis à Bruxelles, ai-je dit. Mon mari est commissaire de la Commission européenne. J'enseigne aussi à Florence. »

J'avais parlé d'une voix que je ne reconnaissais pas, aiguë, tendue. Les mots lancés avec violence.

« Je sais », disait-il.

Il paraissait accablé. « Il faut que je vous parle de moi aussi. »

Il était né à Berlin. Ses parents avaient vécu en Russie, « vieux staliniens », disait-il. Il me parlait longuement de sa mère, Karin, morte maintenant, « une femme de fer » et, disant cela, il serrait le poing, devant son visage, « une héroïque, pour quoi? morte maintenant », répéta-t-il. Il avait fui l'Allemagne de l'Est et il enseignait à Munich, ici à Bruges. « Ça, il souriait, vous le savez. »

— J'apprends le russe, ai-je dit.

— Ma mère me parlait en russe, toujours. Ma langue maternelle.

Et nous nous regardâmes longuement, comme dans l'amphithéâtre et, à cet instant, je crus qu'il allait me prendre dans ses bras, je le voulais et je le craignais, mais il restait en face de moi, immobile, n'osant aucun geste.

— Je dois vous revoir, murmurait-il.

Je lui tournais le dos, je partais pour ne pas hurler, lui reprocher sa timidité, lui crier « embrasse-moi », « aime-moi », « emporte-moi », et je l'aurais peut-être repoussé et je m'éloignais pour lui interdire de m'enlacer, de m'entraîner dans une nouvelle vie, que je désirais si fort, mais dont j'avais peur.

Je suis rentrée à l'hôtel, j'ai fait rapidement mes bagages et, dans le train qui me conduisait à Bruxelles, j'écrivais sur la page de garde, cette phrase que je me répétais depuis que je l'avais vu, en haut de l'amphithéâtre : « *Quando i miei occhi su di tè si son fermati sono stata felice.* »

Ce calvaire d'une passion qui vous habite et ne s'accomplit pas, dont on souhaite qu'elle s'efface et dont on a si peur qu'elle s'éteigne, je l'ai vécu durant plusieurs mois.

Avais-je jamais connu des sentiments si forts ? Je me disais : c'est ta dernière chance d'aimer, après ce sera la lente paralysie de l'égoïsme et de l'âge, l'ensevelissement dans les habitudes, la perte de cet élan qui rend capable des ruptures, de l'envol. Après ce sera l'enfouissement de plus en plus profond dans une seule vie, avec des souvenirs et des regrets. Et à cette pensée l'angoisse m'étreignait. Je plaçais une cassette de chansons et de poèmes russes dans le magnétophone, j'emplissais ma tête de ces sons rugueux, déchirants, de cette mélopée éraillée, sa langue maternelle, puis je m'allongeais sur le lit, je prenais son livre, je lisais, relisais, récitais et je me trouvais tout à coup si ridicule que je jurais de me guérir de cette illusion, de cette maladie. Car Karl ne m'avait rien dit. J'étais le jouet de mes désirs, de mes rêveries.

N'avais-je pas mieux à faire ?

Je partais pour Florence, je donnais une conférence à l'Ecole des hautes études en sciences sociales à Paris, et Pascal m'invitait à dîner, dans une brasserie, où tout en l'écoutant je m'observais dans les grands miroirs. C'était moi, cette femme aux cheveux mi-longs, aux pommettes saillantes, aux lèvres épaisses entourées de rides, déjà, déjà. Ma vie m'échappait. Pourquoi ne recommencerais-je pas ? J'interrogeais Pascal. Connaissait-il Karl Graber, qui enseignait à Munich la littérature médiévale ? Il fallait que je parle de lui, j'avais besoin qu'on me dise qu'il avait écrit un livre sur la naissance de la passion amoureuse dans la littérature allemande du XVe siècle, qu'il avait enseigné un semestre à

Le regard des femmes

Paris, qu'on le considérait comme un très bon comparatiste, associant une connaissance précise de chaque littérature nationale, à un art de la confrontation des traditions, une maîtrise des langues européennes. Et j'étais fière comme s'il s'agissait de mon fils, de mon père, de mon amant. Je demandais à Pascal l'adresse de Karl, et là, sur cette nappe blanche, il écartait les assiettes, posait son petit carnet, feuilletait, hésitait, tournant à nouveau les pages, murmurait « je suis sûr » et tout à coup il s'exclamait, « voilà » et il levait la tête vers moi, s'immobilisait, étonné : « Qu'est-ce que tu as ? » murmurait-il.

J'avais froid, j'avais les joues en feu, je ne pouvais répondre. Il me dévisageait, secouait la tête : « Toi, disait-il, toi », puis il écrivait sur une fiche, un nom, une adresse, un numéro de téléphone, « tout, ajoutait-il, voilà Karl Graber ». Et il baissait la tête, chipotait, renfrogné, silencieux, pendant que j'enfouissais cette fiche dans mon sac que je gardais sur mes genoux, allumant une cigarette, me détendant peu à peu.

— Où l'as-tu connu ? demandait Pascal.

Enfin je pouvais parler de lui et je ne cessais plus, je racontais, je revivais, j'étais peut-être cruelle avec Pascal, mais il était mon frère, mon ami : « Que dois-je faire ? » Après l'exaltation du récit, j'étais saisie par l'angoisse de l'hésitation. Pascal ne comprenait pas. Qui peut comprendre une passion ? J'aurais dû téléphoner, disait-il, me rendre à Munich, j'étais une femme libre, j'avais à vivre, c'était mon seul devoir. N'avais-je pas agi ainsi avec lui ? Il murmurait, tapotant ma main : « C'était le bon temps, tu n'avais pas, heureusement, toutes ces inquiétudes. Sois simple. Tu as besoin de lui ? Tu sens qu'il a besoin de toi, va. » Mais je craignais de me tromper. Que voulait-il vraiment ? Que savais-je de sa vie ? J'avais imaginé, c'est tout. Pouvais-je ainsi, moi, forcer sa porte ?

Pascal haussait les épaules. Il avait le visage boudeur de

278

quelqu'un qui parle à regret, qui s'oblige à une sincérité qui lui coûte. Ce tourment que je m'infligeais, il me ressemblait si peu, prétendait-il. Je savais d'habitude choisir, rompre, et il baissait la voix, jouir. Mais — il s'écartait de la table, comme pour mieux me voir, prenant de la distance — « tu as peur, commençait-il, tu n'oses pas t'engager, la passion c'est comme une révolution, un putsch qu'il faut faire, on risque, on parie, on s'engage et puis on voit, il faut de l'énergie, de l'inconscience, il faut croire à l'utopie d'un autre monde, la passion, c'est penser qu'on peut vivre autrement, et tu ne sais pas si tu crois encore, mais tu as ce besoin, peut-être pour la dernière fois. Après — il me prenait la main — c'est ce qu'il y a eu entre nous, un arrangement sympathique, un week-end dans la vie, une petite réforme pour améliorer un peu l'existence, on vit, c'est la sagesse, c'est l'ennui aussi. »

Il m'a raccompagnée rue Henri-Barbusse et il n'est pas descendu de la voiture, comme pour nous éviter à l'un et à l'autre une tentation. Il s'est penché vers moi, m'interpellant alors que déjà j'ouvrais la porte : « Va jusqu'au bout, Lisa, va, tu dois, sinon c'est la mort. »

L'appartement était glacé et je me pelotonnais sous les couvertures, la petite fiche blanche portant le numéro de téléphone de Karl placée sur ma table de nuit, près du téléphone.

J'ai hésité puis la sonnerie a retenti. C'était Philippe, sa voix plaintive et amère que je ne supportais plus. Il me questionnait sur le succès de ma conférence, avais-je dîné avec Pascal et Florence ? Propos anodins et bienveillants mais le ton était chargé de récriminations. Il avait revu Vassos, disait-il, puis il m'expliquait que Nathalie Herzberg, la fille de Charles Hartman — est-ce que je me souvenais de Charles Hartman, que j'avais rencontré au cimetière de Forgues, lors de l'inhumation de... Je m'emportais je me souvenais, oui, et alors ? —, donc Nathalie Herzberg lui avait remis ces papiers, une sorte de journal de sa mère, dont il souhaitait me parler, qu'il voulait que je lise.

Son passé, sa vie, ses propos moroses, tout, depuis que j'éprouvais cette passion pour Karl, m'irritait chez Philippe. Il était ma mort. Il me mutilait. Sa manière de voir le monde, rapports de force, compromis, la lutte pour le pouvoir, ce qu'il appelait la politique, la grande politique européenne de la Commission, m'accablait plus encore, depuis que je sentais en moi souffler cette tempête exaltante, menaçante, et qui battait en moi, secouant toute ma vie, à grands coups de butoir, dans la poitrine, dans ma tête, si bien que je ne pouvais plus travailler, écrire, et que j'étais seulement à l'écoute de ce souffle majeur dont je n'avais pas cru qu'il pût exister et un jour m'emporter. Et il me fallait entendre Philippe : « Le Président m'a interrogé, et je n'ai pas très bien compris, sur tes rapports avec Vassos, il sait que vous vous êtes connus, c'est Vassos qui le lui a dit, curieux non, qu'avait-il besoin... »

La vie se contractait, rabougrie, asséchée, réduite à n'être qu'une série de calculs et de commérages. Vie politicienne alors que la passion était une grande envolée d'utopie, comme l'avait dit Pascal, un projet fou de reconstruction de sa vie, le pari qu'il était possible de connaître et de vivre autre chose que cette existence au jour le jour.

« Wilkinson m'a invité à dîner, poursuivait Philippe, je crois que, contre Mahlberg, il est prêt à se rapprocher de nos points de vue sur l'union monétaire, c'est important. Tu m'écoutes, Lisa ? J'ai prononcé un discours que tout le monde a jugé remarquable, même le Président... »

Philippe riait et j'avais envie de hurler. Chacun de ses mots était un coup qu'il me portait. Il détruisait mon espoir, cette utopie, ma passion, par le seul son de sa voix, la petitesse de ses projets, sa complaisance, sa vanité. L'amour, la passion, l'utopie, je le comprenais, ne pouvaient être mêlés à cette vie-là, celle de Philippe, celle que je menais. Voilà pourquoi les amants s'enfuient, se terrent, se tuent, voilà pourquoi les poètes s'isolent et les mystiques partent au désert, ferment les cellules de leurs monastères, refusant toute vie, tout regard, sauf celui de leur Dieu.

Philippe parlait toujours et je pensais à Anna de Monteverdi qui, brusquement, s'était retirée de la vie, couvent, clôture, quelle passion l'habitait qui lui rendait tout à coup insupportables les communes stratégies de la vie, séductions, habiletés et calculs.

— Tu es là, demandait Philippe, tu m'entends, Vassos prétend...

Assez.

La petite fiche blanche était toujours près du téléphone mais je n'avais plus la force d'appeler Karl. Mon élan s'était enlisé dans les propos de Philippe, dans cette médiocrité dont il me rendait complice. Il me liait à lui et j'étais prise dans cette glu, notre vie, incapable de téléphoner, d'espérer.

Pourquoi le lendemain suis-je rentrée à Bruxelles ? Lâcheté masquée par les habitudes, doute sur ce que j'étais capable de vouloir, de refuser ? Alors les obligations — un cours à assurer à l'université libre de Bruxelles — me donnaient un prétexte et il me fallait prendre, vite, le train de 7 h 20, à la gare du Nord, et je n'avais que le temps de mettre un pantalon, un pull, mon imperméable, et de téléphoner à un taxi, angoissée à l'idée que j'allais manquer le train, et cela enfouissait mes autres questions, celles qui mettaient en cause ma vie. Ce n'est que plus tard, dans le wagon-restaurant du *Trans-Europe-Express,* buvant un café brûlant, le front appuyé contre la vitre et cependant que la nuit qui reculait laissait voir une campagne sans vigueur, crevée d'étangs, pointillée de maisons basses et grises, que je recommençais à m'interroger. Je prenais la fiche dans mon sac, j'y lisais l'adresse et le numéro de téléphone de Karl Graber, Munich, j'ouvrais son livre. Peut-être était-il seulement un poète qui cherchait à s'émouvoir, et je n'étais que son prétexte, son point de rêverie, une manière pour lui de vivre sans vivre, de rechercher l'excitation sans l'assouvir et, recroquevillée, allumant ma première cigarette, je lui en voulais de n'avoir pas su me prendre dans ses bras, me bousculer, me forcer à le suivre. N'était-ce pas cela la passion ? Un livre de poèmes, *Eros und Eva.* Je ricanais, je me blessais à ce regret que j'avais, à la nécessité dans laquelle il me plaçait, d'avoir, seule, à décider pour lui, comme un homme, et je ricanais encore, j'avais tant revendiqué ma liberté, affirmé mon souci de ne pas être dépendante, dominée, et c'est pour cela que, il y a si longtemps, j'avais quitté Vassos. Maintenant, cette liberté me rongeait. Karl m'acculait : courage ou lâcheté, passion ou démission, utopie ou arrangement. Qu'étais-je devenue ? Que voulais-je vraiment ? A moi de savoir, de décider.

Et déjà nous entrions dans la banlieue de Bruxelles ; long défilé de briques délavées, et je descendais gare du Midi. Le froid me saisissait dans ces longs couloirs humides mal éclairés où s'engouffrait un air glacé. Taxi, encore, mes clés, chez moi.

Chez moi ?

Je me heurtais à Philippe qui sortait et nous étions de part et d'autre du seuil, ne sachant quelle attitude prendre.

Il était devant moi, raide, le visage sévère, chemise blanche, cravate sombre, costume gris. « Tiens, disait-il, tu ne m'avais pas annoncé ton retour, hier soir. » C'était un ton de guerre, chargé de revendications et de reproches. « On a téléphoné plusieurs fois, reprenait-il, mais chaque fois on raccrochait, curieux non ? » « Terroriste, ai-je dit, on te cherche ? La personnalité politique c'est toi. »

Je l'avais décontenancé. Il s'écartait pour que je rentre,

me suivant dans l'entrée et j'étais tout à coup bouleversée en voyant le chat qui m'attendait, assis, le museau levé. Je m'agenouillais, je l'embrassais. Il ronronnait, sursautait quand Philippe claquait la porte.

Etait-ce Karl qui avait téléphoné?

Heureusement il me fallait encore me dépêcher et l'eau de la douche m'apaisait, petits gestes contre le désarroi, petites actions pour oublier la passion. Je partais pour l'université, j'entrais dans l'amphithéâtre et je me souvenais, en regardant vers le haut des gradins, de Karl Graber, à Bruges, et c'était comme une lueur, une brûlure, une certitude, c'était cela vivre.

Je lui ai téléphoné. Silence. Absence. Pourquoi ne m'appelait-il pas? Je le méprisais pour cette timidité, son inaction et je le comprenais. Je l'aimais pour sa discrétion, ce que j'appelais son honnêteté, la volonté de ne pas peser sur moi. Sans doute savait-il avant même que je ne le lui dise — comment, enseignant à Bruges avec moi pouvait-il l'ignorer — que j'étais mariée à Philippe, cet important personnage, ce commissaire chargé de la culture et de la communication, etc., cet homme dont on lisait le nom dans les journaux et dont on voyait le visage à la télévision — penser cela me faisait horreur — et, à cause de cela, lui, le timide, le poète, me laissait l'initiative. A moi de voir.

A moi?

Mais je passais d'un sentiment à l'autre. J'étais sûre parfois que Karl vivait ce que je vivais. Je savais qu'il éprouvait pour moi une passion intense, égale à la mienne. Nous n'avions même pas besoin de nous parler, de nous voir, notre amour — oui, notre amour — traversait l'espace et le silence. Mais, à d'autres moments, je doutais. Existait-il ce Karl Graber dont j'avais de la peine à retrouver les traits, le son de la voix. M'avait-il dit : « Je dois vous revoir »? Avions-nous marché côte à côte sous les ormes? Etais-je cette femme dont il parlait dans son livre?

Le regard des femmes

Je ne sais pas si son regard a l'avenir pour rêve
Et si j'y prends ma place
Elle passe.

Je lisais et relisais. J'essayais de travailler, mais je revenais sans cesse à ces lettres de Dolfin à Anne de Monteverdi, qui ne devaient pourtant constituer qu'un aspect mineur de ma recherche. Mais que m'importaient désormais les Turcs, la chute de Byzance, le basculement de l'Europe de la Méditerranée à l'Atlantique, tout cela, un décor pour la passion de Dolfin et la décision d'Anna de se retirer du monde.

— Tu termines bientôt, me demandait Philippe avec ce qu'il me semblait être de la perfidie et de l'ironie, comme s'il devinait mes difficultés. Tu sembles distraite ? Ton Vénitien ne t'intéresse plus ?

Il me traquait, il me harcelait. Sa présence, même quand il ne me parlait pas, qu'il restait dans son bureau, me gênait. C'était injuste et, parfois, j'allais vers lui, parce que je me sentais coupable et que, pour quelques instants, je pensais qu'il n'était en rien responsable de mes tourments. Mais cela ne durait pas. Il cherchait aussitôt à prendre l'avantage. Il voulait à nouveau s'emparer de moi, faire l'amour, pour se rassurer, m'obliger à céder et, les rares fois où j'acceptais, je me sentis si sale, si humiliée, si honteuse que je le haïssais comme je me haïssais. Je n'osais même plus alors penser à Karl. J'étais corrompue, j'avais — j'établissais des correspondances avec cet univers politique dont Philippe ne cessait de me parler — abdiqué, collaboré, trahi. Philippe devenait une sorte d'incarnation domestique d'un régime d'ordre, d'hypocrisie et de soumission, exigeant de moi la servilité, le renoncement à l'espoir, jouant de ma lâcheté.

Voilà ce qu'il me fallait briser, par cette révolution de la passion. Mais il faut du courage pour se rebeller et oser aimer.

284

Ce sont les circonstances qui aident à trancher. Je le savais, en historienne. Les hommes hésitent et tout à coup l'événement vient, qui les pousse et les contraint.

Aurais-je agi si Vassos ne m'avait pas attendue à l'université devant la salle des professeurs et je me défiais de son sourire et de sa tendresse. Il me prenait par l'épaule, m'embrassant longuement sur la joue et sur la tempe, « Lisa, Lisa, que tu es belle », disait-il.

Il se laissait repousser, sans cesser de sourire et de rester la tête penchée vers moi, murmurant que je n'avais même plus de sympathie pour lui, qu'il le sentait et qu'il savait pourquoi. Nous sortions dans les allées, il tenait mon bras et je pensais à Karl qui n'avait même pas osé me frôler et nous avions ainsi, côte à côte, à peine parlé, alors que Vassos discourait sans fin. Il en avait fini avec son enquête sur la Mafia, expliquait-il, les subventions détournées, et il avait trouvé autre chose, dans les profondeurs. « L'Europe, disait-il, c'est comme une épave enfouie, tu dégages la vase, tu fouilles, des amphores, des armes, de la vaisselle, j'ai assisté à cela, quand j'étais adolescent, au large de Salonique, une trirème romaine, que des plongeurs anglais avaient découverte, on a remonté toute une cargaison, des coupes en étain, des plats, extraordinaire, n'est-ce pas ? Tu dois connaître, j'oublie toujours que tu es si savante... »

Puis il me forçait à m'arrêter, me tenant aux épaules et je détestais cette manière qu'il avait de s'imposer à moi, physiquement. Je me dégageais. J'étais pressée, lui expliquais-je, que voulait-il ? « Mais te parler de Karl Graber », disait-il en riant. C'est moi qui m'arrêtais. Qu'est-ce qu'il cherchait ? Il posait à nouveau la main sur mon épaule. « Rien, rien contre toi, rien contre Philippe », mais il tenait une histoire extraordinaire, les dieux en soient loués, il allait l'écrire, la publier, et cela personne ne l'en empêcherait. Il avait vu Nathalie Herzberg, la fille de Charles Hartman, il avait consulté les documents, reconstitué les circonstances de l'arrestation du père de Philippe, ce Georges Gaspard, le héros national français, je n'ignorais pas la légende héroïque de la Résistance ?

Il commençait à pleuvoir, pluie fine et froide, poussée par le vent. Vassos relevait le col de son imperméable blanc, sortait une casquette de tweed qu'il enfonçait avec peine, ramenant ses cheveux gris mi-longs en arrière. « Tu n'as rien pour te protéger ? », demandait-il. J'étais trempée déjà. Il m'ouvrait la porte de sa voiture. La buée recouvrait les vitres. Je grelottais. Il voulait démarrer mais je retenais sa main.

— Dis-moi, ai-je demandé. Explique-toi.

Il prenait son temps, allumait un cigare, baissant un peu la vitre, parlant de ce temps bruxellois, de cette pluie et de ce froid.

— Tu sais, ce sont les dieux, je te l'ai dit, reprenait-il comme je me taisais. Ils nous jouent des tours. J'ai appris que toi et Graber...

Il m'observait. Tout se savait. A l'Institut, les collègues, les étudiants, le directeur, on n'ignorait pas la passion de Graber pour moi, la promenade — c'était ainsi que Vassos parlait : une seule promenade, quelques minutes à peine avec Karl et voilà qu'elles devenaient une habitude — une preuve.

J'ouvrais la portière. La pluie continuait, drue, oblique.

— Je dois parler à Philippe, ajoutait-il, je dois le prévenir de ce que je vais écrire, sur son père, Charles Hartman, sa mère, et puis, Graber, tu ne veux pas...

Je refusais d'écouter. Qu'il explique ce qu'il voulait à Philippe. Je hurlais sous la pluie, tout en courant vers ma voiture, « ce qu'il voulait ».

Je suis rentrée, pleine de dégoût comme si j'avais été souillée. Philippe, Vassos, ils formaient la conjuration de la médiocrité, ils étaient, même lorsqu'ils s'opposaient, des complices, des ennemis complémentaires, alliés pour réduire la vie à des trahisons, à des calculs médiocres et à une suite d'actes sans grandeur, sans héroïsme.

Assez.

J'ai composé ce numéro que maintenant je connaissais par cœur. Karl Graber décrochait. J'avais oublié le son de sa voix.

— Karl Graber?

Il répondait en allemand. Mais je n'osais plus parler et lentement, il prononçait mon nom. Il attendait depuis si longtemps un appel, disait-il, si longtemps.

— Voilà, ai-je dit, je vous ai appelé.

Je ne réussissais pas à ajouter d'autres mots, et il ne me proposait rien. Il semblait attendre que j'avance vers lui. Et je me rebellais.

— A bientôt, donc, ai-je murmuré en raccrochant.

J'étais si émue, si pleine aussi d'hésitation. Fallait-il que je rappelle Karl, que je lui dise que j'allais le rejoindre, ou bien que nous pouvions nous retrouver, ailleurs que chez lui, à Paris par exemple, qu'il suffisait de fixer le jour.

Je me suis assise dans ma chambre près du magnéto-phone pour me remplir la tête de la voix déchirée de ce poète russe, qui depuis que je savais que Karl Graber avait eu le russe pour langue maternelle, me parlait de notre passion, me transportait ailleurs, dans un monde dont je ne saisissais pas tous les contours — je comprenais mal cette langue — mais dont cette voix forte, rugueuse, m'assurait qu'il existait.

Puis Philippe a crié depuis l'entrée, il m'appelait, il approchait, et je me recroquevillais, je ne voulais pas l'entendre, je ne voulais écouter que cette chanson étrangère, qui m'arrachait à leurs compromissions, à mes abdications. Il était là, me tendant une enveloppe, et j'étais contrainte d'arrêter le magnétophone, de regarder ces feuilles jaunes où je reconnaissais l'écriture noire de Mireille Guibert, mais je refusais de lire.

Assez.

Assez de ce marécage. Assez du passé de Philippe, de sa vie qui étouffait la mienne. Il s'emportait. Il hurlait le nom de Vassos, il me secouait en me serrant aux épaules et c'était comme s'il m'arrachait de lui. Je souhaitais qu'il continue car chaque secousse violente m'éloignait davantage.

Fini. Fini. Jamais plus. Et quand il suppliait, qu'il redevenait cet homme implorant, j'étais stupéfaite qu'il ne comprenne pas que je ne voulais plus, que je ne pouvais plus le voir, l'écouter. Vivre avec lui.

Je me suis habillée lentement. L'événement avait eu lieu, pas plus grave que tant d'autres que j'avais affrontés et oubliés, reprenant avec Philippe, après quelques jours, cette cohabitation difficile, qui s'appelait pourtant une vie commune, notre arrangement, mais, je le découvrais, la passion qui m'habitait, cette pensée constante qui me liait à Karl même si je n'avais échangé avec lui que quelques mots et si nous n'avions fait depuis des semaines que nous attendre, sans même nous parler, sans rien savoir l'un de l'autre, rendait désormais le compromis impossible avec Philippe. Lui, l'homme politique, aurait dû comprendre que la passion comme la révolution est rupture. Mais il ne savait rien de ma passion. Il était aveugle, comme ces hommes de pouvoir qui tout à coup se trouvent entourés d'un peuple qui les rejette, brûle les palais, et hier soumis, refuse tout à coup ce qu'il acceptait depuis des siècles ou des millénaires.

Etrange.

J'appelais une nouvelle fois Karl, mais je ne parlais pas,

je voulais d'abord entendre sa voix. « C'est toi, je sais », disait-il seulement et je répondais : « Je vais venir ».

Je préparais du café, puis comme si je partais pour une promenade je quittais la maison, sans un objet, laissant mon chat. Plus tard, quand je serai sûre de ne plus être retenue, je reviendrai.

Philippe était dans l'entrée. Il me suivait dans l'escalier, désemparé, mais je n'éprouvai ni remords ni pitié.

Il n'existait plus. Il ne l'avait pas compris.

CINQUIÈME PARTIE

L'épave enfouie dans les profondeurs

50

Au large de Salonique

L'été, quand le vent soufflait du sud, les thons en bandes pénétraient dans le golfe de Salonique. On les apercevait depuis les hauteurs de la ville et même, lorsque le temps était clair, leurs corps brillants, serrés les uns contre les autres, semblaient dessiner une étrave que l'on voyait de la place de Nivarkos, le village où était né Serge Vassos.

Les pêcheurs guettaient les thons à l'entrée du golfe et quand ils jugeaient que leur nombre était suffisant, ils quittaient les criques où ils s'étaient dissimulés et formaient avec leurs grosses barques à voile ocre une sorte d'étau qui repoussait les thons vers le rivage. On jetait les filets, on harponnait, on tailladait, comme cela se fait aussi sur les côtes de Sicile, et bientôt la mer devenait rouge, et la chair blessée était jetée au fond des embarcations où elle bondissait encore, soubresaut de mort et de douleur.

La pêche finie, les pêcheurs déchargeaient sur les quais les grands paniers d'osier où les corps morts et luisants s'entremêlaient. Une foule de vieux, d'enfants, de femmes en noir, se pressait, se penchait, s'exclamait, riait nerveusement, devant cette vigueur tuée, cette chair rose encore pantelante et d'où perlait du sang.

Vassos, enfant, descendait de Nivarkos pour attendre sur les quais l'arrivée des pêcheurs. Il aimait l'odeur du sel, et la puissance de ces énormes corps tailladés le fascinait.

Quand il fut plus vieux, il réussit à embarquer avec les pêcheurs, pour participer à ce massacre.

Quelquefois, les plus audacieux suivaient les thons hors du golfe, affrontant les vagues rageuses poussées par le vent du sud. Le courant changeant pouvait entraîner les barques, loin, le long de la presqu'île de Chalcidique, surtout si le vent changeait de direction, soufflant du nord-ouest, et quand on réussissait enfin à rentrer, et parfois après des jours de dérive, la presqu'île ressemblait avec ses trois caps que dominait le mont Athos au trident de Poseidon.

Vassos restait assis sur le pont de la barque, les jambes pendantes au-dessus de ces poissons morts qui s'entassaient dans la cale ouverte. Il ne pouvait détacher ses yeux de ces grands animaux vaincus qui lui semblaient victimes d'une injustice, de la barbarie de pêcheurs habiles et frustes qui triomphaient de la force, de la beauté, de la noblesse de créatures instinctives et naïves. Au cours de sa vie, il s'était souvent souvenu de cette mer rougie, de cet holocauste primitif, que les hommes répétaient entre eux, victimes, bourreaux, les uns préparant des nasses, y enfermant des hommes pour les égorger, les autres comme un troupeau sans défense dont les corps étaient entassés dans tous ces golfes de Salonique que les hommes savaient créer et fermer pour mieux tuer.

Il était du côté des victimes même s'il embarquait sur le navire des assassins. Avec le temps, mais peut-être dès l'enfance, il ne s'indignait plus. Il observait. Il décrivait. Le journalisme était ainsi la profession qu'il avait choisie, comme allant de soi. Et il s'employait, depuis qu'il l'exerçait, avec une rage contenue, une amertume sarcastique, à arracher les masques, à dire sans ménagement ce qu'il voyait.

Lisa, souvent, l'avait accusé de cynisme. Elle s'emportait contre lui lorsqu'il trouvait naturel qu'on torture les prisonniers, qu'on les scie par le mitan du corps, comme l'avaient fait les Turcs avec les chrétiens, dans ces lieux qu'il connaissait bien, les îles de la mer Egée ou de la mer de Marmara et plus tard, à Constantinople, quand les chevaux des vainqueurs avaient, entrant dans la basilique de Sainte-Sophie, du sang jusqu'au poitrail.

Lisa ne comprenait pas. N'avait-il pas fui la Grèce opprimée par les colonels ? N'était-il donc pas du côté des victimes ? « Mais si, mais si... », disait-il en souriant. Il aimait qu'elle se rebelle. Il la prenait contre lui, il la traitait comme une enfant, et elle était si jeune en effet quand il l'avait connue, à Venise, à peine dix-huit ans alors qu'il en avait déjà quarante et que plus rien ne l'étonnait de la violence et de la cruauté des hommes.

Il avait pensé lui raconter ces scènes de pêche au large de Salonique puis il y avait renoncé. Il voulait qu'elle reste naïve, qu'elle garde son innocence et sa révolte, qu'elle n'imagine pas l'histoire pour ce qu'elle était, une lutte inégale entre la beauté et la laideur, la vie libre et la mort.

Il avait souffert de son départ, plus qu'il ne l'avait cru possible. Il s'était accusé d'être entré dans la nasse, les sentiments, l'affection et l'amour comme des appâts qu'on lui avait tendus, non pas Lisa, mais lui-même. Et il était devenu encore plus hargneux, dissimulant sa volonté de frapper, de blesser, sous une apparente nonchalance, parce qu'il fallait être aussi retors que les pêcheurs au visage tanné, qui assommaient à coups de masse ces bêtes superbes auxquelles ils ne donnaient aucune chance d'échapper au carnage.

Un soir par temps calme alors que Vassos rentrait au port, il était âgé alors d'une quinzaine d'années, il avait vu une barge ancrée dans le golfe. Des hommes s'affairaient lançant des cordes lourdement lestées. Des plongeurs s'élançaient et, la barque des pêcheurs s'amarrant à la barge,

Le regard des femmes

Vassos les avait vus, dans la mer transparente s'enfoncer puis disparaître ne laissant qu'un sillage de bulles. Quand ils remontaient, ils tenaient à bout de bras des plats couverts de coquillages, ou bien ils accompagnaient vers la surface des amphores qu'ils avaient accrochées à des filins. La barge était déjà pleine de ces vestiges engloutis, la cargaison d'une trirème romaine que ces archéologues anglais avaient repérée sous la vase du golfe, peu profond à cet endroit.

Vassos avait laissé les pêcheurs s'éloigner et il était resté sur la barge touchant ces objets, questionnant. Le fond de la mer était, à en croire les plongeurs, un cimetière de navires, romains et sans doute grecs, vénitiens, turcs, génois, tant de vies enfouies dans les profondeurs, et qu'ils allaient faire resurgir pour compléter le puzzle qu'est l'histoire des hommes. Ils s'enthousiasmaient, et Vassos, silencieux parmi eux, les écoutait, comprenant seulement quelques mots, dissimulant son émotion, se penchant pour essayer de voir, d'imaginer.

Et cette scène-là aussi lui était souvent revenue. Chaque fois qu'il commençait une enquête il se disait qu'il ressemblait à l'un de ces plongeurs anglais du golfe de Salonique et qu'il allait explorer une épave oubliée.

51

Une paysanne de Toscane

Un jour de février, temps limpide, pas un souffle de vent, un soleil chaud faisant briller des traces de pluie sur les tuiles, Vassos avait accompagné Hélène dans la campagne toscane.

Elle n'avait pas encore décidé de vivre avec lui et lui de faire l'effort pour la convaincre. Ils étaient l'un et l'autre sur le bord. Elle attendait un geste qu'il ne faisait pas et il savait qu'il réussirait, s'il le voulait, mais il hésitait, encore une femme, encore une vie. Il se sentait indifférent, nonchalant, comme un joueur qui est sûr de gagner et que cela ennuie d'entrer dans une nouvelle partie, mais c'est l'habitude, et Vassos prenait son temps, conseillait Hélène dans son reportage, l'écoutait interroger les paysans d'une grosse ferme, située au sommet d'une colline. Il était distrait, appuyé au mur de pierre que le soleil chauffait. Les bâtiments de la ferme formaient une équerre mais on devinait la trace d'anciennes constructions qui devaient fermer la cour, et composer ainsi une bâtisse carrée, massive, capable de résister aux assauts.

Sous la terre, peut-être à quelques centimètres seulement, Vassos imaginait les fondations des bâtiments disparus, briques médiévales, romaines ou étrusques, et plus profond encore, les pierres grossièrement taillées d'un site préhistorique. Il fermait les yeux, le soleil de face l'éblouissant, mais il voyait cette histoire en strates, comme sur le fond du golfe de Salonique, et il bâillait devant cette évidence, cent fois reconnue, qui revenait à lui avec la régularité d'une séquence prévisible, attendue, qui lui faisait mesurer qu'il était vieux, déjà, puisqu'il savait. Mais peut-être les Grecs naissent-ils vieux ?

Tout à coup une femme avait crié. Il se déplaça pour voir. Au milieu de la cour une paysanne gesticulait, petite, les cheveux ramassés en chignon, serrée dans sa robe noire, et il semblait tant elle était grosse qu'elle devait marcher les jambes écartées, ses cuisses trop grasses. Elle tournait autour d'Hélène et le cameraman filmait, la suivant comme son ombre, fasciné par cette ronde inattendue, grotesque et violente. Elle hurlait que ceux de là-haut, ceux de l'Europe, promettaient des sous, donnaient des ordres, il fallait arracher les vignes, les oliviers, mettre les champs en friche, qu'eux ne pouvaient qu'obéir, sinon... Elle brandissait son poing, elle maudissait le ciel, les hommes de Rome et de Bruxelles, « *questi maiali* », ces porcs, mais les primes, eux, les pauvres paysans, les gens de la terre, ne les touchaient jamais. Elle frappait ses mains sur ses cuisses, enfonçait les poings dans les poches de sa robe, retournait le tissu, rien, hurlait-elle, rien, l'argent c'est les banques, la Mafia, qui le prend, il ne vient jamais jusqu'ici, jamais.

Elle brandissait encore le poing, lançait des insultes et deux hommes sortaient du hangar, entraînaient la femme dans la ferme et revenaient, chassant Hélène, Vassos et le cameraman, sans colère, par de petits gestes résolus de la main et ces mots répétés à voix basse « *fuori, fuori, andatevene* », dehors, dehors, allez-vous-en.

Vassos au moment où la femme entrait dans la ferme avait vu ses yeux, écarquillés. Elle tournait la tête de gauche à droite, comme si elle ne comprenait pas d'où pouvait venir le danger. Elle avait, un instant, fixé Vassos et, dans le regard de cette paysanne, il avait deviné la peur, l'angoisse, la certitude aussi de la défaite. Elle s'était rebellée, elle luttait encore mais elle savait qu'elle devrait abandonner ses cultures, arracher les vieux oliviers et les ceps de vigne, quitter sa terre, sa ferme, dont les bâtiments s'ouvraient sur le paysage de Toscane, comme un golfe.

La pêche cruelle continuait, les uns jetaient les filets, les autres s'y laissaient prendre.

Des mois plus tard — il vivait avec Hélène —, Vassos, dans le bureau du président de la Commission européenne, parlait d'une voix appliquée dont le ton grave, si affecté, étonnait Hélène, si bien qu'elle cessait de surveiller le magnétophone, levait les yeux et, croisant ceux de Vassos, il eut un clignement de paupières, comme une complicité qu'il affirmait, une compréhension qu'il exigeait.

— Vous êtes tout-puissant, monsieur le Président, disait Vassos, vous décidez de la vie d'une paysanne de Toscane, d'un pêcheur de Salonique, vous pesez sur le destin de trois cents millions d'Européens, c'est exaltant et oppressant, n'est-ce pas ? C'est votre sentiment intime, non pas politique, mais celui d'un homme que je voudrais connaître.

Le Président avait un petit mouvement de la tête, en arrière, comme ceux qu'ont certains oiseaux quand ils se rengorgent. Et pour la première fois Vassos aperçut ses yeux qui jusqu'alors n'avaient été que des fentes dissimulées par les verres épais des lunettes. Vassos jeta un coup d'œil à Hélène et elle sut qu'il pensait : nous le tenons.

— Votre autorité politique et morale est indiscutable, reprenait Vassos, considérable, vous êtes le symbole de l'Europe unie.

Les yeux du Président restaient ouverts, gris, inexpressifs, pareils à ceux des vieux de Salonique qui fixaient l'horizon, attendant sur les quais le retour des pêcheurs. Et le visage du Président, creusé de rides, la peau plissée, les paupières lourdes, était comme celui d'un homme qui toute sa vie avait affronté le vent, le sel, le soleil.

— Au fond, que voulez-vous ? demanda le Président.

Et il refermait les yeux, nouait ses doigts, posait les pouces sur ses lèvres, attendait.

Vassos se penchait, ouvrait les mains, tout son visage exprimait la bonne foi, les yeux étaient immenses, limpides.

— Faire connaître votre personnalité, parler de vous, de ce que vous ressentez, montrer l'homme sous l'habit du Président.

Le Président ne bougeait pas.

— Vous êtes l'Europe, reprit Vassos. Que sait de vous la paysanne de Toscane ? Si peu. Peut-être vous craint-elle ? Vous devez chasser sa peur, la rassurer. Cela n'est possible que si vous êtes, pour elle, un homme proche, vous comprenez ?

Vassos clignait des paupières, puis comme pour dissimuler la joie qu'Hélène devinait, celle du joueur qui sait qu'il a gagné, il baissait la tête.

Les yeux du Président s'ouvraient à nouveau. Il se tournait vers Hélène, esquissait un sourire, puis il se levait. Il comprenait, commençait-il. Il fallait en effet montrer le visage sensible des hommes politiques. « Nous avons les tourments et les passions de tous les hommes », disait-il en regardant Hélène. Il allait donc répondre à toutes les questions sincèrement. Et Rouvière, son chef de cabinet, s'emploierait à convaincre les douze commissaires.

— Vous êtes satisfait ? demanda-t-il.

Vassos s'inclina comme un acteur qui salue la salle.

Ainsi sans que personne ne l'imaginât ou ne le décidât, peut-être parce que le Président de la Commission avait aimé que Vassos le flatte devant une jeune femme dont le regard lui avait plu, se mit en place le piège dans lequel tomba Philippe Guibert.

Son bureau était situé au troisième étage du palais de Berlaymont à Bruxelles, au bout de l'un de ces corridors qui ressemblent à des coursives. Lorsque Vassos s'y présenta il ne savait rien de Philippe Guibert, sinon qu'il était l'un des commissaires qu'il devait rencontrer. Mais Costes, la secrétaire de Philippe, et plus tard son directeur de cabinet, Jagot, avaient tenté d'écarter Vassos. C'est Philippe lui-même sur un coup de tête, l'un de ces mouvements d'humeur qu'il avait souvent et qui le faisaient choisir le parti contraire à toute sa réflexion et à l'opposé des avis qu'il sollicitait, qui avait décidé de répondre aux questions de Vassos.

Peut-être pressentait-il une menace et voulait-il relever le défi, montrer au Président, et à Rouvière qui insistait, qu'il ne craignait pas les journalistes, alors même qu'il présentait à la Commission un projet contesté ?

Ou bien le nom de Vassos faisait-il naître en lui, dans une mémoire profonde, incertaine, un souvenir oublié, qu'il ne pouvait préciser mais qui suffisait cependant à créer en lui un trouble, une interrogation, à laquelle il voulait répondre. Qui sait si Lisa, une fois, des années auparavant, n'avait pas prononcé ce nom, Vassos, disant seulement : « A Venise, quand j'étais étudiante, j'avais tout juste dix-huit ans, ce Vassos, un journaliste grec... » Et elle avait montré un livre de Vassos exposé dans une librairie, boulevard Saint-Michel, à Paris.

Ils rentraient chez eux rue Henri-Barbusse, à pied, et Lisa n'avait pas achevé cette phrase, attendant peut-être que Philippe la questionne, mais à peine avait-il entendu. Vassos ? Un nom qui glissait, l'un de ces auteurs que Lisa citait, des historiens auxquels Philippe ne prêtait pas attention, et celui-ci pourtant, Vassos, avait laissé une fine trace, enfouie, suffisante pour que des années plus tard Philippe décide de le recevoir, de rester avec lui plus de deux heures, d'être fasciné par ce couple que formaient cet homme déjà vieux et Hélène, plus jeune que Lisa.

Et, dès cette première rencontre un lien s'était noué, le piège avait fonctionné, et Vassos avec son intuition avait deviné qu'il avait ferré une proie, il ne savait pas encore ce qu'elle représentait, mais c'était une proie, qui se débattait, qui était frappée, et qui, à chaque soubresaut qu'elle faisait pour se libérer, se blessait davantage, le fer entrant en elle plus profond.

52

Chacun pour soi

Il eut suffi que Lisa, au lieu de marcher vite vers le musée de la Marine, ce jour de brouillard à Venise, se fût attardée, Piazza San Marco devant les boutiques des bijoutiers, ou bien que Vassos eût emprunté le vaporetto comme il en avait l'intention mais il était arrivé trop tard et comme il n'avait pas envie d'attendre dans le froid humide il avait décidé de se rendre au Harry's Bar à pied, par la Riva degli Schiavoni, il eût même suffi, tant le brouillard était épais, que Vassos ou Lisa fît un pas à droite ou à gauche pour qu'ils ne se voient pas ; mais elle avait marché vite et lui avait manqué le vaporetto, et ils s'étaient trouvés face à face sur le dernier pont, Riva degli Schiavoni.

Ils étaient restés ensemble, plus d'une heure au bar du Londra Palazzo, comme autrefois, si peu changée Lisa, que Vassos se mettait à douter, tout ce temps passé était-ce possible, et il disait par jeu, par défi, que tout pouvait recommencer entre eux, mais ce n'était que simulacre et ils le savaient tous deux, et Vassos ne le désirait même pas, et cependant il avait des regrets, de l'amertume, parce que Lisa, autrefois, lui avait imposé sa décision, lui annonçant qu'elle le quittait, en quelques mots, après une nuit comme les autres. Il en était blessé encore, même si, au fond, cela lui importait peu, mais il se devait de ressentir une humiliation, alors qu'il n'était plus qu'un bloc d'indifférence et cela le gênait, alors il prenait le visage de Lisa entre ses mains, il répétait « Lisa, Lisa, toi et moi ».

C'était la scène qu'il fallait interpréter ; et elle souriait, pas dupe, retirant lentement sa tête, et ils commençaient à parler, de ce qui était leur vie, comme deux inconnus qui, aux antipodes, découvrent qu'ils habitent la même ville, là-bas dans une autre vie.

Et tout à coup elle dit qu'elle était l'épouse de Philippe Guibert.

Vassos penchait la tête pour que le regard de Lisa ne voie pas ses yeux, ne devine pas ce qu'il ressentait, cette brûlure, cette âpreté dans la bouche quand il répétait : « Guibert, tu es l'épouse de Guibert. »

Il cherchait à comprendre, imaginant Philippe et Lisa côte à côte, pressentant qu'entre eux ce ne pouvait être que le conflit, l'incompréhension, en éprouvant une joie si vive, qu'il s'étonnait de la force de ce sentiment, de la curiosité impatiente qui l'animait, qu'il dissimulait pour ne pas inquiéter Lisa, se contentant de dire qu'il connaissait Philippe Guibert, qu'il l'avait interwievé trois fois déjà, et, baissant la voix, il ajoutait avec nonchalance, qu'il retournait souvent à Bruxelles, qu'ils pourraient peut-être se rencontrer, dîner tous les quatre, et il parlait longuement d'Hélène, pour donner le change.

Et quand il levait la tête, qu'il osait affronter le regard de Lisa, il avait le visage lisse, tranquille d'un vieil ami, heureux des retrouvailles. Etait-elle dupe ? Il la sentait sur ses gardes mais il la contraignait à lui donner la réplique sur le même ton. Elle l'invitait à Bruxelles, et il acceptait d'enthousiasme. En la quittant, il jubilait. Guibert, Guibert, ce con, elle allait voir. Il téléphonait à Hélène qui se trouvait à Paris. Il voulait tout savoir de ce Philippe Guibert, tout. Il tenait un fil, il allait le tirer jusqu'au bout. Il ne ressentait plus depuis des années cette fébrilité, ce désir de fouiller, de remuer la vase et il était surpris de la hargne avec laquelle les jours suivants il harcelait Hélène. Qu'elle cherche encore, du côté du père et de la mère. D'où venait ce type, ce qu'il avait fait.

Quand après des semaines il eut en main toutes les pièces, ce livre sur le père de Philippe Guibert, Georges Gaspard, héros de la Résistance, quand il eut rencontré Nathalie Herzberg, la fille de Charles Hartman, lu les documents, reconstitué les événements, quand enfin il mit en place le dernier morceau du puzzle, Karin Graber, la mère de ce Karl Graber qui se promenait sous les ormes, le long des canaux de Bruges, avec Lisa, quand le filet fut ainsi fermé, et qu'il ne restait plus à Vassos qu'à commencer à frapper, il se dit, allongé sur le lit, les mains sous la nuque dans la chambre de l'hôtel Amigo, à Bruxelles — Hélène regardait la télévision — qu'il pouvait ne rien écrire, que ces articles sur le détournement des subventions de la Commission par la Mafia suffisaient, qu'il pouvait ne pas mettre au jour cette épave enfouie, quelle importance ?

Et il interrogea Hélène. « Qu'est-ce que je fais ? », murmura-t-il.

Elle écarquillait les yeux, tirée de son rêve, de ces images qui se succédaient sur l'écran. Il secoua la tête et elle ne le fit pas répéter, regardant à nouveau l'écran.

Il était seul, comme il l'avait toujours été.

Peut-être Lisa, si elle n'était pas partie, un matin, peut-être avec elle, eût-il pu partager, parler, et un jour enfin lui raconter ces pêches sanglantes du golfe de Salonique, lui expliquer comment sur le fond du golfe, l'histoire s'était accumulée, naufrage après naufrage.

Mais elle l'avait quitté.

Chacun pour soi, il le savait depuis l'enfance.

52

La vérité primitive

Naufrage après naufrage, c'était l'histoire de l'Europe, peut-être l'histoire des hommes.

Ainsi commençait l'article de Vassos.

Mais Karl Graber, assis dans le jardin de la maison qu'il possédait à une vingtaine de kilomètres de Munich, au milieu des arbres, quelques hectares d'une forêt de hêtres, ignorait qu'une partie de sa mémoire, que la vie de sa mère — Karin G., écrivait Vassos — étaient devenus les éléments d'un récit que publiaient en même temps deux journaux, l'un à Rome, l'autre à Paris.

La maison de Karl était située au flanc d'une colline, la seule qui était encore couverte d'arbres. Le relief formait un mamelon noir comme une tour dressée au cœur des espaces dénudés où alternaient les teintes jaunes et vertes des cultures et la terre labourée. De la place où était assis Karl, on dominait un immense paysage, à l'horizon duquel s'élevaient les brumes qui masquaient la ville de Munich. Lisa était installée, loin de Karl et c'était étrange que cette distance entre eux, quatre ou cinq mètres, comme s'ils avaient voulu par cette séparation marquer qu'ils ne se connaissaient pas encore assez pour se rejoindre tout à fait, qu'il fallait qu'ils se découvrent, qu'ils parlent.

Et Karl Graber parlait.

Le regard des femmes

Il mêlait l'italien et le français, passant de l'une à l'autre langue, peut-être au hasard, mais il employait plutôt le français pour évoquer le passé et l'italien quand il s'agissait de décrire le présent.

Il avait d'abord parlé des arbres, de ce vestige de la futaie qui durant des millénaires avait couvert toute l'Europe et il ne restait que ces quelques centaines de hêtres malades, les ruines, les épaves rongées d'une immense et durable énergie, et chaque mois les gardes forestiers et les bûcherons venaient abattre ceux qu'on ne pouvait plus sauver. « Alors, je quitte la maison », disait Karl Graber, montrant l'horizon. Il ne voulait pas être le témoin de cette mort, l'exécution d'une dizaine d'arbres, qui tombaient dans le hurlement des troncs qui se brisent, le claquement sec des branches qui se fendent et ce long sifflement de la scie. Insupportable, disait-il.

Il retirait ses lunettes rondes, il écrasait ses paupières du bout des doigts. Et Lisa profitait de cet instant pour le regarder, se laisser aller à l'émotion, parce que le corps de Karl lui paraissait vulnérable — et elle n'avait jamais eu ce sentiment pour le corps d'un homme — Karl penché en avant, les doigts sur les yeux, était voûté, ses cheveux blancs déjà, rejetés en arrière laissaient le front dégagé et il semblait à Lisa qu'on pouvait frapper Karl à cet endroit. Des images défilaient sans qu'elle puisse en maîtriser la succession, ces érudits et ces poètes dont on avait fracassé la tête, dans la bibliothèque de Constantinople, dans les chapelles de la basilique. Ils avaient tenté de se protéger avec leurs mains, et les masses d'armes, les sabres courbes s'étaient enfoncés, déchirant les chairs, brisant les os. Et ainsi, depuis que les hommes sont hommes.

Karl remettait ses lunettes : « Votre Francesco Dolfin, commençait-il, curieux personnage, si ambigu, non ? Est-ce qu'il l'aime vraiment cette femme, ou bien un simple moyen pour lui ? »

Il se tournait vers Lisa, mais elle regardait droit devant elle.

Il se taisait, puis, lentement, et Lisa devait se pencher pour saisir les mots qu'il prononçait à voix basse, comme une confidence, il disait que, aujourd'hui, ne survivaient que le désir et la passion, que tout le reste s'était dissous, les illusions politiques, l'idée que l'on pouvait imposer un ordre au mouvement du monde, au profit, aux hommes, que peut-être hors d'Europe des foules étaient encore emportées par les folies collectives mais qu'ici l'homme se savait seul et donc il ne restait que l'amour, et donc la poésie, des mots vers l'autre, tout ce qui demeure de l'élan, mais c'est peut-être l'essentiel, la racine. « Je ne peux plus croire à autre chose. »

Il se levait, il marchait vers Lisa.

Elle s'en voulait de penser encore, cependant qu'il parlait ainsi, à Dolfin, à ce Vénitien d'il y a cinq siècles, au naufrage d'une civilisation, 1453, chute de Constantinople et Dolfin avait fui, échappant par miracle au massacre, et avant sa mort, il avait vu renaître un empire, l'Atlantique, l'Amérique.

Et quand Karl s'agenouillait devant elle, qu'il lui entourait la taille, posait son visage sur ses genoux, et elle lui caressait les cheveux, les ramenait sur le front, comme pour le protéger, elle pensait : une autre histoire, une autre vie, la renaissance, je recommence.

Mais elle ne parlait pas, elle n'osait pas dire, s'avouer même sa joie, son enthousiasme, son impatience. Elle désirait faire l'amour.

Elle prenait la tête de Karl entre ses mains, elle l'appuyait contre son sexe, contre son ventre. Elle avait envie d'avoir un enfant, pour la première fois de sa vie.

Ils restèrent ainsi jusqu'à ce que la pénombre et le brouillard qui débordaient de la forêt en traînées cotonneuses envahissent le jardin. Lisa se mit à grelotter et elle serra encore plus fort Karl, le prenant aux épaules, se penchant sur lui, mais quand il voulut se lever, qu'il lui proposa de rentrer dans la maison, elle refusa.

Elle voulait avoir froid, se sentir avec lui, seule, corps contre corps, dans cette nuit qui tombait vite maintenant, recouvrant peu à peu la vallée, la plaine jusqu'alors illuminées par des couleurs rouges et or ; au loin commençaient à clignoter, bleutées, les lumières de Munich.

Enfin Lisa céda. Ils marchèrent en se tenant par la taille mais Lisa le força à faire un long détour par le sentier qui s'enfonçait dans la forêt, longeait un promontoire avant de retourner vers la maison. L'obscurité, sous les arbres, était telle, le brouillard si épais, qu'ils tâtonnaient, se heurtant aux souches, le souffle coupé par l'humidité glacée. Mais c'était pour Lisa une sorte de baptême, son union avec Karl, scellée loin des hommes, dans la vérité primitive de la forêt.

Ils rentrèrent et Karl alluma un feu cependant que Lisa préparait du café. Ils n'étaient ni l'un ni l'autre pressés de faire l'amour, comme si ces quelques pas dans la futaie leur avaient donné la mesure d'un autre temps, plus long, plus lent. Ils s'installèrent devant la cheminée, avec les flammes pour toute lumière, à nouveau loin l'un de l'autre, Karl le dos appuyé au montant de la cheminée, le profil éclairé par les flammes, Lisa lui faisant face, mais elle se tenait de telle manière la tête rejetée en arrière, que son visage restait dans l'obscurité.

Elle parla d'abord de Philippe, de ce qui l'avait poussée vers lui, peut-être la curiosité, mais elle se reprenait, elle secouait la tête et Karl ne voyait pas ce mouvement, plutôt la vanité, et bientôt la lâcheté. Une façon médiocre et confortable de vivre.

310

Elle prenait, comme elle en avait l'habitude, ses jambes contre sa poitrine, les mains serrées sur les genoux.

Ni élan ni utopie, continuait-elle, même plus l'amitié, un compromis comme en font les politiciens, on s'arrange, on calcule, on triche.

Elle parlait d'une voix sourde, et elle ajoutait : « On est lucide, cynique, sans joie ni foi. Tu comprends ? » Et elle le tutoyait pour la première fois. L'époque est grise, murmurait-elle, pour tous ici, tout semble se défaire. « Il reste quoi, tu disais la poésie, l'amour. Il faut de l'énergie, du talent, peut-être du courage. »

Elle se balançait, petite fille qui minaudait un instant, disait, je ne suis qu'historienne, je joue avec la vie des autres, j'ai du courage par procuration.

Puis elle se dénouait, étendant les jambes vers le feu. Il fallait, disait-elle, de la chance aussi, une rencontre, pour savoir si l'on a du courage.

Il ne fit aucun geste vers elle.

Il l'écoutait parler de Vassos et de Pascal Sergent, puis de son père, Carlo Romano, et elle s'était à nouveau recroquevillée, et il ne bougeait toujours pas, alors que toute la partie droite de son corps, proche de la cheminée était brûlante et que, au contraire, par contraste, il avait la jambe et le bras gauches gelés, mais il craignait en se déplaçant d'interrompre Lisa, alors qu'elle évoquait sans doute le plus difficile, la mort de son père, et presque aussitôt, comme si elle voulait être sacrilège, le plaisir qu'elle avait pris à faire l'amour avec des hommes qu'elle n'aimait pas, dont elle trouvait seulement qu'ils avaient, ainsi ce David Galway, de belles mains, un sourire timide, ou des manières hésitantes, qui l'attiraient. Et elle les provoquait, les séduisait, les oubliait.

Le regard des femmes

Elle relevait la tête. Elle défiait Karl, le regardait longuement. Je te choque, disait-elle.

Il s'éloignait du feu.

« Je ne t'ai jamais parlé de ma mère, vraiment », commençait-il, sans lui répondre.

Il l'acceptait pour ce qu'elle était à cet instant de sa vie, et Lisa vint s'asseoir près de lui, à même le sol, et il lui enveloppa l'épaule de son bras. Elle se sentait apaisée. Elle l'écouta.

54

Qu'est-ce qu'un regard ?

« Est-ce que je me souviens ou bien est-ce que j'imagine me souvenir et n'ai-je fait que rêver, que reconstruire ce que j'ai vécu et qui s'est effacé ? »

Karl tenait la main de Lisa, il lui caressait les doigts, le poignet, et ses gestes étaient accordés à son récit, hésitant comme lui, s'arrêtant tout à coup.

« J'avais quatre ans à peine, est-ce qu'on se souvient ? Nous habitions Berlin, l'un des rares immeubles debout, dressé dans un champ de ruines et de gravats, où il me semble que parfois je courais.

« Un matin — il s'interrompait et il serrait la main de Lisa — nous habitions seuls, ma mère et moi, et étions assis l'un en face de l'autre, et je suis sûr qu'elle lisait à haute voix, comme elle le faisait tous les jours, le matin, le soir, et je ne sais ce que j'aimais le plus, sa voix ou le récit. Elle m'a lu ainsi *Moby Dick,* je crois qu'elle le traduisait du russe, en allemand, au fur et à mesure. A Berlin, il n'y avait plus de livres ces années-là, un roman américain, c'était comme un morceau de lune extraordinaire, bien sûr — il caressait les cheveux de Lisa maintenant — cela je l'ai compris, ici, plus tard, quand j'ai reconstitué cette année 1949, j'avais quatre ans.

Le regard des femmes

« Ils sont donc entrés, un matin, et ils étaient si nombreux qu'ils pouvaient à peine tenir dans notre appartement, une pièce, une cuisine, peut-être une dizaine d'hommes, silencieux, et c'est cela qui m'effrayait. Ils ordonnaient par gestes. Ma mère leur parlait, russe, allemand, mais ils ne répondaient pas. Elle est venue vers moi — elle a hurlé quelques mots, un ton de commandement, en russe, en allemand, et ils se sont écartés. Elle s'est agenouillée devant moi : " Souviens-toi de la baleine blanche, Karl, souviens-toi de moi, de nous. " Elle ne m'a pas embrassé, elle avait posé ses mains sur mes épaules et elle me regardait. Son regard, il n'y a que le tien, qui lui ressemble. »

Il appuyait sa tête sur l'épaule de Lisa. Il murmurait : « Qu'est-ce qu'un regard ? On ne peut jamais le saisir, le fixer, le retenir. Il existe, mais qu'en dire ? Les mots ne peuvent rien. Un regard, c'est aussi son propre regard ; des vies qui s'échangent, sans un geste, sans une phrase ; quand tu m'as regardé il m'a semblé que pour la première fois depuis l'enfance, depuis ce matin-là, dans notre maison entourée de ruines, une femme me regardait ou bien, que c'était la première fois que je regardais le regard d'une femme. Et que puis-je en dire ? En même temps, tu ne m'as même pas vu, tu avais un mouvement de tête et j'essayais de retenir tes yeux, trop tard, j'ai écrit ce livre, ces poèmes, mais que peut-on dire d'un regard ? »

« Quand ils ont entraîné ma mère, elle n'a pas cessé de me regarder, la tête tournée vers moi, et je ne bougeais pas.

« Un homme, l'un de ceux-là, me retenait. Je sentais ses doigts agrippés au col de ma chemise, la tirant en arrière, si bien que j'avais l'impression qu'il m'étranglait et j'ai mis mes mains à mon cou, pour desserrer ce col. A ce moment-là, ma mère a dit — ces mots-là je suis certain de me souvenir ou alors... — Lisa devinait qu'il haussait les épaules — ou alors, répétait-il, ne touche pas à mon fils. »

« On l'a entraînée, je ne l'ai plus vue, mais l'homme m'a lâché. »

Plus tard, au cours de la nuit, quand ils eurent fait l'amour, et ce fut comme s'ils continuaient de parler, de se confier l'un à l'autre, les mouvements de leurs corps lents, comme des phrases chuchotées, répétées, et Lisa avait noué ses bras autour du cou de Karl, il la soulevait avec lui, et elle savait qu'elle n'avait jamais été ainsi avec personne, comme si elle ne voulait plus, ne pouvait plus se séparer de Karl. Il murmurait à son oreille : « Tu es ma baleine blanche, tu m'entraînes, mon amour, mon amour », plus tard quand il eut rallumé le feu, et qu'il la rejoignit sous les couvertures, et qu'ils surent qu'ils ne dormiraient pas, qu'ils attendraient le jour, pour ne pas perdre une seule parcelle de cette nuit, il recommença à parler.

Quand il avait revu Karin Graber, en 1960, au mois de mai, le 27, de cela il se souvenait avec une précision telle qu'il pouvait donner le numéro de la voiture — et il le répétait à Lisa — 4722 DA — qui était venue le chercher...

Il s'interrompait et elle l'attirait, le prenait dans ses bras, le berçait, sa tête contre ses seins, et elle n'avait jamais été si tendre avec qui que ce soit, Karl comme un fils, et cette pensée brûlait en elle, de son sexe, de son ventre à sa gorge et au même instant, il lui disait « pourquoi tu n'as pas eu d'enfant ». Elle ne répondait rien, continuant à le bercer, et il reprenait son récit, là, sur ce perron de l'institut d'éducation et de formation des jeunes pionniers, ce 27 mai 1960. Il avait passé dix ans, dix ans dans ce bâtiment de trois étages, construit en brique, dans une clairière. Il sentait encore l'odeur de terre et d'écorce trempée qui imprégnait la brume alors qu'il montait dans la voiture. L'homme assis près de lui, ne disait rien, ne le regardait même pas, les mains posées sur les genoux.

Il avait les ongles rouges, des poils blancs sur les phalanges, des taches de rousseur sur une peau plissée, et ces ongles, larges, rouges.

Des sentinelles. Un parc. Des pavillons en rondins. Une infirmière qui ouvre la porte.

« Ma mère avait les cheveux blancs, et elle avait été jeune, comme toi, elle avait les cheveux blancs, longs, répandus sur le coussin, et les yeux gris. Son regard, le même qu'autrefois, le même, Lisa, comme si le temps, dix ans, plus de dix ans, n'avait pas passé. J'étais resté immobile, dans son regard, et l'infirmière d'une voix rauque disait dans mon dos : " Embrasse-la, c'est ta mère, elle ne peut pas parler. Embrasse-la voyons. "

« Je n'ai pas pu.

« Son regard, qu'est-ce que je peux en dire ? Elle me donnait sa vie et elle prenait la mienne, et nous voulions rester ainsi, à distance, pour nous voir, échanger ce que nous étions.

« Ils m'ont fait sortir. Ils m'ont expliqué qu'elle allait mourir. Qu'ils l'avaient soignée avec tous les soins que méritait une héroïne. Car je devais savoir qu'elle était une héroïne de la lutte antifasciste, et que je devais être fier d'elle et poursuivre son combat. »

Pour dire ces dernières phrases, il s'était écarté de Lisa puis il s'était levé, marchant dans la pièce, parlant plus haut, le ton saccadé.

« Elle est morte, en effet, disait-il, le 30 mai 1960. Et je me suis enfui de ce pays, et depuis je suis ici. »

L'épave enfouie dans les profondeurs

Il s'asseyait au bord du lit, la tête penchée, les paumes sur les yeux, et Lisa l'enlaçait, le forçait à s'allonger, lui couvrait le visage de son corps, de ses seins, et il pouvait ainsi pleurer.

Le héros démasqué

En août 1938 — la paix crevait en Europe, salement, comme une condamnée à mort qui supplie, s'agenouille devant ses bourreaux, embrasse leurs bottes, livre ses amis, ses frères, et la France et l'Angleterre s'apprêtaient à signer avec Hitler et Mussolini, à Munich, des accords qui abandonnaient leur alliée, la Tchécoslovaquie, mais cela ne suffirait pas — donc en ces temps de veulerie, une jeune femme brune, élancée, la taille serrée par un large ceinturon comme en portent les officiers, attendait dans le hall de l'hôtel Métropole à Barcelone.

Elle avait noué ses cheveux en arrière, dégageant son visage rond, sans maquillage, comme celui d'une adolescente — elle avait, il est vrai, à peine vingt-six ans — et elle allait et venait, devant le grand escalier de marbre, les mains enfoncées dans les poches d'une salopette de toile bleue, trop grande pour elle. Il faisait lourd et dans la pénombre — car les volets étaient fermés, les rideaux tirés — un ventilateur, à grandes ailes noires, tournait lentement comme un insecte qui hésite, puis recommence son vol, frôlant le plafond. Souvent la jeune femme le regardait, ouvrait le col de son chemisier blanc à manches courtes, comme si elle s'étouffait, enlevant puis remettant le foulard rouge qu'elle portait enroulé autour du cou.

Cette jeune femme, journaliste, envoyée spéciale en Espagne d'un quotidien de Prague, Vassos dans son récit la

318

présente comme l'un des agents des services secrets soviétiques à Barcelone, Karin G.

C'est dans cet hôtel Métropole, donc, au mois d'août 1938 — il ne précise pas la date exacte —, qu'elle a rencontré pour la première fois, sans doute en prenant le prétexte d'une interview, le député français, Georges Guibert.

Philippe lisait ce récit, seul dans son appartement de la Porte Louise à Bruxelles. Il avait confié le chat à la concierge. « Prenez-le ou je le tue », avait-il dit, et la concierge était entrée dans l'appartement, en ne le quittant pas des yeux, comme si elle avait eu peur, et peut-être, avec la barbe qu'il n'avait pas rasée, l'odeur d'alcool dont son haleine était chargée, le parfum aussi de cette femme qui collait à lui, un parfum de putain, et c'était comme la honte de lui-même, une maladie qu'elle lui avait laissée, peut-être avait-il quelque chose d'effrayant.

Le chat qui s'était caché sous le lit était sorti dès que la concierge l'avait appelé et elle n'avait eu aucune peine à le saisir, le serrant contre elle, le caressant. « Je m'en occupe » murmurait-elle, en repassant devant Philippe, « jusqu'à ce que Madame revienne », avait-elle ajouté, plus fort, maintenant qu'elle était dans l'escalier. Et Philippe avait eu envie de hurler « elle ne reviendra pas » mais il avait seulement claqué la porte.

Il avait alors pris le courrier, découvert l'article de Vassos, un titre qui courait le long de la première page de *Libération : Le héros démasqué : archéologie d'une histoire européenne.* En caractères gras, résumant l'article, bordant la page 2, ces phrases : *Georges Gaspard, le héros de la Résistance française, était aussi un agent soviétique. Ses camarades l'ont-ils livré aux nazis ? Est-ce aussi simple ? Un demi-siècle plus tard, Serge Vassos explore cette histoire souterraine. La mémoire de l'Europe est un navire englouti, qui commence seulement à livrer ses secrets.*

Naufrage après naufrage... Ainsi débutait le récit de Vassos.

Philippe l'avait déjà parcouru plusieurs fois, sans réussir à le lire mot à mot, comme s'il voulait avec avidité, recomposer lui-même un ordre, ne pas se laisser guider par Vassos. Il commençait, puis il tournait la page, lisait la conclusion, revenait aux trois photos qui illustraient l'article. L'une représentait son père, debout, au milieu d'un groupe d'électeurs, devant la mairie de Forgues, au mois de mai 1936. Les villageois étaient en casquette, et Georges Guibert portait au contraire un canotier dont le bord cachait ses yeux. On ne voyait ainsi que la bouche qui souriait, mais l'expression, ce sourire qui paraissait forcé, déplaisait à Philippe. La silhouette et l'attitude de son père le mettaient mal à l'aise. L'homme était tassé, la tête rentrée dans les épaules, légèrement voûté. Il avait enfoncé la main gauche dans sa poche, écarté ainsi la veste de son costume sombre, laissant voir le gilet et la chaîne de montre de gousset. Il n'émanait de lui aucune énergie mais une impression d'habileté et de mollesse, presque de lâcheté.

Les deux autres photos étaient des portraits de femmes. Celui de sa mère, Philippe ne le connaissait pas et il imaginait que Nathalie Herzberg avait trouvé cette photographie dans les papiers de Charles Hartman.

Jamais Philippe n'avait vu sa mère ainsi, une rose à la main, la tête penchée, mais les yeux levés, sans doute tournés vers Charles Hartman, son amant, et, dans ce regard, Philippe lisait la complicité, le désir. L'autre femme, Karin G. avait un visage rond. Elle fronçait les sourcils et croisait les bras. Elle rayonnait malgré sa jeunesse, de force, de détermination et de fierté.

Que pouvait Georges Guibert entre ces femmes-là ?

Philippe avait le sentiment qu'au fur et à mesure qu'il lisait son corps se modifiait. Il se sentait lourd, sale. Il lui semblait que ses joues se creusaient, qu'il devenait encore plus laid qu'il n'était, des plis, des rides sur une peau blafarde et adipeuse.

Il lisait, sans être ému, croyait-il. Il n'était ni révolté, ni surpris, Vassos l'avait prévenu. Vassos se vengeait. De lui, de Lisa sans doute. Vassos faisait son métier. Et peut-être avait-il raison d'écrire que Georges Guibert n'était qu'un politicien ambitieux qui avait choisi de s'allier aux communistes, sans conviction, pour trouver des appuis, apparaître un jour comme le dirigeant d'une gauche plus déterminée que celle qu'incarnait Blum. Les services soviétiques avaient joué de ce calcul, offert leur aide, et Georges Guibert, devenu Georges Gaspard, s'était hissé jusqu'au sommet de la Résistance. Il y fallait du courage, on y risquait sa vie, mais c'était la mise qu'il fallait avancer pour gagner.

Vassos dans son récit ne laissait rien debout et ne respectait personne. On avait livré Gaspard aux nazis, expliquait-il, pour se débarrasser d'un résistant trop proche des Soviétiques, et peut-être aussi pour liquider un rival.

Les hommes sont ambigus, écrivait Vassos. *Ils le restent même dans leurs entreprises les plus héroïques. Charles Hartman était à la fois un résistant courageux, un patriote intransigeant, un anticommuniste rigoureux, qui craignait l'influence soviétique et il était en même temps l'amant de Mireille Guibert, la femme de Georges Gaspard. Peut-on savoir quelle alchimie conduit aux décisions, ou simplement au refus d'agir, qui suffit parfois à condamner un homme, en laissant faire ce qui doit se produire, que l'on sait et qu'on oublie. Car Hartman et les hommes de son groupe n'ont pas prévenu Georges Gaspard du danger qu'il courait en se rendant à son dernier rendez-vous. Ils ont oublié. Négli-*

gence ? Choix délibéré ? Qui saura jamais, qui pourra affirmer ? Mais les conséquences sont évidentes. Gaspard mort, la direction de la Résistance passait à Hartman. Les Soviétiques et les communistes perdaient un homme clé. Mireille Guibert pouvait vivre avec son amant.

Philippe s'étonnait de son calme. Il lisait comme s'il s'était agi de personnages inconnus dont il découvrait les destins. Il contestait, comme un lecteur lucide qui juge les preuves insuffisantes, mais Vassos annonçait la publication de lettres et de documents, provenant des archives de Charles Hartman. *Nous avons mis au jour*, écrivait-il, *la trame d'une histoire européenne, dissimulée, enfouie sous les bons sentiments et les ignorances, une histoire qui ne s'achève pas en 1943.*

Karin G. avait été arrêtée par la police de Staline en 1949, parce que tous ceux qui avaient été des acteurs héroïques de la Résistance devenaient suspects. Sans doute était-elle juive, comme tant d'autres espions soviétiques, et le régime s'imprégnait peu à peu d'antisémitisme. Elle était restée emprisonnée jusqu'en 1956 puis placée en résidence surveillée, dans son pays, en Allemagne de l'Est. Elle y était morte en 1960, et son fils, Karl G., s'était enfui peu après à Munich. Il enseignait aujourd'hui à l'université de cette ville et à l'Institut européen de Bruges.

Ce poète, celui dont Lisa disait : *Quand mes yeux se sont posés sur toi j'ai été heureuse*, s'appelait Karl Graber.

Philippe ne bougeait pas. Les bras et les jambes comme des masses pesantes qui l'immobilisaient, le ventre qui tombait sur ses cuisses. Il s'affaissait. Il était fait de boue et de merde. Elles le remplissaient, elles montaient en lui, il en avait plein la gorge, la bouche.

Il vomit, des hoquets qu'il ne pouvait retenir et les glaires couvraient le journal.

56

L'imaginaire

Lisa s'était assise devant le miroir et, immobile, les bras croisés, appuyée à la petite table que Karl avait poussée contre la glace, elle ne baissait pas les yeux.

Elle ne se souvenait pas de s'être ainsi défiée, sans un mouvement des paupières, sans un geste pour commencer à se coiffer, à se maquiller, les yeux alors échappant aux yeux, s'effleurant seulement, n'osant pas s'affronter, le regard fuyant le regard. Mais cette fois Lisa se faisait face.

Karl avait déjà ouvert la porte de la chambre à deux reprises et elle l'avait vu dans le miroir, devant et derrière elle.

Elle ne s'était pas retournée, et il n'avait pas osé entrer ni parler, bougeant les lèvres sans qu'aucun mot ne naisse et, après quelques secondes, il avait refermé la porte, si bien que la grande surface de bois de chêne avait à nouveau occupé tout l'espace, fond de tableau sombre sur lequel se dessinait le visage de Lisa.

Elle s'observait. Elle, ce front bas, bosselé ; elle, ces cheveux flous, souples et serrés ; elle, ces longs sourcils, ces lèvres larges ; elle, ces rides creusées à chaque coin de la bouche et qui avançaient leurs sillons de plus en plus haut et profond dans les joues ; elle, ces fines nervures qui rayonnaient à partir des yeux vers les pommettes.

Elle, ce regard qu'elle avait du mal à soutenir, qui la

gênait et l'inquiétait et il lui fallait se forcer pour ne pas baisser la tête, la détourner.

« Tu as des yeux mauvais, durs comme des pierres », lui avait tant de fois lancé sa mère, quand elle ne cédait pas, petite fille qui s'obstinait à ne pas reculer, à ne pas se protéger le visage du bras quand sa mère la menaçait, criait encore « yeux verts yeux de vipère, yeux de serpent, *occhi cattivi*, yeux méchants ».

Mais c'est sa mère qui cédait quittant la pièce, hurlant qu'elle ne pouvait rien contre ce « morceau de chair du diable », sa fille.

Lisa restait longtemps sans bouger, seule, comme si la tourmente qui venait de l'entourer l'avait laissée pétrifiée, et son père, souvent, la trouvait ainsi, les bras le long du corps. Il se baissait, lui caressait les cheveux, l'embrassait, et quelquefois ses lèvres effleuraient les paupières cependant qu'il murmurait, comme s'il avait voulu effacer les paroles de sa femme « *bei occhi verdi, occhi di mare* », « beaux yeux verts, yeux de mer ».

Il disait aussi — quand elle était plus petite, il la soulevait, il l'emportait dans ses bras, la déposait sur le canapé de cuir qui se trouvait dans son bureau — « pleure, pleure, comme cela tes yeux deviendront plus beaux encore ».

Mais elle ne pleurait pas, et Philippe criait quand ils se disputaient : Toi tu ne pleures pas, toi — il frappait de son poing fermé contre un meuble, le mur, la porte — tu as trop d'orgueil, trop d'égoïsme, tu es enfermée, enfermée, il n'y a qu'à voir tes yeux », et il se mettait à sangloter, s'enfuyant, hurlant des injures, la maudissant.

Peut-être Lisa avait-elle pleuré pour la dernière fois — et elle ne se souvenait pas de l'avoir fait avant ce jour — à la mort de son père, quand, à Venise, avec Philippe...

Oui, avec Philippe, si tendre, si rassurant, et elle avait

324

eu envie de faire l'amour avec lui, comme pour s'accrocher à la vie, et il était, ce jour-là, la vie.

Elle ne voulait pas pleurer. Elle ne pleurait pas. Elle ne baissait pas les yeux.

Elle se regarderait, elle regarderait son passé.

Le téléphone avait sonné, il y avait une heure, peut-être deux maintenant, elle ne savait plus. Le directeur de cabinet du Président de la Commission européenne demandait à lui parler. Lisa avait paru si étonnée que Karl avait répété, et Lisa, en le rejoignant, comme pour ne pas entendre la voix qui déjà parlait en elle, disait à Karl : « Comment m'ont-ils trouvée, comment ? »

Elle s'asseyait, face à la cheminée, le téléphone sur les genoux, et Karl quittait la pièce. A ce moment-là seulement, elle portait l'écouteur à l'oreille.

Rouvière se présentait, interrogeait : « Madame Guibert ? » Elle répondait : « Oui, Lisa Romano. »

On la cherchait depuis deux jours, déjà. A Venise, à Paris, à Florence. C'était le directeur de l'Institut de Bruges qui avait pensé à ce numéro.

« Je vous passe Monsieur le Président. »

Le Président avait dit : pas de lettre, pas d'explication, mais cette enquête « de votre ami », il avait répété « votre ami ».

Et maintenant qu'elle reprenait un à un les mots qu'il avait prononcés — « C'est une tragédie, je n'aurais pas cru Philippe si fragile, mais nous sommes tous tendus, aux limites de nos forces, et il suffit parfois d'un incident, pour provoquer le déséquilibre, soyez courageuse Lisa, vous savez que vous pouvez compter sur moi, mais excusez-moi, votre ami, un charognard, qui s'est acharné, et Philippe n'a pas supporté cette intrusion, cette profanation du passé, car c'est bien de cela qu'il s'agit. » — elle entendait sous le ton consterné, derrière des phrases d'usage dissimulées par l'apparente compassion, le frémissement de la joie, l'attente des larmes qu'elle allait verser, le souffle court de la jouissance, le plaisir que prenait le Président à lui annoncer le suicide de Philippe.

Elle ne pleurait pas, elle ne baissait pas les yeux, elle affrontait son regard.

Philippe, quand il venait la chercher dans la salle de lecture de la Bibliothèque nationale, qu'il l'entraînait de l'autre côté du square Louvois, dans cette chambre d'hôtel qu'il avait retenue, lui murmurait quand ils faisaient l'amour : « Garde les yeux ouverts, Lisa, Lisa, j'aime tant tes yeux, si clairs, tu as le regard droit », parfois il ajoutait « si droit, si clair que j'ai peur. »

Elle s'était étonnée : « Peur ? » Elle riait. Elle était si jeune, lui, si important — les huissiers le saluaient avec déférence, le ministre le consultait —, « Tu es trop claire, trop droite, disait-il. Est-ce que tu comprends ? J'ai peur que tu me juges, je ne suis pas comme toi. »

C'était au début, quand ils se connaissaient peu, qu'elle était surprise et flattée par son amour, qu'elle ne s'interrogeait pas sur les sentiments qu'elle éprouvait pour lui. Il ne lui déplaisait pas d'être aimée, voilà peut-être ce qu'elle ressentait. Et elle ne se souvenait pas de lui avoir dit : « Je t'aime Philippe, je t'aime. » Elle était sûre de ne pas avoir prononcé ces mots, parce qu'elle ne voulait ni mentir ni exagérer ses sentiments. Sans doute avait-elle dit « je t'aime bien Philippe », peut-être aussi « j'aime que tu m'aimes ».

Il s'était contenté de cela et elle avait cru pouvoir s'en contenter aussi, mais — qu'elle ose se regarder, ose voir ses yeux, son regard — c'est elle qui avait rompu ce contrat tacite, parce qu'il lui était devenu insupportable de ne pas aimer et d'être aimée.

Et Philippe ne s'était pas soumis aux compromis qu'elle exigeait de lui.

Elle sentait des larmes monter, mais elle ne pleurerait pas, parce qu'elle se voyait, se regardait et qu'on ne se laisse pas aller devant quelqu'un qui vous dévisage.

Il était donc plus déterminé, plus exigeant, qu'elle n'avait pensé.

Le Président, avec ce ton affecté, qu'il voulait affligé et où elle devinait le regret qu'il avait de la sentir maîtresse d'elle-même et le plaisir de pouvoir lui expliquer qu'on avait trouvé Philippe dans cette chambre — « la vôtre il m'a semblé » — au fond de ce long corridor. Le Président ajoutait qu'il avait tenu lui-même à se rendre compte : « Philippe était un homme remarquable qui avait le sens du devoir et de l'absolu, peut-être est-ce ce qui l'a perdu. »

Maintenant, elle savait qu'elle ne pleurerait plus, qu'elle assisterait à l'inhumation au cimetière de Forgues, où, il y a quelques années, c'est vrai, elle avait pleuré, elle l'avait oublié, quand Charles Hartman lui avait parlé de Mireille Guibert, et qu'elle s'était souvenue du regard de cette femme, amical et complice, sur la terrasse de sa maison, avec la mer au bout de l'horizon.

On dirait de Philippe, le Président l'en avait avertie, « Vous en êtes d'accord, n'est-ce pas ? — pour la presse, pour tout le monde... » qu'il était mort des suites d'une longue maladie. A peine un mensonge, un suicide ne vient-il pas comme l'ultime accès d'une gangrène, d'une plaie d'enfance qui a lentement pourri, empoisonné peu à peu tout le sang, tout le corps, et personne ne voulait savoir, ne désirait voir.

Ai-je su ?

Lisa ne baissait pas la tête, gardait le regard dans le regard.

Elle avait eu souvent de la pitié pour Philippe, mais il la refusait et elle avait eu de plus en plus de peine à faire des gestes qui lui coûtaient et qu'il rejetait.

Il eût voulu qu'elle l'aime, qu'elle se soumette et qu'elle joue le jeu de l'amour, et il se serait contenté de ce simulacre, elle le savait, mais cela, et c'était son exigence à elle, elle ne pouvait pas, ou si peu, qu'il n'était jamais dupe et elle ne voulait pas qu'il le soit.

« Avec tes yeux, ton regard, tu ne caches rien », lui avait dit Pascal Sergent, quand ils se retrouvaient l'après-midi, rue Henri-Barbusse. « Tu ne peux rien dissimuler, il faut que tu le saches. L'hypocrisie, difficile avec tes yeux. »

Elle s'était souvenue de Vassos, des années auparavant, à Venise, peu de temps avant qu'elle ne le quitte, qui avait eu les mêmes mots. Il commençait, disait-il, à se méfier de ce regard. Elle était, ajoutait-il en l'enlaçant, en l'embrassant dans le cou, comme pour ne pas croiser ses yeux, pareille à cette divinité qui pétrifiait ceux qu'elle regardait.

Des mots, des phrases.

Ce qu'ils craignaient tous, sa mère, Vassos, Philippe et même Pascal Sergent, ce n'était pas son regard mais cette envie de vivre, de vivre vraiment sans se laisser mutiler, qu'elle portait en elle et que peut-être son regard exprimait.

Karl entrouvrait la porte il se penchait, n'osant entrer.

Elle voyait son épaule, sa main. Il faisait un pas et la lumière envahissait le miroir. Elle en était éblouie, mais elle ne bougeait pas, et il refermait une nouvelle fois la porte.

Elle se réhabituait peu à peu à la pénombre, à ce pan de bois derrière ses yeux. Elle était folle de refuser l'aide de Karl. « *Occhi cattivi* », yeux méchants, disait sa mère. Elle avait raison.

Il lui semblait tout à coup qu'au lieu de ressembler à son père, comme elle l'avait toujours pensé, elle était le double de sa mère. Ses yeux étaient ceux de cette femme insensible qu'elle n'avait pas aimée, qui avait persécuté son mari, sa fille, et même Paolo, ce fils.

Je suis comme elle.

Lisa changeait de nom, de rôle, et elle se voyait repoussant Philippe comme sa mère avait rejeté Carlo Romano.

Je l'ai laissé avec son angoisse, son désir, les appels qu'il me lançait, ce passé qui l'accablait et que Vassos, pour se venger de moi, détenait.

Lisa pensait cela et en même temps elle était si calme, si indifférente à ce réquisitoire, presque distraite, qu'elle s'en effrayait.

Cet homme qui avait décidé de mourir, et elle pouvait imaginer cela sans pleurer, elle avait partagé avec lui le pain et le café du matin.

Souviens-toi.

Elle le voyait, debout devant elle, préparant des toasts, un jus d'orange. Il la prenait sur ses genoux. C'étaient les premiers mois de leur vie commune, et elle se laissait aller, la bouche contre son cou, et quand il lui demandait de l'embrasser, elle l'avait fait, là, sous le menton. Elle l'avait suivi dans la chambre, si souvent sans ennui, comme si cela allait de soi et elle avait dormi nue, près de lui, après l'amour.

Je me souviens.

Mais elle se souvenait aussi de la vie de Francesco Dolfin, et elle pouvait parler de son amour pour Anna de Monteverdi, des poèmes qu'il avait écrits pour elle.

Qu'avait-elle vécu ? Qu'avait-elle imaginé ?

Que restait-il des actes, des passions même, des événements, de la souffrance, ces prisonniers coupés en deux par les Turcs dans les îles de la mer Egée ?

Quand les corps s'en étaient allés, que le temps — même une infime parcelle de temps — avait passé, ne demeuraient que des objets — et des mots —, des histoires, seulement cela.

Philippe, Charles Hartman, Georges Gaspard, Dolfin, Karin Graber, Anna de Monteverdi, Mireille Guibert, et même son père, « *bei occhi verdi, occhi di mare* », disait-il, tous mêlés en elle, dans sa mémoire, des noms, des vestiges d'émotion, des destins qui se superposaient, tous imaginaires. Tous.

Et sa vie avec Philippe devenue cela. Une histoire dont elle n'était plus que l'historienne et la lectrice.

Elle avait fermé les yeux. Elle n'avait pas entendu Karl entrer dans la pièce. Il posait ses mains sur ses épaules et murmurait que la voiture était arrivée de Munich pour la conduire à l'aéroport.

Elle se leva et le regarda.

Il détournait la tête comme s'il craignait ce regard.

Elle connaissait si peu cet homme qu'elle avait rejoint, si bien celui qu'elle avait quitté et qui s'était tué.

— Regarde-moi, dit-elle à Karl.

Mais qu'est-ce qu'un regard ?

C'était elle, elle seule qui continuait de s'interroger, de chercher à comprendre.

Elle posa ses mains sur sa poitrine, elle le toucha, comme font les aveugles.

Sous la laine, elle sentait la peau de Karl. Il était là, vivant. Son corps était un morceau du monde. Un acte.

Elle s'appuya à lui, lui entoura la taille de ses bras.

Elle vit ce couple, elle et lui, dans le miroir, déjà image séparée et lointaine alors qu'à peine formée.

— Je veux que tu m'accompagnes, murmura-t-elle en tournant le dos au miroir.

ÉPILOGUE

La cérémonie

Le Président de la Commission européenne a assisté aux côtés de Mme Lisa Romano-Guibert, et de l'ensemble des commissaires européens, ainsi que de nombreux fonctionnaires de la Communauté et de représentants des gouvernements des douze États membres, à une cérémonie à la mémoire de Philippe Guibert, commissaire à la culture et à la communication, décédé à son domicile bruxellois des suites d'une longue maladie.

Agé de cinquante et un ans, Philippe Guibert, ancien élève de l'ENA, avait commencé sa carrière au ministère des Finances à Paris, avant de rejoindre le cabinet du ministère français des Affaires européennes puis la Commission européenne.

Il était le fils de Georges Gaspard, l'un des chefs de la Résistance française, disparu en 1943. Des articles récents ont suscité une vive polémique à propos de la personnalité de Georges Gaspard, accusé par certains d'avoir été un agent soviétique, infiltré dans la Résistance et dénoncé aux nazis par ses propres camarades de combat.

Dans sa brève allocution, le Président de la Commission a condamné ceux qui, exhumant des tragédies enfouies, voulaient en frappant Philippe Guibert dans ses affections et ses souvenirs, affaiblir l'Europe d'aujourd'hui.

Il s'est incliné devant Mme Lisa Romano-Guibert, « éminente historienne de l'Europe médiévale et dont le regard fier dit la fidélité et le courage ».

Table des matières

337

Le regard des femmes

Achevé d'imprimer en février 1991
sur presse CAMERON,
dans les ateliers de la S.E.P.C.
à Saint-Amand-Montrond (Cher)
pour le compte des éditions Robert Laffont
6, place Saint-Sulpice, 75279 Paris Cedex 06

Nº d'édition : 33223. Nº d'impression : 105-013.
Dépôt légal : février 1991.

Imprimé en France

.